MW00412510

Le
Livre
de
Poche
Jeunesse

La case de l'oncle Tom

Harriet Beecher Stowe

Harriet Beecher Stowe est née dans le Connecticut, États-Unis, en 1811. Fille de pasteur actif et célèbre, elle reçoit une éducation stricte et rigoureuse. Son père fonde un séminaire dans l'Ohio. C'est l'occasion pour elle de se lancer dans l'écriture. En 1836, elle épouse un pasteur, avec qui elle partagera un engagement contre l'esclavagisme. C'est dans cet esprit qu'elle écrit *La case de l'oncle Tom*, qui connaît un succès immédiat en Amérique et en Europe. Harriet Beecher Stowe meurt en 1896.

Harriet Beecher Stowe

La case de l'oncle Tom

Traduit de l'anglais (États-Unis)
par Louis Enault

Avertissement au lecteur :
Certaines œuvres littéraires peuvent, par leur ampleur, sembler difficilement accessibles à de jeunes lecteurs. Ni adaptation ni résumé, ce livre propose une **version abrégée** du texte original : les coupures y sont effectuées de manière à laisser le plus possible intacts le ton et le style de l'auteur...

Révision de la traduction, rédaction des notes et de la biographie :
Philippe Rouet

43, quai de Grenelle, 75015 Paris

1

Où le lecteur fait connaissance avec un homme vraiment humain

Vers le soir d'une froide journée de février, deux gentlemen étaient assis devant une bouteille vide, dans une salle à manger confortablement meublée de la ville de P..., dans le Kentucky[1]. Les sièges étaient fort rapprochés, et les deux gentlemen semblaient discuter quelque question d'un vif intérêt.

C'est par politesse que nous avons employé jusqu'ici le mot de *gentlemen*[2]. Un de ces deux hommes, quand on l'examinait avec attention, ne paraissait pas mériter cette qualification. Il était court et épais ; ses traits étaient grossiers et communs ; son air à la fois préten-

1. État du centre-est des États-Unis.
2. On sait qu'en anglais *gentleman* veut dire homme comme il faut : on ne naît pas *gentleman,* on le devient (note du traducteur).

tieux et insolent révélait l'homme d'une condition inférieure voulant se pousser dans le monde en jouant des coudes. Il avait une mise exagérée. Ses mains, courtes et larges, étaient ornées d'anneaux. Il portait une massive chaîne de montre en or, avec une grappe de breloques gigantesques ; il avait l'habitude de les faire sonner avec des marques de vive satisfaction.

Son compagnon, M. Shelby, avait au contraire toute l'apparence d'un gentleman. La scène se passait chez lui ; l'arrangement et la tenue de la maison indiquaient une condition aisée et même opulente. Ainsi que nous l'avons déjà dit, la discussion était vive entre ces deux hommes.

« Voilà comme j'entends arranger l'affaire, disait M. Shelby.

— De cette façon-là je ne puis pas, monsieur Shelby, je ne puis pas ! reprenait l'autre.

— Cependant, Haley, Tom est un rare sujet ; sur ma parole, il vaudrait cette somme par toute la terre : un homme rangé, honnête, capable, et qui fait marcher ma ferme comme une horloge.

— Honnête ! vous voulez dire autant qu'un nègre[1] peut l'être, reprit Haley.

— Non, je veux dire réellement honnête, rangé, sensible et pieux. Il doit sa religion à une mission ambulante[2], qui passait il y a quatre ans par ici. Je lui

1. Terme péjoratif pour parler des Noirs.
2. Les missionnaires évangéliques parcouraient les États d'Amérique pour prêcher la bonne parole aux hommes et tenter de les convertir (note du traducteur).

ai confié depuis tout ce que j'ai, argent, maison, chevaux ; je le laisse aller et venir dans le pays ; toujours et partout je l'ai trouvé exact et fidèle. Je suis fâché de me séparer de Tom, je dois l'avouer. »

Le marchand poussa quelques soupirs.

« Eh bien ! Haley, quelles sont vos dernières conditions ? dit M. Shelby après un moment de pénible silence.

— N'avez-vous pas quelque chose, fille ou garçon, à me donner par-dessus le marché, avec Tom ?

— Eh mais, personne dont je puisse me passer ; à dire vrai, quand je vends, il faut qu'une dure nécessité m'y pousse. Je n'aime pas à me séparer de mes travailleurs : c'est un fait. »

À ce moment la porte s'ouvrit, et un enfant quarteron[1], de quatre ou cinq ans, entra dans la salle. Il était remarquablement beau. Sa chevelure noire, fine comme un duvet de soie, pendait en boucles brillantes autour d'un visage arrondi et tout creusé de fossettes ; deux grands yeux noirs, pleins de douceur et de feu. Il regarda curieusement dans l'appartement. Il portait une belle robe de tartan jaune et écarlate, faite avec soin. Ajoutez à cela un certain air d'assurance comique, mêlée de grâce familière, qui montrait assez que c'était là le favori très gâté de son maître.

« Viens ça, maître Corbeau ! dit M. Shelby en sif-

---

1. Métis ayant un « quart de sang noir », c'est-à-dire ayant un seul de ses quatre grands-parents de race noire.

flant ; et il lui jeta une grappe de raisin... Allons ! attrape. »

L'enfant bondit de toute la vigueur de ses petits membres et saisit sa proie.

Le maître riait.

« Viens ici, Harry ! »

L'enfant s'approcha... Le maître caressa sa tête bouclée et lui tapota le menton.

À ce moment, la porte fut doucement poussée, et une jeune esclave quarteronne d'à peu près vingt-cinq ans entra dans l'appartement. Il suffisait d'un regard pour voir que c'était bien là le fils et la mère.

C'était le même œil, noir et brillant, un œil aux longs cils. C'était la même abondance de cheveux noirs et soyeux. Sa mise, d'une irréprochable propreté, laissait ressortir toute la beauté de sa taille élégante. Elle avait la main délicate ; ses pieds étroits et ses fines chevilles ne pouvaient échapper à l'investigation rapide du marchand.

« Qu'est-ce donc, Elisa ?... dit le maître, voyant qu'elle s'arrêtait et le regardait avec une sorte d'hésitation.

— Pardon, monsieur, je venais chercher Harry. »

L'enfant s'élança vers elle en montrant le butin qu'il avait rassemblé dans un pan de sa robe.

« Eh bien ! alors, emmenez-le », dit M. Shelby. Elle sortit rapidement en l'emportant sur son bras.

« Par Jupiter ! s'écria le marchand, voilà un bel article ! Vous pourrez avec cette fille faire votre fortune à Orléans[1] quand vous voudrez ! J'ai vu compter des mille[2] pour des filles qui n'étaient pas plus belles...

— Je n'ai pas besoin de faire ma fortune avec elle », reprit sèchement M. Shelby ; et, pour changer le cours de la conversation, il fit sauter le bouchon d'une nouvelle bouteille, sur le mérite de laquelle il demanda l'avis de son compagnon.

« Excellent ! première qualité ! fit le marchand ; puis se retournant, et lui frappant familièrement l'épaule, il ajouta : Voyons ! combien la fille ?... Qu'en voulez-vous ? Que dois-je en dire ?

— Monsieur Haley, elle n'est point à vendre ; ma femme ne voudrait pas s'en séparer pour son pesant d'or.

— Hé ! hé ! les femmes n'ont que cela à dire parce qu'elles ne savent pas compter ! Mais faites-leur voir combien de montres, de plumes et de bijoux elles pourront acheter avec le pesant d'or de quelqu'un, et elles changeront bientôt d'avis... je vous en réponds.

— Je vous répète, Haley, qu'il ne faut point parler de cela ; je dis non, et c'est non ! reprit Shelby d'un ton ferme.

— Alors vous me donnerez l'enfant, dit le marchand ; vous conviendrez, je pense, que je le mérite bien...

---

1. La Nouvelle-Orléans, ville portuaire de la Louisiane à l'embouchure du Mississippi.
2. Plus d'un millier de dollars pour une belle esclave.

— Eh ! que pouvez-vous faire de l'enfant ? dit Shelby.

— Eh mais, j'ai un ami qui s'occupe de cette branche de commerce. Il a besoin de beaux enfants qu'il achète pour les revendre. Ce sont des articles de fantaisie : les riches y mettent le prix. Dans les grandes maisons, on veut un beau garçon pour ouvrir la porte, pour servir, pour attendre. Ils rapportent une bonne somme.

— J'aimerais mieux ne pas le vendre, dit M. Shelby tout pensif. Le fait est, monsieur, que je suis un homme humain : je n'aime pas séparer un enfant de sa mère, monsieur.

— En vérité ! Oui... le cri de la nature... je vous comprends, j'ai toujours détesté leurs cris, leurs lamentations... c'est *tout à fait* déplaisant... mais je m'y prends généralement de manière à les éviter, monsieur : faites disparaître la fille un jour... ou une semaine, et l'affaire se fera tranquillement. Ce sera fini avant qu'elle revienne... Votre femme peut lui donner des boucles d'oreilles, une robe neuve ou quelque autre bagatelle pour en avoir raison.

— Que Dieu vous écoute donc !

— Ces créatures ne sont pas comme la chair blanche, vous savez bien ; on leur remonte le moral en les dirigeant bien. On dit maintenant, continua Haley en prenant un air candide et un ton confidentiel, que ce genre de commerce endurcit le cœur ; mais je n'ai jamais trouvé cela. Le fait est que je ne voudrais pas faire ce que font certaines gens. J'en ai vu qui arrachaient violemment un enfant des bras de sa mère pour le vendre... elle cependant, la pauvre femme, criait comme une folle... C'est là un bien mauvais système... il détériore la marchandise. Il vaut toujours mieux être humain, monsieur ; c'est ce que m'apprend *mon* expérience. »

Le marchand se renversa dans son fauteuil et croisa ses bras avec tous les signes d'une vertu inébranlable.

Il y avait quelque chose de si piquant et de si original dans ces démonstrations d'humanité, que M. Shelby lui-même ne put s'empêcher de rire.

Le rire de M. Shelby encouragea le marchand à continuer.

« C'est étrange, en vérité ; mais je n'ai pas pu fourrer cela dans la tête des gens. Voyez-vous, Tom Loker, mon ancien associé à Natchez[1] ; c'était un habile garçon ; seulement, avec les nègres, ce Tom était un vrai diable. J'avais l'habitude de lui dire : “Eh bien, Tom, quand ces filles sont tristes et qu'elles pleurent, quelle est donc cette façon de leur donner des coups de poing ou de les frapper sur la tête ? C'est ridicule, et cela ne fait jamais bien. De plus, Tom, vous détériorez ces filles ; elles tombent malades et quelquefois deviennent laides, particulièrement les jaunes[2] : c'est le diable pour les faire revenir... Ne pouvez-vous donc

---

1. Ville au sud-ouest du Mississippi, qui tire son nom d'une tribu d'Indiens. Par ailleurs, titre d'une œuvre de Chateaubriand.
2. Métisses à peau très pâle.

les amadouer… leur parler doucement ? Un peu d'humanité fait plus de profit que vos brutalités ; on en recueille la récompense." Tom ne put parvenir à gagner cela sur lui ; il me gâta tant de marchandise que je fus obligé de rompre avec lui, quoique ce fût un bien bon cœur et une main habile en affaires.

— Et vous pensez que votre système est préférable à celui de Tom ? dit M. Shelby.

— Oui, monsieur, je puis le dire. Toutes les fois que cela m'est possible, j'évite les désagréments. Si je veux vendre un enfant, j'éloigne la mère, et, vous le savez : loin des yeux, loin du cœur. Quand c'est fait, elles en prennent leur parti. Ce n'est pas comme les Blancs, qui sont élevés dans la pensée de garder leurs enfants, leur femme et tout. Un nègre qui a été dressé convenablement ne s'attend à rien de pareil, et tout devient ainsi très facile.

— Je crains, dit M. Shelby, que les miens n'aient point été élevés convenablement.

— Cela se peut. Vous autres, gens du Kentucky vous gâtez vos nègres, vous les traitez bien. Ce n'est pas de la véritable tendresse, après tout. Voilà un Noir ! Eh bien, il est fait pour rouler dans le monde, pour être vendu à Tom, à Dick, et Dieu sait à qui ! Il n'est pas bon de lui donner des idées, des espérances, pour qu'il se trouve ensuite exposé à des misères, à des duretés qui lui sembleront plus pénibles… J'ose dire qu'il vaudrait mieux pour vos nègres d'être traités comme ceux de toutes les plantations[1].

— Cependant, Haley, dit M. Shelby, si vous voulez que cette affaire soit menée avec la discrétion dont vous parlez, ne laissez rien transpirer dans le voisinage ; le bruit s'en répandrait parmi les miens, et je vous déclare qu'il ne serait pas facile alors de les calmer.

— Motus ! je vous le promets ! Mais en même temps je vous déclare que je suis diablement pressé et qu'il faut que je sache le plus tôt possible sur quoi je puis compter. »

Il se leva et mit son pardessus.

« Faites-moi demander ce soir, entre six et sept heures, dit M. Shelby, et vous aurez ma réponse. »

Le marchand salua et sortit.

« Dire que je ne puis pas le jeter du haut en bas de l'escalier ! pensa M. Shelby quand il vit la porte bien fermée. Quelle impudente effronterie !... Il connaît ses avantages. Ah ! si on m'eût dit qu'un jour j'aurais été obligé de vendre Tom à un de ces damnés marchands, j'aurais répondu : “Votre serviteur est-il un chien pour en agir ainsi ?...” Et maintenant cela doit être... je le vois... Et l'enfant d'Elisa ! Je vais avoir maille à partir avec ma femme à ce sujet-là... et pour Tom aussi... Oh ! les dettes ! les dettes ! »

---

1. Grandes exploitations agricoles dans le sud des États-Unis, dans lesquelles les propriétaires, les « planteurs », employaient principalement des esclaves noirs.

M. Shelby était une bonne pâte d'homme, porté à l'indulgence envers tous ceux qui l'entouraient. Il ne négligeait rien de ce qui pouvait contribuer à la santé et au bien-être des nègres de sa possession. Mais il s'était jeté dans des spéculations aveugles... il était engagé pour des sommes considérables. Ses billets[1] étaient entre les mains de Haley... Voilà qui explique la conversation précédemment rapportée.

Elisa, en approchant de la porte, en avait assez entendu pour comprendre qu'un marchand faisait des offres pour quelque esclave.

Elle aurait bien voulu rester à la porte pour écouter davantage ; mais au même instant sa maîtresse l'appela : il fallut bien partir.

Elle crut cependant comprendre qu'il s'agissait de son enfant... Pouvait-elle s'y tromper ?... Son cœur se gonfla et battit bien fort. Elle serra involontairement l'enfant contre elle d'une si vive étreinte, que le pauvre petit se retourna tout étonné pour regarder sa mère.

« Elisa ! mais qu'as-tu aujourd'hui, ma fille ? » dit la maîtresse en voyant Elisa prendre un objet pour l'autre.

Elisa s'arrêta tout d'un coup.

« Oh ! madame, dit-elle en fondant en larmes.

— Eh bien ! Elisa, mon enfant... mais qu'as-tu donc ?

— Oh ! madame, madame ! il y avait un marchand

1. Il s'agit là de billets de vente comme on le verra au chapitre 4.

qui parlait dans la salle avec monsieur ; je l'ai entendu !

— Eh bien ! folle ! quand cela serait ?

— Ah ! madame, croyez-vous que monsieur voudrait vendre mon Harry ? »

Et la pauvre créature se rejeta sur la chaise avec des sanglots convulsifs.

« Eh non ! sotte créature ; tu sais bien que ton maître ne fait pas d'affaires avec les marchands du Sud, et qu'il n'a pas l'habitude de vendre ses esclaves tant qu'ils se conduisent bien... Et puis, qui voudrait donc acheter ton Harry, et pour quoi faire ? Penses-tu que l'univers a pour lui les mêmes yeux que toi ? Allons, séche tes larmes, et n'écoute plus jamais aux portes.

— Non, madame..., mais *vous,* vous ne consentiriez pas à... à ce que...

— Quelle folie... ! Eh non, je ne consentirais pas... Pourquoi revenir là-dessus ? J'aimerais autant voir vendre un de mes enfants, à moi ! Mais, en vérité, Elisa, vous devenez un peu bien orgueilleuse aussi de ce petit bonhomme... On ne peut pas mettre le nez dans la maison que vous ne pensiez que ce soit pour l'acheter. »

Rassurée par le ton même de sa maîtresse, Elisa l'habilla prestement, et finit par rire de ses propres craintes.

Mme Shelby était une femme supérieure ; à cette grandeur d'âme naturelle, à cette élévation d'esprit, qui souvent est le caractère distinctif des femmes du Kentucky, elle joignait des principes d'une haute moralité et des sentiments religieux qui la guidaient, avec autant de fermeté que d'habileté, dans toutes les circonstances de sa vie. Son mari, qui ne faisait profession d'aucune religion, avait la plus grande déférence pour la religion de sa femme. Il tenait à son opinion ; il lui laissait donner librement carrière à sa bienveillance dans tout ce qui regardait l'amélioration, l'instruction et le bien-être des esclaves.

Mme Shelby, ignorant complètement les embarras de son mari, et le sachant très bon au fond, avait été sincèrement incrédule devant les craintes d'Elisa : elle ne s'en occupa même plus.

2

La mère

Élevée depuis l'enfance par sa maîtresse, Elisa avait toujours été gâtée.

Ceux qui ont voyagé dans l'Amérique du Sud ont pu remarquer l'élégance raffinée, la douceur de voix et de manières qui semblent être le don particulier de certaines mulâtresses[1]. Ces grâces naturelles des quarteronnes sont souvent unies à une beauté vraiment éblouissante. Elisa avait été mariée à un jeune homme de sa condition, habile et beau, vivant sur une possession voisine. Il s'appelait George Harris.

---

1. Métisses ayant une « moitié de sang noir », c'est-à-dire deux de ses grands-parents de race noire.

Ce jeune homme avait été loué par son maître pour travailler dans une fabrique de sacs. Son adresse et son savoir lui avaient valu la première place. Il avait inventé une machine à tiller le chanvre[1].

George était le favori de tous à la fabrique. Cependant, comme cet esclave, aux yeux de la loi, n'était pas un homme, mais une chose, toutes ces qualités supérieures étaient soumises au contrôle tyrannique d'un maître vulgaire, aux idées étroites. Le bruit de l'invention alla jusqu'à lui : il se rendit à la fabrique pour voir qui avait fait cette chose intelligente ; il fut reçu avec enthousiasme par le directeur, qui le félicita d'avoir un esclave d'un tel mérite.

George lui montra sa machine, et, un peu exalté par les éloges, parla si bien, se montra si grand, que son maître commença d'éprouver le sentiment pénible de son infériorité. Quel besoin avait donc son esclave de parcourir le pays, d'inventer des machines et de lever la tête parmi les gentlemen ? Il fallait y mettre ordre, il fallait le ramener chez lui, le mettre à creuser et à bêcher la terre... on verrait alors s'il serait aussi fier ! Le fabricant et tous les ouvriers furent donc grandement étonnés d'entendre cet homme demander le compte de George, qu'il voulait, disait-il, reprendre immédiatement.

1. Servant à séparer les fibres du chanvre dans la fabrication de certains tissus.

« Mais, monsieur Harris, disait le fabricant, n'est-ce point une résolution bien soudaine ?

— Qu'importe ? N'est-il pas à *moi* ?

— Nous consentirons volontiers à élever le prix.

— Ceci n'est pas une raison : je n'ai pas besoin de louer mes ouvriers quand cela ne me plaît pas.

— Mais, monsieur, il semble tout particulièrement propre aux travaux que je lui ai confiés...

— Et puis, dit assez maladroitement un des ouvriers, songez à la machine qu'il a inventée...

— Ah ! oui, une machine pour épargner la peine, n'est-ce pas ? C'est cela qu'il a inventé. Il n'y a qu'un nègre pour inventer cela. Ne sont-ils point eux-mêmes des machines ?... Non, il partira. »

George fut ramené à l'habitation et employé aux plus grossiers travaux de la ferme. Il put sans doute s'abstenir de toute parole irrespectueuse ; mais l'œil rempli d'éclairs, mais le front sombre et troublé, n'est-ce point là un langage aussi, un langage auquel on ne saurait imposer silence ?

C'était pendant l'heureuse période de son travail à la fabrique que George avait vu Elisa et qu'il l'avait épousée : pendant cette période, jouissant de la confiance et de la faveur de son chef, il avait pleine liberté d'aller et de venir à sa guise. Ce mariage avait reçu la haute approbation de Mme Shelby, qui, comme toutes les femmes, aimait assez s'occuper de mariage : elle était heureuse de marier sa belle favorite avec un homme de sa classe, qui lui convenait d'ailleurs de toute façon. Ils furent donc unis dans le grand salon de Mme Shelby, qui voulut elle-même orner de fleurs d'oranger les beaux cheveux de la fiancée et la parer du voile nuptial.

Pendant une ou deux années, Elisa vit son mari assez fréquemment ; rien n'interrompit leur bonheur que la perte de deux enfants en bas âge, auxquels elle était passionnément attachée.

Cependant, après la naissance du petit Harry, elle s'était peu à peu calmée et apaisée. Elisa fut donc une heureuse femme jusqu'au jour où son mari fut violemment arraché de la fabrique et ramené sous le joug de fer de son possesseur légal.

Le manufacturier, fidèle à sa parole, alla rendre visite à M. Harris, une semaine ou deux après le départ de George. Il ne négligea rien pour obtenir qu'on lui rendît l'esclave.

« Ne prenez pas la peine de m'en parler davantage, répondit Harris d'un ton brusque et irrité ; je sais ce que j'ai à faire, monsieur.

— Je ne prétends vous influencer en rien, monsieur ; je croyais seulement que vous auriez pu penser qu'il était de votre intérêt de me rendre cet homme aux conditions...

— Je comprends, monsieur... J'ai surpris l'autre jour vos menées et vos chuchotements ; mais on ne m'en impose pas de cette façon-là, monsieur !... Nous sommes dans un pays libre, monsieur ; l'homme est à moi, j'en fais ce que je veux : voilà ! »

Ainsi s'évanouit la dernière espérance de George... Il n'a plus maintenant devant lui qu'une vie de travail et de misère, rendue plus amère encore par toutes les taquineries mesquines et toutes les vexations d'une tyrannie inventive.

3

Époux et père

Mme Shelby était partie. Elisa se tenait sous la véranda. Triste, elle suivait de l'œil la voiture qui s'éloignait. Une main se posa sur son épaule. Elle se retourna et un brillant sourire illumina son visage.

« George, est-ce toi ? Tu m'as fait peur ! Oh ! je suis si heureuse de te voir ! Madame est absente pour toute la soirée. Viens dans ma petite chambre ; nous avons du temps devant nous. »

En disant ces mots, elle l'attira vers une jolie petite pièce ouvrant sur le vestibule, où elle se tenait ordinairement, occupée à coudre, et à portée de la voix de sa maîtresse.

« Oh ! je suis bien heureuse... Mais pourquoi ne souris-tu pas ? Regarde Harry : comme il grandit ! »

Cependant l'enfant jetait sur son père des regards furtifs à travers les boucles de ses cheveux épars, et se cramponnait aux jupes de sa mère.

« N'est-il pas beau ? dit Elisa en relevant les longues boucles et en l'embrassant.

— Je voudrais qu'il ne fût jamais né, dit George amèrement : je voudrais n'être jamais né moi-même. »

Surprise et effrayée, Elisa s'assit, appuya sa tête sur l'épaule de son mari et fondit en larmes.

Mais lui, d'une voix bien tendre : « C'est mal à moi, Elisa, de te faire souffrir ainsi, pauvre créature ; oh ! c'est bien mal ! Pourquoi m'as-tu connu ?... tu aurais pu être heureuse !

— George, George ! peux-tu parler ainsi ? Quelle si terrible chose t'est donc arrivée ? Qu'est-ce qui se passe ? Nous avons pourtant été heureux jusqu'ici.

— Oui, chère, nous avons été heureux ! » dit George. Alors, prenant l'enfant sur ses genoux, il regarda fixement ses yeux noirs et fiers, et passa ses mains dans les longues boucles flottantes.

« C'est ton portrait, Lizy ! Et tu es la plus belle femme que j'aie jamais vue, et la meilleure, et cependant je voudrais que nous ne nous fussions jamais connus !

— Oh ! mon cher George, voilà qui est vraiment mal... Je sais combien tu as été affligé de perdre ta place dans la fabrique... Je sais que tu as un maître bien dur... Mais, je t'en prie, prends patience... peut-être que...

— Patience ! s'écria-t-il en l'interrompant... N'ai-je pas eu de la patience ? ai-je dit un seul mot quand il est venu et qu'il m'a enlevé, sans motif, de cette maison, où tous étaient bons pour moi ? Je lui abandonnais tout le profit de mon travail, et tous disaient que je travaillais bien.

— Oh George ! George ! j'ai peur que tu ne fasses quelque chose de terrible... Je comprends ce que tu éprouves ; mais prends garde, George, pour l'amour de moi et pour Harry !

— J'ai été prudent et j'ai été patient, mais de jour en jour le mal empire ; la chair et le sang ne peuvent en supporter davantage. Chaque occasion qu'il peut saisir de me tourmenter et de m'insulter... il la saisit. Je croyais qu'il me serait possible de bien travailler, et de vivre en paix, et d'avoir un peu de temps pour lire et m'instruire en dehors des heures de travail... Non ! plus je puis porter, plus il me charge !... il affirme que, bien que je ne dise rien, il voit que j'ai le diable au corps, et qu'il veut le faire sortir... Eh bien ! oui, un de ces jours ce diable sortira, mais d'une façon qui ne lui plaira pas, ou je serais bien trompé...

— Oh ! cher ! que ferons-nous ? dit Elisa tout en pleurs.

— Pas plus tard qu'hier, dit George, j'étais occupé à charger des pierres sur une charrette, le jeune maître, M. Tom, était là, faisant claquer son fouet si près du cheval qu'il effrayait la pauvre bête. Je le priai de cesser aussi poliment que je pus, il n'en fit rien : je renouvelai ma demande ; il se tourna vers moi et se mit à me frapper. Je lui saisis la main ; il poussa des cris perçants, me donna des coups de pied et courut à son père, à qui il dit que je le battais. Celui-ci devint furieux, il m'attacha à un arbre, coupa des baguettes, et dit au jeune monsieur qu'il pouvait me frapper jusqu'à ce qu'il fût fatigué. Il le fit... »

Le front de l'esclave s'assombrit.

« Qui a fait cet homme mon maître ? murmurait-il encore ; voilà ce que je veux savoir ! »

Elisa tremblait et se taisait ; elle n'avait jamais vu son mari dans un tel état.

« Tu sais, reprit George, ce petit chien, Carlo, que tu m'avais donné ? C'était toute ma joie : la nuit, il dormait avec moi, le jour, il me suivait partout : il me regardait avec tendresse, comme s'il eût compris ce que je souffrais... L'autre jour, je le nourrissais de quelques restes, ramassés pour lui à la porte de la cuisine. Le maître nous vit et dit que je nourrissais un chien à ses dépens... qu'il ne pouvait souffrir que chaque nègre eût ainsi un chien, et il m'ordonna de lui attacher une pierre au cou et de le jeter dans l'étang.

— Oh George ! tu ne l'as pas fait !

— Moi ? non ! mais lui l'a fait ! Lui et Tom assommèrent à coups de pierres la pauvre bête qui se noyait. J'eus le fouet pour n'avoir pas obéi... Qu'importe ! mon maître saura que je ne suis pas de ceux que le fouet assouplit... Mon jour viendra... qu'on y prenne garde ! Toi-même tu ne pourrais pas... si je disais tout... car tu ne sais pas encore toute la vérité !

— Que peut-il y avoir encore ?

— Écoute ! Dernièrement le maître a dit qu'il avait eu grand tort de me laisser marier hors de sa maison ; qu'il déteste M. Shelby et les siens, parce qu'ils sont orgueilleux et qu'ils portent la tête plus haut que lui. Il dit que vous me donnez des idées d'orgueil, qu'il ne me laissera plus venir ici, mais que je prendrai une autre femme et m'établirai chez lui. Il se contenta d'abord d'insinuer et de murmurer cela tout bas ; mais hier il me dit que j'aurais à prendre Mina dans ma cabane, ou qu'il me vendrait de l'autre côté de la rivière.

— Cependant, tu es marié avec *moi* par le ministre[1], aussi bien que si tu eusses été un Blanc, dit Elisa tout naïvement.

— Eh ! ne sais-tu pas qu'une esclave ne peut pas être mariée[2] ? Il n'y a pas de loi là-dessus dans ce pays. Je ne puis te garder comme femme s'il veut que nous nous séparions... et voilà pourquoi je voudrais ne t'avoir jamais vue ! Voilà pourquoi je voudrais ne pas être né... Ce serait meilleur pour tous deux, meilleur pour ce pauvre enfant qu'attend un pareil sort...

---

1. L'ecclésiastique, prêtre catholique ou pasteur protestant, qui dans une église a la charge du culte.

2. En tant que bien du propriétaire, l'esclave ne pouvait passer de contrat légal (ici de mariage).

— Oh ! notre maître à nous est si bon !

— Oui, mais qui sait ? Il peut mourir, et l'enfant peut être vendu on ne sait à qui. À quoi lui sert d'être si beau, si vif ? Je te le dis, Elisa, un glaive te percera l'âme pour chaque qualité de ton enfant... Il vaudra trop pour qu'on te le laisse... »

Ces paroles mordaient cruellement le cœur d'Elisa. Le fantôme du marchand d'esclaves passa devant ses yeux... Comme si elle eût reçu le coup de la mort, elle pâlit, le souffle lui manqua... Elle jeta un coup d'œil vers le vestibule où l'enfant se promenait à cheval... sur la canne de M. Shelby. Elisa aurait bien voulu confier ses craintes à son mari, mais elle n'osa.

« Non, pensa-t-elle, son fardeau est déjà assez lourd... pauvre cher homme ! Non, je ne lui dirai rien... Et puis, ce n'est pas vrai... ma maîtresse ne m'a jamais trompée ! »

« Allons, Elisa, mon enfant, dit le mari tristement, du courage et adieu ! je m'en vais...

— T'en aller ! t'en aller ! et où vas-tu, George ?

— Au Canada[1], dit-il en maîtrisant son émotion. Et quand je serai là, je t'achèterai... c'est le dernier espoir qui nous reste. Vous avez un bon maître, il ne refusera pas de vous vendre... je vous achèterai, vous et l'enfant... Oui, si Dieu m'aide, je ferai cela.

---

1. Les esclaves noirs en fuite essayaient de gagner le Canada, où l'esclavage avait été aboli en 1834.

— Oh ! malheur ! Et si tu étais pris ?

— Je ne serai pas pris, Elisa, je *mourrai* auparavant... je serai libre ou mort.

— George, pour l'amour de moi, sois prudent ! Ne fais rien de mal... Ne porte les mains ni sur toi ni sur autrui ! Tu es bien tenté... oh ! bien trop ! Mais résiste... Sois prudent, attentif... et prie Dieu de venir à ton aide...

— Oui, oui, Elisa ; mais écoute mon plan. Mon maître s'est mis dans la tête de m'envoyer de ce côté avec une note pour M. Symner, qui demeure à un mille[1] d'ici. Il s'attend à ce que je vienne ici pour conter mes peines. Il se réjouit de penser que j'apporterai quelque ennui chez les Shelby. Cependant je m'en retourne tout résigné, comme si c'était chose terminée. J'ai quelques préparatifs à faire. On m'aidera, et dans huit jours je serai au nombre de ceux qui manquent à l'appel. Prie pour moi, Elisa ; peut-être le bon Dieu t'écoutera-t-il, toi !

— Oh ! prie toi-même, George, et confie-toi à Lui, et alors tu ne feras rien de mal.

— Allons ! *adieu* », dit George en prenant les mains d'Elisa et en fixant ses yeux sur ceux de la jeune femme...

Ils se tinrent un moment silencieux, puis il y eut les dernières paroles, et les larmes amères... Ce sont là des

1. Unité de mesure anglo-saxonne (1 609 mètres).

adieux comme en savent faire ceux dont l'espérance du revoir est suspendue à un fil léger comme la toile de l'araignée...

Le mari et la femme se séparèrent.

4

Une soirée dans la case de l'oncle Tom

La case de l'oncle Tom était une petite construction faite de troncs d'arbres, attenant à « la maison » comme le nègre appelle l'habitation de son maître. Devant la case, un morceau de jardin, où, chaque été, les framboises, les fraises et d'autres fruits, mêlés aux légumes, prospéraient sous l'effort d'une culture soigneuse. Toute la façade était couverte par un large bégonia écarlate et un rosier multiflore. Les chrysanthèmes, les pétunias faisaient les délices et l'orgueil de la tante Chloe.

Cependant entrons dans la case. La tante Chloe, premier cordon bleu de l'habitation, après en avoir surveillé les dispositions, laissant aux officiers de bouche[1] d'un ordre inférieur le soin de nettoyer les plats, allait dans son petit domaine préparer le souper de son vieux mari. Sa face dodue rayonne d'aise et de contentement sous le turban coquet. On y découvre cette nuance de satisfaction intime qui convient à la première cuisinière du voisinage.

Le lit était dans un coin, recouvert d'une courtepointe[2] blanche comme neige ; à côté du lit, un morceau de tapis assez large : c'était là que se tenait habituellement la tante Chloe. Le tapis, le lit et toute cette partie de l'habitation étaient l'objet de la plus haute considération. On les protégeait contre les dévastations et le maraudage des jeunes drôles. Ce coin était le *salon* de la case. Dans l'autre coin, il y avait également un lit, mais à moindre prétention ; celui-là, il était évident que l'on s'en *servait.*

Le dessus de la cheminée était décoré d'images enluminées, dont le sujet était emprunté à l'Écriture sainte[3], et d'un portrait du général Washington[4], dessiné et colorié de façon à causer quelque étonnement au héros, s'il se fût jamais rencontré avec son image.

Dans ce coin, sur un banc grossier, deux enfants à têtes de laine, aux yeux noirs et brillants, aux joues rebondies et luisantes, étaient occupés à surveiller les

---

1. Dans une grande maison, domestiques chargés de la nourriture.
2. Couverture de lit garnie de ouate.
3. La Bible.
4. George Washington (1732-1799), héros de l'indépendance américaine, premier président des États-Unis (élu en 1789).

premières tentatives de marche d'un nourrisson... Ces tentatives se bornaient du reste à se dresser sur les pieds, à se balancer un moment d'une jambe sur l'autre, puis à tomber. Chaque chute était accueillie par des applaudissements : on eût dit quelque miracle accompli.

Une table était dressée devant le feu et couverte d'une nappe. On voyait déjà les verres et la vaisselle, d'un modèle assez recherché. On reconnaissait tous les symptômes qui signalent l'approche d'un festin.

À cette table était assis l'oncle Tom, le plus vaillant travailleur de M. Shelby. C'était un homme puissant et bien bâti : large poitrine, membres vigoureux, teint d'ébène luisant ; un visage dont tous les traits, purement africains, étaient caractérisés par une expression de bon sens grave et recueilli, uni à la tendresse et à la bonté. Il y avait dans tout son air de la dignité et du respect de soi-même, mêlé à je ne sais quelle simplicité humble et confiante.

Il était alors très laborieusement occupé : une ardoise était placée devant lui, et il s'efforçait, avec un soin plein de lenteur, de tracer quelques lettres. Il était surveillé dans cette opération par le jeune monsieur George, vif et pétulant garçon de treize ans, qui s'élevait en ce moment à toute la dignité de sa position d'instituteur.

« Pas de ce côté, père Tom, pas de ce côté, s'écria-t-il vivement en voyant que l'oncle Tom faisait tourner à droite la queue d'un g ; cela fait un q, vous voyez bien !

— En vérité ! » dit l'oncle Tom en regardant avec un air de respect et d'admiration les q et les g sans nombre que son jeune instituteur semait sur l'ardoise pour son édification.

Il prit alors le crayon dans ses gros doigts pesants et recommença patiemment.

« Comme ces blancs font tout bien ! dit la tante Chloe en s'arrêtant, la fourchette en l'air et un morceau de lard au bout ; elle regarda M. George avec orgueil. Il sait écrire déjà ! et lire aussi ! et chaque soir, il veut bien venir nous donner des leçons... Que c'est bon à lui !

« Mais, tante Chloe, dit George, voilà que je meurs de faim... Est-ce que cette galette que je vois dans le poêlon n'est pas à peu près cuite ?

— Bientôt, monsieur George, dit Chloe en soulevant le couvercle... bientôt. Oh ! Elle est vraiment d'un brun superbe ! Ah ! il n'y a que moi pour cela. Madame permit l'autre jour à Sally d'essayer... pour *apprendre,* disait-elle. Ah ! madame, lui disais-je, ça me fend le cœur de voir ainsi gâter les bonnes choses. Le gâteau ne monta que d'un côté... et plus ferme que ma savate... Ah ! fi ! »

Et, après cette dernière expression de mépris pour la maladresse de Sally, la tante Chloe enleva le couvercle et servit un gâteau parfaitement réussi. Cette opération délicate une fois menée à bien, Chloe s'occupa activement de la partie plus substantielle du souper.

« Allons, Pete, Mose, décampez, négrillons ! Et vous aussi, Polly. Vous, monsieur George, laissez maintenant vos livres, et mettez-vous à table avec mon vieil homme... En moins de rien vous êtes servi.

— Ils voulaient me retenir à souper à la maison ; mais je savais bien ce qui m'attendait ici, tante Chloe.

— Aussi vous êtes venu, mon cœur ! dit la tante Chloe en mettant le gâteau fumant sur l'assiette de George... Vous savez que la vieille Chloe vous garde les meilleurs morceaux ! Oh ! il n'y a que vous pour tout comprendre, allez ! »

Cependant, George en était arrivé à ce point où un enfant même peut en venir (dans des circonstances exceptionnelles), de ne pouvoir avaler un morceau de plus. Il eut alors le temps de regarder toutes ces têtes de laine et tous ces yeux brillants qui le contemplaient d'un air famélique, d'un angle à l'autre de l'appartement.

« Ici, Peter ici, Mose ! (Et il coupa de larges morceaux qu'il leur jeta.) Vous en voulez, n'est-ce pas ? Allons ! Chloe, donnez-leur des gâteaux. »

George et Tom se placèrent sur un siège confortable, au coin de la cheminée, tandis que Chloe, après avoir fait encore une pile de galettes, prit le bébé sur ses genoux, le faisant manger, mangeant elle-même, et distribuant les morceaux à Peter et à Mose. Les enfants, les mains et le visage pleins de mélasse[1], commencèrent à embrasser vigoureusement la petite fille.

« Voulez-vous bien vous en aller ? dit la mère, en repoussant les têtes crépues... Comme vous voici faits !... Cela ne partira jamais ! Courez vous laver à la fontaine. » Et à ses exhortations elle ajouta une tape qui retentit formidablement, mais qui n'excita autre chose que le rire des enfants qui tombèrent l'un sur l'autre en sortant, avec des éclats de rire joyeux et frais.

« A-t-on jamais vu d'aussi méchants garnements ? » dit Chloe avec une certaine satisfaction maternelle. Elle atteignit une vieille serviette, elle prit un peu d'eau dans une théière fêlée, et débarbouilla les mains et le visage du bébé. Elle les frotta jusqu'à les faire reluire, puis elle mit l'enfant sur les genoux de Tom, et fit disparaître les traces du souper.

« N'est-ce point là un bijou d'enfant ? » dit Tom en l'écartant un peu de lui pour mieux la voir ; et se levant, il l'assit sur sa large épaule et commença de gesticuler et de danser avec elle, tandis que George secouait autour d'elle son mouchoir de poche, et que Mose et Peter cabriolaient comme de jeunes ours. Chloe déclara enfin que tout ce bruit lui fendait la tête ; mais, comme cette plainte énergique se faisait entendre plusieurs fois par jour dans la case, elle ne réprima point la gaieté pétulante de nos amis : les jeux,

---

1. Liquide sirupeux résultant de la fabrication du sucre.

les danses et les cris continuèrent, jusqu'à ce que chacun tombât d'épuisement.

Pendant que cette scène se passait dans la case de l'esclave, il s'en passait une bien différente dans la maison du maître.

Le marchand et M. Shelby étaient assis l'un devant l'autre dans la salle à manger, auprès d'une table couverte de papiers. M. Shelby était occupé à compter des liasses de billets. Quand ils furent comptés, il les passa au marchand, qui les compta également.

« C'est bien, dit celui-ci ; il n'y a plus maintenant qu'à signer. »

M. Shelby prit vivement les billets de vente et signa, comme un homme pressé de finir une besogne ennuyeuse ; puis il tendit au marchand l'acte signé et de l'argent. Haley tira d'une vieille valise un parchemin qu'il présenta à M. Shelby après l'avoir un moment examiné. Celui-ci s'en empara avec un empressement qu'il ne put dissimuler.

« Maintenant, voilà qui est fait, dit Haley en se levant.

— *C'est fait !* reprit Shelby d'un air rêveur ; et, tirant de sa poitrine un long soupir, il répéta encore : *C'est fait !*

— Vous n'en paraissez pas bien ravi, à ce qu'il me semble, dit le marchand.

— Haley, répondit M. Shelby, j'espère que vous vous souviendrez que vous m'avez promis sur l'honneur de ne pas vendre Tom sans savoir entre quelles mains il ira.

— Eh mais, c'est justement ce que vous avez fait vous-même, dit le marchand.

— Vous savez quelle nécessité m'a *contraint* !

— Mais elle pourrait m'obliger aussi, *moi,* reprit Haley. Cependant je ferai de mon mieux pour donner une bonne place à Tom. Quant à le maltraiter moi-même, vous n'avez rien à craindre de ce côté-là. Si je remercie Dieu de quelque chose, c'est de ne m'avoir pas fait cruel. »

5

Où l'on voit les sentiments de la marchandise humaine quand elle change de propriétaire

M. et Mme Shelby s'étaient retirés dans leur appartement pour la nuit.

Le mari s'était étendu dans un fauteuil confortable : il parcourait quelques lettres arrivées par la poste de l'après-dîner ; la femme était debout devant son miroir, dénouant les tresses de ses cheveux. Mme Shelby, remarquant la pâleur et l'œil hagard d'Elisa, l'avait dispensée de son service pour ce soir-là ; l'occupation du moment lui rappela la conversation du matin, et se tournant vers son mari, elle lui dit avec assez d'insouciance :

« À propos, Arthur, quel est donc cet homme assez mal élevé que vous avez fait asseoir à notre table aujourd'hui ?

— Il s'appelle Haley, dit Shelby en se retournant sur son siège comme un homme mal à l'aise ; et il tint ses yeux fixés sur la lettre.

— Haley ! quel est-il, et qui peut l'attirer ici, dites-moi ?

— Mon Dieu ! c'est un homme avec qui j'ai fait quelques affaires, la dernière fois que je suis allé à Natchez, dit M. Shelby.

— Bah ! il s'est cru autorisé par là à venir s'installer chez nous et à nous demander à dîner ?

— Mais non ; c'est moi qui l'avais invité. J'ai quelques intérêts avec lui.

— C'est un marchand d'esclaves ? poursuivit Mme Shelby, qui observait un certain embarras dans les façons de son mari.

— Eh ! ma chère, qui a pu vous mettre cela dans la tête ? dit celui-ci en levant les yeux.

— Rien ! seulement, dans l'après-dîner, Elisa est venue ici, émue, bouleversée, tout en larmes ; elle m'a dit que vous étiez en conférence avec un marchand d'esclaves, et qu'elle l'avait entendu vous faire des offres pour son enfant !... Oh ! la sotte créature !

— Ah ! elle vous a dit cela ? » reprit M. Shelby. Il reprit sa lettre, qu'il sembla lire avec la plus grande attention, tout en la tenant à l'envers. « Il faut que cela éclate, se dit-il en lui-même ; aussi bien maintenant que plus tard ! »

« J'ai dit à Elisa, reprit Mme Shelby, tout en continuant d'arranger ses cheveux, qu'elle était vraiment bien folle de s'affliger ainsi, que vous ne traitez jamais avec des gens de cette sorte... et puis, que je savais que vous ne voulez vendre aucun de vos esclaves... et ce pauvre enfant moins que tout autre.

— Bien ! Emily ; c'est ainsi que j'ai toujours dit et pensé. Mais aujourd'hui... mes affaires sont dans un tel état... que je ne puis... il faudra que j'en vende quelques-uns...

— À ce misérable ! lui vendre... vous ! Oh ! c'est impossible... vous ne parlez pas sérieusement !...

— J'ai le regret de vous dire que je suis sérieux... j'ai consenti à vendre Tom.

— Quoi ! notre Tom... votre fidèle esclave depuis son enfance... Oh ! monsieur Shelby ! Et vous lui aviez promis sa liberté... vous et moi nous lui en avons parlé maintes fois... Ah ! maintenant, je puis tout croire... je puis croire maintenant que vous vendrez le petit Harry... l'unique enfant de notre pauvre Elisa... »

Mme Shelby prononça ces mots d'un ton qui tenait le milieu entre la douleur et l'indignation.

« Eh bien ! puisqu'il faut que vous sachiez tout... cela est. J'ai consenti à vendre ensemble Tom et Harry... Je ne sais pas pourquoi on me regarde comme un monstre parce que je fais ce que tout le monde fait tous les jours...

— Mais pourquoi ceux-là entre tous ?... Oui ! si vraiment vous deviez vendre, pourquoi choisir ceux-là ?...

— Parce qu'ils me rapporteront les plus grosses

sommes. Voilà pourquoi je ne pouvais en choisir d'autres, si vous en venez là. L'individu m'a offert un bon prix d'Elisa... si cela vous convient mieux !

— Le misérable ! s'écria Mme Shelby.

— Je n'ai pas voulu l'écouter un moment... non ! À cause de vous, je n'ai pas voulu l'écouter. Sachez-m'en quelque gré.

— Mon ami, dit Mme Shelby en se remettant, pardonnez-moi. J'ai été vive. Vous m'avez surprise. Je n'étais pas préparée à cela. Mais certainement vous me permettrez d'intercéder[1] pour ces pauvres créatures. Tom est un nègre ; mais c'est un noble cœur, et un homme fidèle. Je suis sûre, monsieur Shelby, qu'au besoin il donnerait sa vie pour vous...

— Oui, j'ose le dire... Mais que voulez-vous ? Il le faut !

— Pourquoi ne pas faire un sacrifice d'argent ? Allez ! j'en supporterai ma part bien volontiers. Oh ! monsieur Shelby ! j'ai essayé... je me suis efforcée, comme une femme chrétienne, d'accomplir mon devoir envers ces pauvres créatures, si simples, si malheureuses. J'en ai eu soin... je les ai instruites, je les ai veillées. Il y a des années que je connais leurs modestes joies et leurs humbles soucis... Comment pourrai-je élever ma tête au milieu d'eux, si pour un misérable gain nous vendons ce digne et excellent Tom ? Si nous lui arrachons en un instant tout ce que nous lui avons

1. Intervenir, plaider en faveur de quelqu'un.

appris à aimer et à respecter ?... Oui ! je leur ai appris les devoirs de la famille, de père et d'enfant, de mari et de femme : comment supporter la pensée de leur montrer maintenant qu'il n'y a pas de liens, de relations, si sacrées qu'elles soient, que nous ne soyons prêts à briser pour de l'argent ?

— Je suis bien fâché, Emily, que vous le preniez si vivement. Oui, en vérité ; je respecte vos sentiments, quoique je ne puisse pas les partager entièrement. Mais, je vous le dis maintenant solennellement, tout est inutile... c'est le seul moyen de me sauver... Je ne voulais pas vous le dire, Emily... mais voyez-vous, s'il faut parler net... ou vendre ces deux-là, ou vendre tout ! Ils doivent partir, ou *tous* partiront ! Haley possède une hypothèque[1] sur moi... si je ne la purge pas avec lui, elle emportera tout... J'ai économisé, j'ai gratté sur tout, j'ai emprunté, j'ai fait tout, excepté mendier... et je n'ai pu arriver à la balance de mon compte sans le prix de ces deux-là... J'ai dû les abandonner. »

On eût dit que Mme Shelby venait de recevoir le coup mortel. Elle resta un instant immobile, puis se retourna vers sa table, mit sa tête dans ses mains et poussa comme un gémissement.

« Je suis désolé, Emily, vraiment désolé que cela vous tienne si fort au cœur... mais cela ne servirait à

1. Droit réel accordé à un créancier sur un bien en garantie du paiement de la dette.

rien. La chose est faite. Les billets de vente sont signés. Ils sont entre les mains de Haley. Rendez grâce à Dieu que le mal ne soit pas pire. Haley pouvait nous ruiner tous, et le voilà désarmé... Si vous connaissiez comme moi quel homme c'est... vous verriez que nous l'avons échappé belle.

— Il est donc bien dur ?

— Eh ! mon Dieu ! ce n'est pas précisément un homme cruel, mais c'est un homme qui ne vit que pour le trafic et le lucre[1]. Il vendrait sa propre mère, s'il en trouvait bon prix... sans pour cela souhaiter aucun mal à la pauvre vieille.

— Et c'est ce misérable qui achète le bon, le fidèle Tom et l'enfant d'Elisa !

— Oui, ma chère. Le fait est que cela m'est bien pénible... Je ne veux pas y penser. Haley viendra demain matin pour en prendre possession. Je vais donner ordre que mon cheval soit prêt de très bonne heure ; je sortirai. Je ne pourrais pas voir Tom, non je ne pourrais pas. Vous devriez arranger une promenade quelque part et emmener Elisa. Il ne faut pas que cela se passe devant elle.

— Non, non, s'écria Mme Shelby ; je ne veux en aucune façon être aide ou complice de ces cruautés ; j'irai voir ce vieux Tom ; je l'assisterai dans son malheur ; ils verront du moins que leur maîtresse souffre avec eux et pour eux. Quant à Elisa, je n'ose pas y pen-

---

1. Le gain, le profit recherché à tout prix.

ser. Que Dieu nous pardonne ! Mais qu'avons-nous fait pour en être réduits à cette cruelle nécessité ? »

Cette conversation était écoutée par une personne dont M. et Mme Shelby étaient loin de soupçonner la présence.

Entre le vestibule et leur appartement il y avait un vaste cabinet. Elisa, l'âme troublée, la tête en feu, avait songé à ce cabinet ; elle s'y était cachée, et, l'oreille à la fente de la porte, elle n'avait pas perdu un seul mot de l'entretien.

Quand les deux voix se furent éteintes dans le silence, elle se retira d'un pied furtif, pâle, frémissante, les traits contractés, les lèvres serrées... Elle ne ressemblait plus en rien à la douce et timide créature qu'elle avait été jusque-là. Elle se glissa avec précaution dans le corridor, s'arrêta un moment à la porte de sa maîtresse, leva les mains, comme pour un silencieux appel à Dieu, puis tourna sur elle-même et rentra dans sa chambre. Sur le lit était couché l'enfant endormi. Ses longues boucles tombaient négligemment autour de son visage insoucieux encore, ses petites mains potelées étaient jetées sur la couverture, et sur toute sa face un sourire se répandait, comme un rayon de soleil.

« Pauvre enfant ! dit Elisa. Ils t'ont vendu, mais ta mère te sauvera ! »

Pas une larme ne tomba sur l'oreiller.

Elisa prit un crayon, un morceau de papier, et elle écrivit en toute hâte :

« Ah ! madame ! chère madame ! ne me prenez pas

pour une ingrate ; ne pensez pas de mal de moi... J'ai entendu ce que vous avez dit cette nuit, vous et monsieur. Je vous quitte pour sauver mon enfant. Vous ne me blâmerez pas. Dieu vous bénisse et vous récompense pour votre bonté. »

Elle plia rapidement sa lettre et y mit l'adresse ; elle alla ensuite vers un tiroir, fit un petit paquet de hardes[1] pour son enfant et l'attacha solidement autour d'elle avec un mouchoir. Elle eut soin de joindre au paquet un ou deux de ses jouets favoris ; elle réserva un perroquet enluminé de vives couleurs pour le distraire quand il faudrait l'éveiller. Elle eut assez de peine à faire lever le petit dormeur ; enfin, après quelques efforts, il sortit de son sommeil et se mit à jouer avec son oiseau pendant que sa mère mettait son châle et son chapeau.

« Mère, où allons-nous ? » dit-il en la voyant s'approcher du lit avec sa petite veste et sa petite casquette.

Sa mère l'attira contre elle et le regarda dans les yeux avec tant d'expression, qu'il devina tout d'un coup qu'il se préparait quelque chose d'extraordinaire.

« Chut ! Harry ; il ne faut pas parler si haut, ou l'on nous entendra. Un méchant homme allait venir pour prendre le petit Harry à sa maman et l'emmener bien loin, dans un endroit où il fait noir ; mais maman ne

---

1. Vêtements destinés à être portés en voyage.

veut pas le quitter, Harry. Elle va mettre la veste et le chapeau à son petit garçon et s'échapper avec lui pour que le méchant homme ne puisse pas le prendre. »

En disant ces mots, elle attachait et boutonnait l'habit de l'enfant et, et le prenant dans ses bras, elle lui murmura à l'oreille : « Sois bien sage ! » et ouvrant la porte de sa chambre, qui donnait sur le vestibule, elle sortit sans bruit.

C'était une nuit étincelante, froide, étoilée. Le vieux Bruno, grand chien de Terre-Neuve[1], qui dormait au bout de la véranda, se leva à son approche avec un sourd grognement. Elle l'appela doucement par son nom, et l'animal, qui avait joué cent fois avec elle, remua la queue, déjà disposé à la suivre. La jeune femme passa, le chien s'arrêta ; il regardait alternativement la maison et l'esclave. Enfin, comme rassuré par quelque réflexion intime, il s'élança sur les traces de la fugitive.

Au bout de quelques minutes, on arriva à la case de l'oncle Tom. Elisa frappa légèrement aux carreaux.

« Bon Dieu ! qui est là ? dit Chloe en se levant d'un bond ; et elle tira le rideau. Sur ma vie, mais c'est Lisette ! Vite, habillez-vous, notre homme. Tom ! Le vieux Bruno aussi est là ; il gratte à la porte... Mais qu'est-ce donc ? Allons, je vais ouvrir. »

La lumière du flambeau, que Tom avait rallumé en

1. Une race de chiens élevés à Terre-Neuve, au Canada.

toute hâte, tomba sur le visage bouleversé et sur les yeux effarés d'Elisa.

« Dieu vous bénisse, Lisa ! Vous faites peur à voir... Êtes-vous malade ?... Que vous est-il arrivé ?

— Je m'enfuis, père Tom, je m'enfuis, mère Chloe, emportant mon fils ; monsieur l'a vendu.

— Vendu !... répétèrent-ils comme deux échos ; et ils élevèrent leurs mains en signe de détresse.

— Oui, vendu, lui ! reprit Elisa d'une voix ferme. Cette nuit je m'étais glissée dans le cabinet de ma maîtresse ; j'ai entendu monsieur dire à madame qu'il avait vendu mon Harry... et vous aussi, Tom ! vendus tous deux à un marchand d'esclaves... Monsieur va sortir ce matin, et l'homme doit venir aujourd'hui même pour prendre livraison de sa marchandise. »

Cependant Tom restait toujours debout, les mains tendues et l'œil dilaté, comme dans un rêve. Lentement, graduellement, comme s'il eût commencé à comprendre, il s'affaissa, plutôt qu'il ne s'assit, dans sa vieille chaise, et laissa tomber sa tête sur ses genoux.

« Que le bon Dieu ait pitié de nous, dit Chloe. Ah ! je ne puis pas croire que cela soit vrai ! Mais qu'a-t-il fait pour que le maître *le* vende ?

— Ce n'est pas cela, il n'a rien fait, et monsieur ne voulait pas le vendre. Madame, oh ! elle est toujours bonne ; je l'ai entendue prier et supplier pour nous ; mais il lui disait que tout était inutile, qu'il était dans la dette de cet homme, que cet homme avait pouvoir sur lui, et que s'il ne s'acquittait pas maintenant, il finirait par être obligé de vendre plus tard l'habitation et les gens... L'homme est impitoyable... Monsieur disait qu'il était bien fâché ; mais madame ! Oh ! si vous l'aviez entendue ! Si ce n'est pas un ange, c'est qu'il n'y en a pas !... Je suis une misérable de la quitter ainsi, mais je n'y pouvais pas tenir ; elle-même elle disait qu'une âme valait plus que le monde. Eh bien ! cet enfant a une âme ; si je le laisse enlever, que deviendra cette âme ? Ce que je fais doit être bien... Si ce n'est pas bien, que le Seigneur me pardonne, car je ne peux pas ne pas le faire.

— Eh bien, pauvre vieil homme, dit Chloe, pourquoi ne t'en vas-tu pas aussi ? Veux-tu attendre qu'on te porte de l'autre côté de la rivière, où l'on fait mourir les nègres de fatigue et de faim ? J'aimerais mieux mourir mille fois que d'aller là, moi ! Allons, il est temps... pars avec Lisa... Tu as un passe[1] pour aller et venir en tout temps... Allons, remue-toi ; je fais ton paquet. »

Tom releva lentement la tête, regarda autour de lui tristement, mais avec calme, puis il dit :

« Non, je ne partirai point ; qu'Elisa parte ! elle fait bien. Ce n'est pas moi qui dirai le contraire. La *nature* veut qu'elle parte. Mais vous avez entendu ce qu'elle a dit : je dois être vendu, ou tout ici, choses et gens,

1. Un permis de circuler librement.

va être ruiné. Je pense que je puis supporter cela autant que qui que ce soit… (Un sanglot souleva sa vaste poitrine.) Le maître, ajouta-t-il, m'a toujours trouvé à ma place, il m'y trouvera toujours… Je n'ai jamais manqué à ma foi, je ne me suis jamais servi du passe contrairement à ma parole, je ne commencerai point, il vaut mieux que je parte seul que de causer la perte de la maison et la vente de tous. Le maître ne doit pas être blâmé, Chloe, il prendra soin de vous et de ces pauvres… »

À ces mots, il se tourna vers le lit grossier où l'on voyait paraître les petites têtes crépues, et ses sanglots éclatèrent… Il s'appuya sur le dossier de sa chaise et se couvrit le visage de ses larges mains.

« Et puis, dit Elisa, qui se tenait toujours auprès de la porte, j'ai vu mon mari cet après-midi… Je ne me doutais pas alors de ce qui allait arriver. Ils l'ont poussé à bout, et il m'a dit aujourd'hui qu'il avait aussi l'intention de s'enfuir. Tâchez de lui donner de mes nouvelles ; dites-lui comment et pourquoi je suis partie ; dites-lui que je vais essayer de gagner le Canada ; portez-lui tout mon amour, et si je ne le revois pas, dites-lui… »

Elle se retourna vers la muraille, leur déroba un instant son visage, puis elle reprit d'une voix brève :

« Dites-lui d'être aussi bon qu'il pourra, pour que nous nous retrouvions au ciel !… Appelez Bruno, fermez la porte sur lui ; pauvre bête ! il ne faut pas qu'il me suive ! »

Il y eut encore quelques dernières paroles, quelques larmes, quelques adieux bien simples, mêlés de bénédictions ; puis, soulevant dans ses bras son enfant étonné et effrayé, elle disparut silencieusement.

6

Découverte

Après leur longue discussion, M. et Mme Shelby ne s'endormirent pas tout d'abord. Aussi le lendemain se réveillèrent-ils plus tard que de coutume.

« Je ne sais ce qui retient Elisa ce matin », dit Mme Shelby, après avoir sonné plusieurs fois inutilement.

M. Shelby, debout devant sa glace, repassait son rasoir. La porte s'ouvrit, et un jeune mulâtre entra avec l'eau pour la barbe.

« Andy, dit Mme Shelby, frappez donc à la porte d'Elisa et dites-lui que je l'ai sonnée trois fois. Pauvre créature ! » ajouta-t-elle tout bas en soupirant.

Andy revint bientôt, l'œil effaré.

« Dieu ! madame, les tiroirs de Lisa sont tout

ouverts. Ses affaires sont jetées partout... je crois qu'elle est partie. »

La vérité passa comme un éclair devant les yeux des deux époux. M. Shelby s'écria :

« Elle a eu des soupçons... et elle s'est enfuie.

— Dieu soit loué ! dit Mme Shelby de son côté. Oui, je le crois.

— Madame, ce que vous dites là n'a pas de sens : si elle est partie, ce sera vraiment fâcheux pour moi. Haley a vu que j'hésitais à lui vendre cet enfant ; il pourra penser que j'ai été complice de la fuite... cela touche mon honneur. »

M. Shelby quitta la chambre en toute hâte.

Depuis un quart d'heure, c'était, dans la maison, un va-et-vient continuel, un bruit de portes s'ouvrant et se fermant, et un pêle-mêle de visages de toutes nuances et de toutes couleurs.

Une seule personne eût pu donner quelques éclaircissements, et cette personne se taisait : c'était la cuisinière en chef, Chloe. Silencieuse, elle préparait les gâteaux du déjeuner, comme si elle n'eût rien vu, rien entendu de ce qui se passait autour d'elle.

Bientôt une douzaine de jeunes drôles, noirs comme des corbeaux, se rangèrent sur les marches du perron, chacun voulant être le premier à saluer le maître étranger avec la nouvelle de sa déconvenue.

Haley apparut enfin botté, éperonné... de tout côté, on lui jeta au nez la mauvaise nouvelle.

Les jeunes drôles ne furent pas désappointés dans

leur attente : il jura, avec une abondance et une facilité de paroles qui les réjouissaient fort ; ils avaient soin cependant de se baisser et de se reculer de façon à être toujours hors de la portée de son fouet.

« Oh ! les petits démons ! si je les tenais », murmura Haley entre ses dents.

« Eh bien ! Shelby, voilà qui est assez extraordinaire, dit Haley en entrant brusquement dans le salon ; il paraît que la fille a décampé avec son petit.

— Monsieur Haley... madame Shelby est ici, dit celui-ci avec dignité.

— Pardon, madame, dit Haley en saluant légèrement et d'un air renfrogné, mais je répète ce que je disais tout à l'heure : on fait courir un singulier bruit !... Est-ce vrai, monsieur ?

— Oui, monsieur, dit Shelby, j'ai le regret de vous dire que cette jeune femme, qui a entendu ou soupçonné ce qui l'intéressait... a enlevé son fils et est partie la nuit dernière.

— J'espérais, je l'avoue, qu'on agirait loyalement avec moi dans cette affaire, reprit Haley.

— Quoi ! monsieur, dit Shelby en s'approchant vivement de lui, que dois-je entendre par là ?... À celui qui met mon honneur en question, je n'ai qu'une réponse à faire. »

À ces mots, le trafiquant devint beaucoup plus humble, et baissant de ton :

« Il est pourtant bien dur, murmura-t-il, pour un

homme qui vient de faire un bon marché, de se voir berné de cette façon.

— Monsieur, dit Shelby, si je ne comprenais pas que vous avez quelque sujet de désappointement, je n'aurais pas toléré la grossièreté de votre entrée dans mon salon ce matin, et j'ajoute, puisque l'explication semble nécessaire, que je ne tolérerai pas la plus légère insinuation de votre part : on ne suspecte pas ma loyauté, monsieur ! Je me crois cependant obligé à vous donner aide et protection. Prenez mes gens et mes chevaux, et tâchez de retrouver ce qui est à vous. En un mot, Haley, continua-t-il en quittant tout d'un coup ce ton de dignité froide pour revenir à sa franche cordialité, ce que vous avez de mieux à faire, c'est de reprendre votre belle humeur... et de déjeuner... Nous aviserons après. »

Mme Shelby se leva, et dit que ses occupations ne lui permettaient pas d'assister au déjeuner ; et, chargeant une digne mulâtresse de préparer le café et de servir les deux hommes, elle quitta l'appartement.

« La vieille dame n'aime pas démesurément votre serviteur, dit Haley, faisant un laborieux effort pour paraître très familier.

— Je ne suis pas habitué à entendre parler si familièrement de ma femme, dit Shelby assez sèchement.

— Pardon ; mais ce n'était qu'une plaisanterie, vous le savez bien.

— Les plaisanteries sont plus ou moins agréables, dit Shelby.

— Il est diablement libre maintenant que ces papiers sont signés, murmura le marchand ; comme il est devenu grand depuis hier ! »

Jamais la chute d'un Premier ministre, après une intrigue de cour, ne produisit une plus violente tempête d'émotions que la nouvelle de ce qui venait d'arriver à l'oncle Tom. On ne parlait pas d'autre chose. Dans la case comme aux champs, on discutait les résultats probables de l'événement. La fuite d'Elisa, étant le premier exemple d'un événement de cette nature chez M. Shelby, augmentait l'agitation et le trouble de tous.

Le noir Sam (on l'appelait noir parce que son teint était de trois nuances plus foncé que celui des autres fils de la côte d'ébène[1], le noir Sam déroulait en lui-même toutes les phases de l'affaire : il en étudiait la portée, il en calculait l'influence sur son propre bien-être, avec une puissante intuition.

« Ohé, Sam ! ohé, Sam ! m'sieu a besoin de vous pour seller Bill et Jerry, dit Andy.

— Ah ! et pour quoi faire, petit ?

— Bah ! vous ne savez donc pas que Lisa a décampé avec son petit... Vous et moi nous allons accompagner m'sieu Haley et tâcher de la reprendre.

— Bon ! voilà donc une occasion, dit Sam ; c'est maintenant Sam qui a la confiance ! C'est moi, le

1. Les négriers (marchands d'esclaves) appelaient « bois d'ébène » les Noirs venus d'Afrique (l'ébène étant d'un noir foncé). La « côte d'ébène » désigne donc la région d'Afrique d'où sont originaires les esclaves.

nègre ! Vous allez voir si je ne la reprends pas... Ah ! on va voir ce que Sam est capable de faire !

— Eh mais, Sam, vous feriez mieux d'y regarder à deux fois ; madame ne veut pas qu'on la reprenne ; ainsi, gare à vous !

— Oh ! fit Sam, ouvrant de grands yeux, comment sais-tu cela ?

— Moi-même, ce matin, en allant porter l'eau pour la barbe dans la chambre de monsieur, je l'ai entendue ; elle m'a envoyé voir pourquoi Lisa ne venait pas l'habiller, et, quand je lui ai dit qu'elle était partie, elle a dit : “Dieu soit béni !” et monsieur a été comme fou ; et il lui a répondu : “Vous ne savez pas ce que vous dites !” Mais elle le calmera, allez ! je sais bien comment cela se passe... il vaut mieux être du côté de madame ; c'est moi qui vous le dis ! »

Sam gratta sa tête crépue, en remontant encore une fois son pantalon : c'était le procédé dont il se servait habituellement pour faciliter les opérations de son cerveau.

« J'aurais pourtant cru, fit-il d'un air pensif, que madame aurait mis toute la maison sur pied pour reprendre Lisa.

— Eh oui ! dit l'enfant ; mais ne pouvez-vous voir à travers une échelle, vieux nègre noir ? Madame ne veut pas que ce M. Haley emmène l'enfant de Lisa... Voilà !

— Bah ! fit Sam.

— Et maintenant, dit Andy, j'espère que vous irez

vite chercher les chevaux. Ne perdez pas de temps. Madame vous a déjà demandé, et voilà que vous restez à jaser. »

Sam se hâta en effet ; il revint bientôt en triomphateur, ramenant au galop Bill et Jerry. Il sauta à terre pendant qu'ils couraient encore, et les aligna le long du mur, comme on fait dans un tournoi. Le cheval de Haley, qui était un jeune poulain ombrageux, rua, hennit et secoua son licou[1].

« Oh, oh ! dit Sam... tu es farouche !... (Et son visage noir brilla d'un éclair de malice.) Je vais bien te faire tenir en place ! »

Un large frêne ombrageait la cour : de petites faines[2] triangulaires et tranchantes, jonchaient le sol. Sam en prit une, s'approcha du poulain, le flatta, le gratta, comme s'il eût voulu l'adoucir et le calmer ; et, sous prétexte d'ajuster la selle, il glissa fort adroitement en dessous la petite faine, de telle façon que le moindre poids posé sur la selle dût exciter la sensibilité nerveuse de l'animal, sans laisser la moindre trace de blessure ou d'égratignure.

« Là ! dit-il en roulant ses gros yeux et faisant une grimace, nous verrons s'il ne sera pas tranquille maintenant... »

Au même instant Mme Shelby apparut sur le balcon, et lui fit un signe. Sam s'approcha.

---

1. Lien mis autour du cou des animaux de trait.
2. Fruits du hêtre, glands.

« Pourquoi avez-vous tant tardé, Sam ? J'avais envoyé Andy pour vous hâter.

— Dieu vous bénisse, madame ! On ne pouvait pas prendre les chevaux en une minute : ils ont couru, Dieu sait où, jusqu'au bout de la prairie.

— Allons, c'est bien. Maintenant, Sam, vous allez accompagner M. Haley, pour lui montrer le chemin... pour l'aider... Ayez bien soin des chevaux, Sam ; vous savez que la semaine passée Jerry était un peu boiteux... *Ne les faites point marcher trop vite.* »

Mme Shelby prononça ces derniers mots à voix basse et avec une certaine intonation.

« Pour cela, rapportez-vous-en à ce nègre, dit Sam, en tournant deux yeux pleins de malice. Oui, madame, j'aurai soin des chevaux.

— Maintenant, Andy, dit Sam en retournant à son poste sous le hêtre, je ne serais pas du tout surpris quand le cheval du monsieur se mettrait à danser un peu au moment où il montera en selle. Vous savez, Andy, les bêtes ont quelquefois de ces idées-là. (Et, en guise d'avertissement, il donna à son camarade un coup de poing dans les côtes.)

— Hum ! » fit Andy avec le signe d'un homme qui a compris tout à coup.

Sam et Andy branlèrent leurs têtes noires d'une épaule à l'autre, se livrèrent à un rire inextinguible[1], et trépignèrent avec une sorte de ravissement.

---

1. Ici, qu'on ne peut arrêter.

Haley apparut sur le perron. Quelques tasses d'excellent café l'avaient un peu adouci. Il était d'assez bonne humeur : il s'avança en souriant et en causant ; les deux nègres saisirent certaines feuilles de palmier, qu'ils avaient l'habitude d'appeler leurs chapeaux, et s'élancèrent vers les chevaux pour être prêts « à aider le m'sieu ».

« Bien, mes enfants. Maintenant, du nerf ! nous n'avons pas de temps à perdre.

— Pas une minute, m'sieu », dit Sam en lui tendant les rênes et en tenant l'étrier, pendant qu'Andy détachait les deux autres chevaux.

Au moment où Haley toucha la selle, le fougueux animal bondit du sol, par un élan soudain, et jeta son maître à quelques pas de là sur le gazon sec et doux, qui amortit la chute.

Sam s'élança aux rênes avec un geste frénétique, mais il ne réussit qu'à fourrer son bizarre chapeau de palmier dans les yeux de l'animal : la vue de cet étrange objet ne pouvait guère contribuer à calmer ses nerfs ; aussi il échappa violemment des mains de Sam renversé, fit entendre deux ou trois hennissements de mépris et, après quelques ruades vigoureusement détachées, s'élança au bout de la prairie, suivi bientôt de Bill et de Jerry, qu'Andy n'avait pas manqué de lâcher, hâtant encore leur fuite par ses terribles exclamations.

Il s'ensuivit un indescriptible désordre. Andy et Sam criaient et couraient ; les chiens aboyaient ; Mike,

Mose, Mandy, Fanny, et tous les autres petits échantillons de la race nègre qui se trouvaient dans l'habitation, s'élancèrent dans toutes les directions, poussant des hurlements, frappant dans leurs mains et se démenant avec la plus fâcheuse bonne volonté et le zèle le plus compromettant du monde.

Le cheval de Haley, vif et plein d'ardeur, parut entrer dans l'intention des auteurs de cette petite scène avec le plus grand plaisir. Il se laissait donc volontiers approcher ; quand il se voyait à portée de la main, il repartait avec une ruade et un hennissement, puis il s'enfonçait bien loin dans quelque allée du bois. Sam n'avait garde de l'arrêter avant le moment qu'il jugerait convenable. Au plus épais de la mêlée, le chapeau de palmier de Sam se montrait toujours là où il y avait le plus petit danger de reprendre le cheval. Il n'en criait pas moins à pleins poumons : « Là ! ici ! prenez ! prenez-le ! » de telle façon cependant qu'il augmentait à chaque fois le désordre et la confusion.

Haley courait aussi à droite et à gauche, maudissant, jurant et frappant du pied. M. Shelby, du haut de son perron, essayait en vain de donner des ordres. Mme Shelby suivait la scène de la fenêtre de sa chambre, riant et s'étonnant... quoique au fond elle se doutât bien de quelque chose.

Enfin, vers deux heures, Sam apparut, triomphant, monté sur Jerry, tenant en main la bride du cheval de

Haley, ruisselant de sueur, mais l'œil ardent, les naseaux dilatés.

« Il est pris ! s'écria-t-il fièrement ; sans moi ils en eussent été pour leur peine : ils n'auraient jamais pu !

— Sans vous ! grommela Haley d'un ton bourru, sans vous tout cela ne serait pas arrivé !

— Dieu vous bénisse ! répondit Sam d'un air contrit...

— Vous m'avez fait perdre trois heures, dit Haley, par votre bêtise ! Maintenant, partons, et trêve de sottises !

— Ah ! monsieur, s'écria piteusement Sam, vous voulez donc nous tuer net, bêtes et gens ! Nous n'en pouvons plus, et les chevaux sont sur les dents... M'sieu restera bien jusqu'après dîner... Il faut que le cheval de m'sieu soit bouchonné ; voyez dans quel état il s'est mis... Jerry boite... et puis, je ne pense pas que madame veuille vous laisser partir ainsi. Dieu vous bénisse, monsieur ! nous n'avons rien à perdre pour attendre. Lisa n'a jamais été une bonne marcheuse. »

Mme Shelby, que cette conversation divertissait fort, descendit du perron pour y prendre part. Elle s'avança vers Haley, exprima très poliment ses regrets de l'accident, l'engagea instamment à dîner à l'habitation, assurant qu'on allait immédiatement servir.

Haley, tout bien considéré, se détermina donc à rester, et prit d'assez mauvaise grâce le chemin du salon. Sam, roulant les yeux avec une expression que nous ne saurions décrire, conduisit gravement les chevaux à l'écurie.

7

Les angoisses d'une mère

Jamais une créature humaine ne se sentit plus malheureuse et plus abandonnée qu'Elisa, au moment où elle s'éloigna de la case de l'oncle Tom. Les souffrances et les dangers de son mari, le danger de son enfant, tout cela se mêlait dans son âme avec le sentiment douloureux de tous les périls qu'elle-même allait courir en quittant cette maison, la seule qu'elle eût jamais connue, en quittant une maîtresse qu'elle avait toujours aimée et respectée. N'allait-elle pas quitter aussi tous ces objets familiers qui nous attachent, le lieu où elle avait grandi, les arbres dont l'ombre avait abrité ses jeux, les bosquets où elle s'était promenée, le soir des jours heureux, à côté de son jeune époux ?

Mais, plus puissant que tout le reste, l'amour maternel la rendait folle de terreur en lui faisant pressentir l'approche de quelque danger terrible. L'enfant était assez grand pour marcher à côté d'elle ; dans toute autre circonstance, elle se fût contentée de le conduire par la main : mais alors la seule pensée de ne plus le serrer dans ses bras la faisait tressaillir ; et, tout en hâtant sa marche, elle le pressait contre sa poitrine avec une étreinte convulsive.

La terre gelée craquait sous ses pas : elle tremblait au bruit ; le frôlement d'une feuille, une ombre balancée lui faisaient refluer le sang au cœur et précipitaient sa marche. Elle s'étonnait de la force qu'elle trouvait en elle. Son enfant lui semblait léger comme une plume.

D'abord, l'effroi, l'étrangeté des circonstances le tinrent éveillé ; il se serra paisiblement contre elle en lui disant seulement, quand il sentait venir le sommeil :

« Mère, faut-il que je reste éveillé ?

— Non, cher ange, dors si tu veux.

— Mais, si je dors, tu ne vas pas me laisser, mère !

— Oh Dieu ! te laisser ! non, va ! » Et sa joue devint plus pâle, et ses yeux noirs plus brillants.

« Tu es *sûre,* mais bien sûre ?

— Oui, bien *sûre !* » reprit la mère d'une voix qui l'effraya elle-même.

L'enfant laissa tomber sa tête fatiguée et s'endormit... Le contact de ces petits bras chauds, cette respiration qui passait sur son cou, donnaient aux mouvements de la mère comme une ardeur enflammée. Les limites de la ferme, le bosquet, le bois, tout cela passait comme des fantômes... Et elle marchait, marchait toujours, sans s'arrêter, sans reprendre haleine... Les premières lueurs du jour la trouvèrent sur le grand chemin, à plusieurs milles de l'habitation.

Souvent, avec sa maîtresse, elle était allée visiter quelques amis dans le voisinage jusqu'au village de T., tout près de l'Ohio[1] : elle connaissait parfaitement ce chemin. Mais aller plus loin, passer le fleuve, c'était pour elle le commencement de l'inconnu. Elle ne pouvait plus désormais espérer qu'en Dieu.

Quand les chevaux et les voitures commencèrent à circuler sur la grand-route, elle comprit que sa marche égarée et sa physionomie inquiète allaient attirer sur elle l'attention des passants. Elle posa donc l'enfant à terre, répara sa toilette, ajusta sa coiffure, et mesura sa marche de façon à sauver les apparences. Elle avait fait provision de pommes et de gâteaux. Les pommes lui servirent à hâter la marche de l'enfant ; elle les faisait rouler à quelques pas devant lui : l'enfant courait après de toutes ses forces. Cette ruse, souvent répétée, lui fit gagner quelques milles.

Ils arrivèrent bientôt près d'un épais taillis, qu'un ruisseau limpide traversait. L'enfant avait faim et soif : il commençait à se plaindre. Tous deux franchirent la haie. Ils s'assirent derrière un rocher qui les dérobait

---

1. Rivière des États-Unis (affluent du Mississippi). Cette rivière sépare, au nord, le Kentucky de deux États : l'Indiana et l'Ohio.

à la vue ; elle le fit déjeuner. L'enfant remarqua en pleurant qu'elle ne mangeait pas : il lui passa un bras autour du cou et voulut lui glisser un morceau de gâteau dans la bouche...

« Non, Harry, non, cher ange, maman ne peut pas manger que tu ne sois sauvé... Il faut aller... encore, encore, jusqu'à ce que nous ayons atteint la rivière. »

Et elle se précipita sur la route... puis elle reprit une marche régulière et calme.

Elle avait dépassé de plusieurs milles les endroits où elle était personnellement connue. Si le hasard voulait qu'elle rencontrât quelque connaissance, elle se disait que la bonté très notoire de la famille écarterait bien loin toute idée d'évasion.

Elle s'arrêta vers midi dans une jolie ferme pour s'y reposer et commander le dîner. Avec la distance, le danger diminuait ; ses nerfs se détendaient, et elle éprouvait à la fois de la fatigue et de la faim.

La fermière, déjà sur l'âge, bonne et un peu commère, fut enchantée d'avoir à qui parler, et elle accepta sans examen la fable d'Elisa, qui allait, disait-elle, à quelque distance, passer une semaine chez une amie... « Puissé-je dire vrai ! » ajoutait-elle tout bas.

Une heure avant le coucher du soleil, elle arriva au village de T., sur les bords de l'Ohio, fatiguée, le corps malade, mais l'âme vaillante. Son premier regard fut pour la rivière, qui, pareille au Jourdain de la Bible, la séparait du Canaan de la liberté.

On était au commencement du printemps ; la

rivière, gonflée et mugissante, charriait des monceaux de glace avec ses eaux tumultueuses. Grâce à la forme particulière du rivage, qui, dans cette partie du Kentucky, s'avance comme un promontoire au milieu des eaux, d'énormes quantités de glace avaient été retenues au passage. Elles s'entassaient en piles énormes qui formaient comme un radeau irrégulier et gigantesque, interrompant la communication des deux rives.

Elisa demeura un instant en contemplation devant cet affligeant spectacle... « Le bac ne marche plus ! » pensa-t-elle... et elle courut à une petite auberge pour y demander quelques renseignements.

L'hôtesse, occupée à ses fritures et à ses ragoûts pour le repas du soir, s'arrêta, fourchette en main, en entendant la voix douce et plaintive d'Elisa.

« Qu'est-ce donc ?

— Y a-t-il un bac ou un bateau pour passer le monde qui va à B... ?

— Non vraiment. Les bateaux ne marchent plus. »

La douleur et l'abattement d'Elisa frappèrent cette femme.

« Vous auriez, lui demanda-t-elle avec un intérêt, besoin de passer de l'autre côté de l'eau ?... Quelqu'un de malade ?... Vous semblez inquiète.

— J'ai un enfant en danger, je ne le sais que d'hier soir ; je suis venue tout d'une traite dans l'espoir de trouver le bac.

— C'est bien malheureux, dit la femme qui sentit

s'éveiller toutes ses sympathies maternelles... Solomon ! » cria-t-elle par la fenêtre, en dirigeant sa voix du côté d'une petite hutte toute noire.

Un individu aux mains sales, et portant tablier de cuir, parut sur le seuil.

« Dites-moi, Solomon, cet homme ne va-t-il point passer l'eau cette nuit ?

— Il dit qu'il va essayer, si cela est possible. »

Alors l'hôtesse, se retournant vers Elisa :

« Un homme va venir avec des marchandises pour passer cette nuit. Il soupera ici. Ce que vous avez de mieux à faire, c'est de vous asseoir et de l'attendre. Quel joli enfant ! » ajouta-t-elle en lui offrant un gâteau.

Mais l'enfant, tout épuisé par la route, pleurait de fatigue.

« Pauvre petit ! dit Elisa, il n'est pas accoutumé à marcher... je l'ai trop pressé !

— Faites-le entrer dans cette chambre », dit l'hôtesse en ouvrant un petit cabinet où il y avait un lit confortable. Elisa y plaça le pauvre enfant et tint ses petites mains dans les siennes jusqu'à ce qu'il fût endormi. Pour elle, il n'y avait plus de repos. La pensée de ses persécuteurs, comme un feu dévorant, brûlait la moelle de ses os. Elle jetait des regards pleins de larmes sur les flots gonflés et terribles qui coulaient entre elle et la liberté.

Mais quittons l'infortunée pour un instant, et voyons ce que deviennent ceux qui la poursuivent.

Mme Shelby avait dit, il est vrai, que le dîner serait immédiatement servi. Quoique les ordres eussent été donnés en présence d'Haley et transmis à la mère Chloe par une demi-douzaine de messagers, cette haute dignitaire, pour toute réponse, grommela quelques mots inintelligibles, en hochant sa vieille tête, et elle continua son opération avec une lenteur inaccoutumée.

Toute la maison semblait instinctivement deviner que madame n'était en aucune façon affligée de ce retard : on ne saurait croire combien d'accidents retardèrent le cours ordinaire des choses. Un marmiton maladroit renversa la sauce : il fallut refaire la sauce. Chloe y mit un soin désespérant ; elle répondait à toutes les exhortations « qu'elle ne se permettrait pas de servir une sauce tournée pour plaire à des gens qui voulaient rattraper quelqu'un ». Un enfant tomba avec l'eau qu'il portait : il fallut retourner à la fontaine. Un autre renversa le beurre. De temps en temps on arrivait, en ricanant, dire à la cuisine que M. Haley paraissait très mal à son aise, qu'il ne pouvait rester sur son siège, et qu'il allait en trépignant de la fenêtre à la porte.

« Je suis bien aise, dit Tom, que monsieur ne soit pas sorti ce matin, comme il le voulait. Cela me faisait plus de mal que de me voir vendu. C'était bien naturel à lui, mais bien pénible pour moi, qui le connais depuis l'enfance ; j'ai vu monsieur et je commence à être réconcilié avec la volonté de Dieu. Monsieur ne pouvait se tirer d'affaire sans cela. Il a bien fait. Mais j'ai peur que les choses n'aillent encore plus mal, moi absent. On ne s'attendra pas à voir monsieur rôder et surveiller partout, comme je faisais. Les enfants ont bonne volonté... mais c'est si léger... voilà ce qui m'effraye ! »

La sonnette retentit, et Tom fut appelé au parloir.

« Tom, lui dit Shelby avec bonté, je dois vous avertir que j'ai un dédit[1] de dix mille dollars avec monsieur, si vous ne vous trouvez point à l'endroit qu'il vous désignera. Il va maintenant à ses autres affaires ; vous avez votre journée à vous. Allez où vous voudrez, mon garçon.

— Merci, monsieur, dit Tom.

— Ne l'oubliez pas, ajouta le trafiquant, si vous jouez le tour à votre maître, j'exigerai tout le dédit.

— Monsieur, dit Tom en se tenant tout droit devant Shelby, j'avait huit ans quand la vieille maîtresse vous mit dans mes bras ; vous n'aviez pas un an : "Tom, ce sera *ton* maître, me dit-elle : aie bien soin de lui !" Et maintenant, monsieur, je vous le demande, ai-je jamais manqué à mon devoir ? Vous ai-je jamais été infidèle... surtout depuis que je suis chrétien ? »

M. Shelby fut comme oppressé ; les larmes lui vinrent aux yeux.

« Mon brave garçon, Dieu sait que vous ne dites que

---

1. Somme que M. Shelby devrait payer au marchand au cas où Tom s'enfuirait.

la vérité... et, si je le pouvais, je ne vous vendrais pas... pour un monde.

— Vrai comme je suis une chrétienne, dit à son tour Mme Shelby, vous serez racheté aussitôt que nous le pourrons. Monsieur Haley, rappelez-vous à qui vous l'aurez vendu, et faites-le-moi savoir.

— Pour cela, certainement, dit Haley. Si vous le désirez, je puis vous le ramener dans un an.

— Je vous le rachèterai bon prix.

— Fort bien, dit le marchand. Je vends, j'achète : pourvu que je fasse une bonne affaire, c'est tout ce que je demande, vous comprenez... »

M. et Mme Shelby se sentaient humiliés et abaissés par l'impudente familiarité du marchand ; mais tous deux sentaient aussi l'impérieuse nécessité de maîtriser leurs sentiments : plus il se montrait dur et avare, plus Mme Shelby craignait de le voir reprendre Elisa et son enfant. Elle cherchait donc à le retenir par toutes sortes de ruses féminines ; c'étaient des mines, des sourires, tout, enfin, pour faire passer le temps insensiblement.

À deux heures, Sam et Andy amenèrent les chevaux, qui semblaient plus frais et plus dispos que jamais, malgré leur escapade du matin.

« Je veux aller droit à la rivière, dit Haley en arrivant aux dernières limites de la propriété. Je connais le chemin qu'ils prennent tous ; ils veulent passer...

— Certainement, dit Sam, c'est une bonne idée ! M. Haley est tombé juste... Mais il y a deux routes pour aller à la rivière, la route de terre et la route de pierres. Laquelle voulez-vous prendre ? »

Andy regarda naïvement Sam, surpris d'entendre cette nouveauté topographique[1] ; mais il confirma immédiatement le dire de son camarade.

« Moi, dit Sam, j'aurais plutôt pensé que Lisa aurait pris la vieille route, parce qu'elle est moins fréquentée. »

Haley, quoiqu'il fût très soupçonneux de nature, se laissa néanmoins prendre à cette observation...

C'était vraiment une vieille route, qui avait conduit jadis à la rivière. Elle était abandonnée depuis de longues années pour un nouveau tracé. La route était libre à peu près pour une heure de marche ; après cela elle était coupée de haies et de métairies[2]. Sam le savait parfaitement bien ; mais elle était depuis si longtemps fermée, qu'Andy l'ignorait véritablement. Il trottait donc avec un air de soumission respectueuse, murmurant de temps en temps que c'était bien raboteux et bien mauvais pour le pied de Jerry.

« Je vous préviens que je vous connais, drôles, dit Haley ; toutes vos roueries[3] ne me feront pas quitter cette route... Andy, taisez-vous !

— M'sieu fera ce qu'il voudra », reprit humblement Sam ; et en même temps il lança un coup d'œil

---

1. Relative à la topographie (la description de l'aspect général d'un lieu).
2. Fermes exploitées par des paysans (métayers) travaillant pour le compte d'un propriétaire et profitant en contrepartie d'une partie des fruits de la récolte.
3. Ruses.

plus significatif à Andy, dont la gaieté allait éclater bruyamment.

Sam était d'une animation extrême ; il vantait son excellente vue, il s'écriait de temps en temps : « Ah ! je vois un chapeau de femme sur la hauteur ! » Ou bien, appelant Andy : « N'est-ce point Lisa, là-bas, dans ce creux ? » Il choisissait pour ces exclamations les parties difficiles et rocailleuses de la route, où il était à peu près impossible de hâter le pas. Il tenait ainsi Haley dans une perpétuelle émotion.

Après une heure de marche, les trois voyageurs descendirent précipitamment dans une cour qui dépendait d'une vaste ferme. On ne rencontra personne ; tout le monde était aux champs ; mais comme la ferme barrait littéralement le chemin, il était évident qu'on ne pouvait aller plus loin dans cette direction.

« Eh ! que vous disais-je, monsieur ? fit Sam avec un air d'innocence persécutée. Comment un étranger pourrait-il connaître le pays mieux que ceux qui sont nés et qui ont été élevés sur place ?

— Gredins, dit Haley, vous le saviez bien !

— Mais je vous le *disais,* et vous ne vouliez pas le croire. Je disais à monsieur que tout était fermé et barré, et que je ne pensais pas que nous puissions passer. Andy m'a entendu. »

Cette assertion[1] était trop incontestablement vraie pour qu'on pût y contredire. L'infortuné marchand fut

1. Affirmation.

donc obligé de dissimuler sa colère, et tous trois firent volte-face et se dirigèrent vers la grande route.

Il résulta de tous ces retards une certaine avance pour Elisa. Il y avait trois quarts d'heure que son enfant était couché dans le cabinet de l'auberge, quand Haley et les deux esclaves y arrivèrent eux-mêmes.

Elisa était à la fenêtre ; elle regardait dans une autre direction ; l'œil perçant de Sam l'eut bientôt découverte. Haley et Andy étaient à quelques pas en arrière. C'était un moment critique. Sam eut soin qu'un coup de vent enlevât son chapeau. Il poussa un cri formidable et d'une façon toute particulière. Ce cri réveilla Elisa comme en sursaut. Elle se rejeta vivement en arrière.

Les trois voyageurs s'arrêtèrent en face de la porte d'entrée, tout près de cette fenêtre.

Pour Elisa, mille vies se concentraient dans cet instant suprême. Le cabinet avait une porte latérale qui s'ouvrait sur la rivière. Elle saisit son fils et franchit d'un bond quelques marches. Le marchand l'aperçut au moment où elle disparaissait derrière la rive. Il se jeta à bas de son cheval, appela à grands cris Sam et Andy, et il se précipita après elle, comme le limier après le daim. Dans cet instant terrible, le pied d'Elisa touchait à peine le sol ; on l'eût crue portée sur la cime des flots. Ils arrivaient derrière elle... Alors, avec cette puissance nerveuse que Dieu ne donne qu'aux désespérés, poussant un cri sauvage, avec un bond ailé, elle s'élança du bord par-dessus le torrent mugissant et tomba sur le radeau de glace. C'était un saut désespéré, impossible, sinon au désespoir même et à la folie. Haley, Sam et Andy poussèrent un cri et levèrent les mains au ciel.

L'énorme glaçon craqua et s'abîma sous son poids... mais elle ne s'y était point arrêtée une seconde. Cependant, poussant toujours ses cris sauvages, redoublant d'énergie avec le danger, elle sauta de glaçon en glaçon, glissant, se cramponnant, tombant mais se relevant toujours ! Elle perdit sa chaussure, ses bas furent arrachés de ses pieds ; son sang marqua sa route ; enfin... obscurément... comme dans un rêve, elle aperçut l'autre rive, et un homme qui lui tendait la main.

Elisa reconnut le visage d'un homme qui occupait une ferme tout près de son ancienne demeure.

« Oh ! monsieur Symner, sauvez-moi ! sauvez-moi ! cachez-moi !

— Quoi ? qu'est-ce ? N'êtes-vous point à M. Shelby ?

— Mon enfant, cet enfant que voilà ; il l'a vendu ! et voilà son maître, dit-elle en montrant le rivage du Kentucky. Oh ! M. Symner ! vous avez un petit enfant !

— Oui ! j'en ai un... » et il l'aida, avec rudesse, mais avec bonté, à gravir le bord.

Quand ils furent au haut de la digue, l'homme s'arrêta :

« Je serais heureux de faire quelque chose pour vous, dit-il ; mais je n'ai pas où vous mettre. Ce que je puis faire de mieux, c'est de vous indiquer où vous devez aller. (Et il lui montra une grande maison blanche, qui se trouvait isolée dans la principale rue du village.) Allez là ; ce sont de bonnes gens. Il n'y a aucun danger... ils vous assisteront... ils sont accoutumés à ces sortes de choses.

— Dieu vous bénisse ! dit vivement Elisa.

— Ce n'est rien, reprit l'homme, ce n'est rien du tout ; ce que je fais là ne compte pas.

— Bien sûr, monsieur, vous ne le direz à personne ?

— Pour qui me prenez-vous, femme ? Cependant, venez. Vous méritez votre liberté, et vous l'aurez... si cela dépend de moi. »

Elisa reprit son enfant dans ses bras, et marcha d'un pas vif et ferme. Le fermier s'arrêta et la regarda.

« Shelby ne trouvera peut-être pas que ce soit là un acte de très bon voisinage ; mais que faire ? s'il attrape jamais une de mes femmes dans les mêmes circonstances, il sera le bienvenu à me rendre la pareille. Je ne pouvais pourtant pas voir cette pauvre créature courant, luttant, les chiens après elle, et essayant de se sauver... D'ailleurs, je ne suis pas chargé de chasser et de reprendre les esclaves des autres. »

Ainsi parlait ce pauvre habitant des bruyères du Kentucky, qui ne connaissait pas son droit constitutionnel[1], ce qui le poussait traîtreusement à se conduire en chrétien. S'il eût été plus éclairé, ce n'est pas ainsi qu'il eût agi.

Haley était comme foudroyé par ce spectacle. Quand Elisa eut disparu, il jeta sur les deux nègres un regard terne et inquisiteur.

« Il faut qu'elle ait sept diables dans le corps, reprit Haley... elle bondissait comme un chat sauvage.

— Mon Dieu ! dit Sam, j'espère que monsieur nous excusera de ne pas l'avoir suivie. Nous ne nous sommes pas sentis de force à prendre cette route-là. »

Et Sam se livra à un accès de gros rire.

---

1. Le droit qui concerne le fonctionnement politique d'un État. Ici, allusion au fait que cet habitant du Kentucky ignorait la loi sur les esclaves fugitifs, votée en 1850, au niveau national : elle interdisait quiconque d'aider un esclave fugitif et permettait au propriétaire de l'esclave en fuite de venir le chercher, même sur le territoire des États libres (anti-esclavagistes).

8

Où l'on voit qu'un sénateur n'est qu'un homme

Les lueurs d'un feu joyeux se reflétaient sur le tapis et les tentures d'un beau salon, et brillaient sur le ventre resplendissant d'une théière et de ses tasses. M. Bird, le sénateur, tirait ses bottes et se préparait à mettre à ses pieds une paire de pantoufles neuves, que sa femme venait d'achever pour lui. Mme Bird, image vivante du bonheur, surveillait l'arrangement de la table, tout en adressant de temps en temps des admonestations[1] à un certain nombre d'enfants turbulents.

« Eh bien ! dit-elle quand la table fut à peu près mise et le thé préparé, qu'est-ce qu'on a fait au Sénat ? »

1. Reproches.

C'était une chose tout à fait étrange de voir cette charmante petite Mme Bird se casser la tête avec les affaires du Sénat. Elle pensait avec beaucoup de raison que c'était assez pour elle de s'occuper de celles de sa maison. M. Bird ouvrit donc des yeux étonnés et dit :

« On a voté, ma chère, une loi qui défend d'assister les esclaves qui nous arrivent du Kentucky. Ces enragés abolitionnistes ont tant fait que nos frères du Kentucky sont très irrités, et il semble nécessaire, et à la fois sage et chrétien, que notre État fasse quelque chose pour les rassurer.

— Et quelle est cette loi ? Elle ne vous défend pas, sans doute, d'abriter une nuit ces pauvres créatures ?... Le défend-elle ? Défend-elle de leur donner un bon repas, quelques vieux habits ?

— Eh, ma chère, tout cela ce serait les assister et les aider, vous sentez bien.

— John, je voudrais savoir si vous pensez vraiment qu'une telle loi soit juste et chrétienne ?

— Vous n'allez pas me faire fusiller, Mary, si je dis que oui.

— Je n'aurais pas cru cela de vous, John ; vous ne l'avez pas votée ?

— Mon Dieu si.

— Vous devriez avoir honte, John ! ces pauvres créatures, sans toit, sans asile ! Oh ! la loi honteuse, abominable !... Je la violerai dès que j'en aurai l'occasion... et j'espère que je *l'aurai* cette occasion... Ah !

les choses en sont venues à un triste point, si une femme ne peut plus donner, sans crime, un souper chaud et un lit à ces pauvres malheureux mourant de faim, parce qu'ils sont esclaves, c'est-à-dire parce qu'ils ont été opprimés et torturés toute leur vie !

— Mais, chère Mary, écoutez-moi. Vos sentiments sont justes et humains, je vous aime parce que vous les avez. Mais, il ne faut pas laisser aller nos sentiments sans notre jugement. Il ne s'agit pas ici de ce qu'on éprouve soi-même : de grands intérêts publics sont en question. Il y a une telle effervescence dans le peuple, que nous devons faire le sacrifice de nos propres sympathies.

— Écoutez, John ! Je ne connais rien à votre politique, mais je sais lire ma Bible, et j'y vois que je dois nourrir ceux qui ont faim, consoler ceux qui pleurent ; et ma Bible, voyez-vous, je veux lui obéir !

— Mais dans le cas où votre action entraînerait un grand malheur public ?

— Obéir à Dieu n'entraîne jamais un grand malheur public... je sais que cela ne peut pas être !

— Écoutez-moi, Mary, et je vais vous donner un excellent argument pour vous prouver...

— Non, John ! vous pouvez parler toute la nuit, mais pas me convaincre ; et, je vous le demande. John, voudriez-vous chasser de votre toit une créature mourant de faim et de froid, parce que ce serait un esclave en fuite ? Le feriez-vous ? dites ! »

Maintenant, s'il faut dire vrai, notre sénateur avait

le malheur d'être un homme d'une nature tendre et sensible ; ce qui était plus fâcheux pour lui, c'est que sa femme le connaissait bien, et qu'elle livrait l'assaut à une place sans défense... Il avait donc recours à tous les moyens possibles de gagner du temps : il faisait des hum ! hum ! multipliés, il tirait son mouchoir, essuyait les verres de ses lunettes. Mme Bird, voyant que le territoire ennemi était à peu près découvert, n'en mettait que plus d'ardeur à pousser ses avantages.

Au moment critique de la discussion, le vieux Cudjoe, le noir factotum[1] de la maison, montra sa tête ; il pria madame de vouloir bien passer à la cuisine. Notre sénateur, soulagé à temps, suivit de l'œil sa petite femme avec un capricieux mélange de plaisir et de contrariété, et, s'asseyant dans un fauteuil, il commença à lire des papiers.

Un instant après, on entendit la voix de Mme Bird qui disait d'un ton vif et tout ému : « John ! John ! voulez-vous venir ici un moment ? »

M. Bird quitta ses papiers et se rendit dans la cuisine. Il fut saisi d'étonnement et de stupeur au spectacle qui se présenta devant lui. Une jeune femme amaigrie, dont les vêtements déchirés étaient roidis par le froid, un soulier perdu, un bas arraché du pied coupé et sanglant, était renversée sur deux chaises, dans une pâmoison[2] mortelle... On reconnaissait sur

1. Personne qui s'occupe de tous les petits travaux dans une maison.
2. Évanouissement, malaise sérieux.

son visage les signes distinctifs de la race méprisée, mais on devinait en même temps sa beauté triste et passionnée.

M. Bird était là, immobile, silencieux. Sa femme, leur unique domestique de couleur, et la mère Dina, s'occupaient activement à la faire revenir, tandis que le vieux Cudjoe prenait l'enfant sur ses genoux, tirait ses souliers et ses bas, et réchauffait ses petits pieds.

« Pauvre femme ! si cela ne fait pas peine à voir ! dit la vieille Dina d'un ton compatissant. Je pense que c'est la chaleur qui l'aura fait trouver mal... elle était assez bien en entrant... elle a demandé à se réchauffer une minute ; je lui ai demandé d'où elle venait, quand elle est tombée de tout son long. Elle n'a jamais fait de rude ouvrage, si j'en crois ses mains.

— Pauvre créature ! » dit Mme Bird d'une voix émue, quand la jeune femme, ouvrant ses grands yeux noirs, jeta autour d'elle ses regards errants et vagues... Une expression d'angoisse passa sur sa face, et elle s'écria : « Oh ! mon Harry ! l'ont-ils pris ? »

À ce cri, l'enfant s'élança des bras de Cudjoe et courut à elle en levant ses petits bras.

« Oh ! le voilà ! le voilà ! »

Et, d'un air égaré, s'adressant à Mme Bird :

« Oh ! madame, protégez-le ! ne le laissez pas prendre !

— Non, pauvre femme ! personne ne vous fera de mal ici, dit Mme Bird, vous êtes en sûreté, ne craignez rien.

— Que Dieu vous récompense ! » dit l'esclave en couvrant son visage et en sanglotant.

L'enfant, la voyant pleurer, essaya de la presser dans ses bras.

Elle se calma enfin. Un lit fut provisoirement dressé pour elle auprès du feu, et elle tomba bientôt dans un profond sommeil, tenant entre ses bras son enfant, qui ne semblait pas moins épuisé qu'elle. Elle n'avait pas voulu s'en séparer. Même dans le sommeil, son bras, passé autour de lui, le serrait d'une étreinte que rien n'eût pu dénouer, comme si elle eût voulu le défendre encore.

M. et Mme Bird rentrèrent au salon, et, si étrange que cela puisse sembler, on ne fit, ni d'un côté ni de l'autre, aucune allusion à la conversation précédente. Mme Bird s'occupa de son tricot, et le sénateur feignit de lire ses papiers ; puis les mettant de côté :

« Je me demande, dit-il enfin, qui elle est.

— Quand elle sera réveillée et un peu remise, nous verrons, répondit Mme Bird.

— Dites-moi donc, fit M. Bird, après une méditation silencieuse...

— Quoi ? mon ami...

— Ne pourrait-elle point porter une de vos robes, en l'allongeant un peu par le bas ? Il me semble qu'elle est plus grande que vous. »

Un imperceptible sourire passa sur le visage de Mme Bird, et elle répondit : « On verra !... »

Second silence. M. Bird le rompit encore.

« Dites-moi, chère amie !

— Oui. Qu'est-ce encore ?

— Vous savez, ce manteau de basin[1] que vous gardez pour me jeter sur les épaules quand je fais ma sieste après dîner... vous pourriez aussi le lui donner ; elle a besoin de vêtements. »

Au même instant Dina parut et dit que la femme était éveillée et qu'elle désirait voir madame.

M. et Mme Bird se rendirent à la cuisine avec les deux aînés de leurs enfants.

Elisa était assise, auprès du feu ; elle regardait fixement la flamme avec cette expression calme, bien différente de l'agitation précédemment décrite.

« Vous pouvez me parler, dit Mme Bird d'un ton plein de bonté. J'espère que vous vous trouvez mieux. »

Un profond soupir fut la réponse d'Elisa ; mais elle releva ses yeux noirs et les fixa sur Mme Bird avec une expression de si profonde tristesse et d'invocation si touchante, que cette tendre petite femme sentit que les larmes la gagnaient.

« Vous n'avez rien à craindre. Nous sommes tous vos amis ici, pauvre femme ! Dites-moi d'où vous venez et ce que vous voulez.

— Je viens du Kentucky.

— Quand ? reprit M. Bird, qui voulait diriger l'interrogatoire.

---

1. Étoffe croisée de fil et de coton à effet damassé.

— Cette nuit.

— Comment êtes-vous venue ?

— J'ai passé sur la glace.

— Passé sur la glace ! répétèrent tous les assistants.

— Oui, reprit-elle lentement. Je l'ai fait, Dieu m'aidant. J'ai passé sur la glace, car ils étaient derrière moi, tout près, tout près... et il n'y avait pas d'autre chemin.

— Dieu ! madame, s'écria Cudjoe, la glace est brisée en grands blocs, tournoyant dans le fleuve.

— Je le sais, je le sais ! dit Elisa d'un air égaré. Je l'ai pourtant fait ; je ne croyais pas le pouvoir. Je ne pensais pas arriver à l'autre bord... Mais qu'importe ? il fallait passer ou mourir. Dieu m'a aidée !

— Étiez-vous esclave ? dit M. Bird.

— Oui, monsieur, j'appartenais à un homme du Kentucky.

— Était-il cruel envers vous ?

— Non, monsieur, c'était un bon maître.

— Et votre maîtresse, était-elle dure ?

— Non, monsieur, non ! Ma maîtresse a toujours été bonne pour moi.

— Qui donc a pu vous pousser à quitter une bonne maison ? à vous enfuir, et à travers de tels dangers ? »

L'esclave fixa sur Mme Bird un œil perçant ; elle vit qu'elle portait des vêtements de deuil.

« Madame, lui dit-elle brusquement, avez-vous jamais perdu un enfant ? »

La question rouvrit une blessure saignante : il y avait

un mois à peine qu'un enfant, le favori de la famille, avait été mis au tombeau.

M. Bird se détourna et alla vers la fenêtre ; Mme Bird fondit en larmes mais, retrouvant bientôt la parole, elle lui dit :

« Pourquoi cette question ? Oui, j'ai perdu un petit enfant.

— Alors vous compatirez à ma peine. Moi j'en ai perdu deux, l'un après l'autre. Il ne me reste plus que celui-ci. Je n'ai pas dormi une nuit qu'il ne fût à mes côtés. C'était tout ce que j'avais au monde, ma consolation, mon orgueil, ma pensée du jour et de la nuit. Eh bien ! madame, ils allaient me l'arracher pour le *vendre.* Je n'ai pas pu supporter cela, madame. Je savais bien que, si on l'emmenait, je ne serais plus capable de rien, et, quand j'ai su qu'il était vendu, que les papiers étaient signés, je l'ai pris et je suis partie pendant la nuit. Ils m'ont donné la chasse. Celui qui m'a acheté, et quelques-uns des esclaves du maître, ils me tenaient, je les entendais, je les sentais... j'ai sauté sur les glaces. Comment ai-je passé ? je ne le sais pas ; mais j'ai vu tout d'abord un homme qui m'aidait à gravir la rive. »

Elle ne pleurait ni ne sanglotait. Elle en était arrivée à ce point de douleur où la source des larmes est tarie.

Mme Bird s'était complètement caché le visage dans son mouchoir, et la vieille Dina, dont les larmes coulaient par torrents sur son honnête visage de négresse, s'écriait : « Que Dieu ait pitié de nous ! » Le vieux Cudjoe se frottait très fort les yeux sur ses manches. Notre sénateur, en sa qualité d'homme d'État, ne pouvait pleurer comme un autre homme : il tourna le dos à la compagnie, alla regarder à la fenêtre, soufflant, essuyant ses lunettes.

« Comment se fait-il que vous m'ayez dit que vous aviez un bon maître ? fit-il en se retournant tout à coup, et en réprimant des sanglots qui lui montaient à la gorge.

— Je l'ai dit parce que cela est, reprit Elisa : il *était* bon ; ma maîtresse était bonne aussi, mais ils ne pouvaient se suffire ; mais il y avait un homme qui les tenait et qui leur faisait faire sa volonté. J'entendis monsieur dire à madame que mon enfant était vendu. Madame plaidait et suppliait en ma faveur ; mais il disait qu'il ne pouvait pas, et que les papiers étaient signés. C'est alors que je pris mon enfant et que j'abandonnai la maison pour m'enfuir.

— N'avez-vous pas de mari ?

— Pardon ! mais il appartient à un autre homme. Son maître est très dur pour lui et ne veut pas lui permettre de venir me voir... Il devient de plus en plus cruel. Il le menace à chaque instant de l'envoyer dans le Sud pour l'y faire vendre... C'est bien comme si je ne devais jamais le revoir.

— Et où comptez-vous aller, pauvre femme ? dit Mme Bird avec bonté.

— Au Canada, si je savais le chemin ! Est-ce bien

loin, le Canada ? demanda-t-elle d'un air simple et confiant, en regardant Mme Bird.

— Bien plus loin que vous ne pensez, pauvre enfant. Mais nous allons essayer de faire quelque chose pour vous. Voyons, Dina, il faut lui faire un lit dans votre chambre, auprès de la cuisine. Je verrai, demain matin, quel parti prendre. Vous, cependant, ne craignez rien, pauvre femme. »

Mme Bird et son mari rentrèrent dans le salon. La femme s'assit auprès du feu, dans une petite chauffeuse[1] à bascule. M. Bird allait et venait par la chambre, en murmurant : « Diable ! diable ! maudite besogne !... » Enfin, marchant droit à sa femme, il lui dit :

« Il faut, ma chère, qu'elle parte cette nuit même ! Le marchand sera sur ses traces demain de très bonne heure. S'il n'y avait que la femme, elle pourrait se tenir tranquille jusqu'à ce qu'il fût passé ; mais une armée à pied et à cheval ne pourrait avoir raison du bambin, il mettra le nez à la porte ou à la fenêtre et fera tout découvrir, je vous en réponds : ce serait une belle affaire pour moi d'être pris ici même avec eux !... Non, il faut qu'ils partent cette nuit.

— Cette nuit ! Est-ce bien possible ? pour aller où ?

— Où ? je sais bien où », dit le sénateur en mettant ses bottes. Quand il eut un pied chaussé, le sénateur

1. Chaise basse qui sert à se chauffer près de la cheminée.

s'assit, l'autre botte à la main, étudiant attentivement les dessins du tapis. « Il faut que cela soit, dit-il, quoique... au diable ! » Il coula l'autre botte et retourna à la fenêtre.

Cette petite Mme Bird était une femme discrète. Bien qu'elle se doutât de la tournure que prenait la méditation de son mari, elle s'abstint très prudemment de l'interrompre.

« Vous savez, dit-il enfin, il y a mon ancien client, Van Tromp, qui est venu du Kentucky, et qui a affranchi tous ses esclaves. Il s'est établi à sept milles d'ici, de l'autre côté du gué, où personne ne va à moins d'y avoir affaire. C'est une place qu'on ne trouve pas tout de suite. Elle y sera assez en sûreté. L'ennui, c'est que personne ne peut y conduire une voiture cette nuit ; personne que moi !

— Mais Cudjoe est un excellent cocher.

— Sans doute ; mais voilà, il faut passer le gué deux fois. Le second passage est dangereux quand on ne le connaît pas comme moi. Je l'ai passé cent fois à cheval, et je sais juste où il faut tourner. Ainsi vous voyez, il n'y a pas d'autre moyen. Cudjoe attellera les chevaux tranquillement vers minuit, et je l'emmènerai ; pour donner une couleur à la chose, il me conduira à la prochaine taverne, pour prendre la voiture de Colombus[1] qui passe dans trois ou quatre heures. On pensera que je n'ai pris la voiture que pour cela. J'y ai des affaires

1. Capitale de l'État de l'Ohio.

dont je m'occuperai demain matin. Je ne sais pas trop quelle figure je ferais après tout ce qui a été dit et fait par moi sur la question des esclaves ! N'importe !

— Allez, John, votre cœur est meilleur que votre tête, dit Mme Bird en posant sa petite main blanche sur la main de son mari. Est-ce que je vous aurais jamais aimé... si je ne vous avais pas connu mieux que vous ne vous connaissez vous-même ? »

Le sénateur alla voir si on apprêtait la voiture. Cependant, il s'arrêta à la porte, et, revenant sur ses pas, il dit avec un peu d'hésitation :

« Mary ! je ne sais ce que vous en penserez, mais il y a un tiroir plein des affaires... de... de... notre pauvre petit Harry... » Il tourna vivement sur ses talons et ferma la porte après lui.

La femme ouvrit la porte d'une petite chambre à coucher contiguë à la sienne, posa un flambeau sur le secrétaire, et tirant une clef d'une petite cachette, elle la mit d'un air pensif dans la serrure d'un tiroir... puis l'ouvrit lentement. Il y avait de petites robes de toutes formes et de tous modèles, des collections de tabliers et des piles de petits bas... Il y avait même de petits souliers. Il y avait aussi des jouets familiers...

Mme Bird ouvrit ensuite une garde-robe, et, en tirant une ou deux robes, et se plaçant à la table à ouvrage, elle commença à les rallonger. Elle travailla activement jusqu'à minuit. Elle entendit alors le bruit sourd des roues s'arrêtant à la porte.

« Mary, dit M. Bird en entrant, son pardessus à la main, allez l'éveiller ; il faut que nous partions ! »

Mme Bird se hâta de mettre dans une petite boîte les divers objets qu'elle avait rassemblés ; elle ferma la boîte, et pria son mari de la déposer dans la voiture. Elle courut éveiller l'étrangère. Bientôt, enveloppée d'un châle et d'un manteau, coiffée d'un chapeau de sa bienfaitrice, Elisa parut à la porte, son enfant entre les bras. « Montez ! montez ! » dit M. Bird. Elisa fixa un regard plein d'émotion et de reconnaissance sur le visage de Mme Bird. Elle parut vouloir parler, ses lèvres remuèrent, mais il n'en sortit aucun son. Elle leva au ciel un de ces regards que l'on n'oublie jamais, se renversa sur le siège et couvrit son visage. La voiture partit.

Quelle situation pour un sénateur patriote, qui toute la semaine a éperonné le zèle de la législature de son pays pour faire voter les résolutions les plus sévères contre les esclaves fugitifs, ceux qui les accueillent et ceux qui les assistent !

Mais alors il ne connaissait d'un fugitif que les lettres qui écrivent ce nom, ou tout au plus la caricature, trouvée dans un journal, d'un homme qui passe avec sa canne et son paquet. Mais un malheur réel et présent, un œil humain qui implore, une main tremblante, l'appel désespéré d'une agonie sans secours... voilà une épreuve qu'il n'avait jamais subie ; il n'avait jamais songé que l'esclave en fuite pût être une malheureuse mère, un enfant sans défense.

Quoi qu'il en soit, si M. Bird était un pécheur politique, il était maintenant en train d'expier ses fautes par les épreuves de son voyage nocturne.

Il avait plu depuis longtemps, et cette belle et riche terre de l'Ohio, si prompte à se changer en boue, était toute détrempée par la pluie.

C'est par une route pareille que notre sénateur s'en allait, se livrant à des réflexions interrompues fréquemment par les accidents de la marche.

La nuit était fort avancée quand l'équipage s'arrêta devant la porte d'une vaste ferme. Il fallut assez de persistance pour réveiller les habitants. Enfin, le respectable propriétaire parut et ouvrit la porte. C'était un grand et robuste gaillard de six pieds et quelques pouces ; il portait une blouse de chasse en flanelle rouge ; ses cheveux, d'un jaune fade, présentaient l'aspect d'une forêt inculte. Une barbe, négligée depuis quelques jours, achevait de donner à ce digne homme un aspect qui ne prévenait pas complètement en sa faveur. Il resta quelques minutes, le flambeau à la main, contemplant les voyageurs avec un air de déconvenue le plus réjouissant du monde. Le sénateur eut beaucoup de peine à lui faire nettement comprendre ce dont il s'agissait.

L'honnête John Van Tromp était jadis un riche fermier et possesseur d'esclaves, dans le Kentucky, « n'ayant rien de l'ours que la peau », ayant au contraire reçu de la nature un grand cœur. Humain et généreux, il avait été longtemps le témoin désolé des tristes effets d'un système également funeste à l'oppresseur et à l'opprimé ; enfin, il n'y put tenir davantage ; ce cœur gonflé éclata : il prit son portefeuille, traversa l'Ohio, acheta une vaste propriété, affranchit ses esclaves, hommes, femmes et enfants, les emballa dans une voiture et les envoya coloniser[1] sur sa terre. Quant à lui, il se dirigea vers la baie et se retira dans une ferme tranquille pour y jouir en paix de sa conscience.

« Voyons, dit nettement le sénateur, êtes-vous homme à donner asile à une pauvre femme et à un enfant que poursuivent les chasseurs d'esclaves ?

— Je crois que oui, dit l'honnête John avec une certaine emphase.

— Je le croyais aussi, dit le sénateur.

— S'ils viennent, dit le brave homme en développant sa grande taille athlétique, me voilà ! Et puis j'ai six fils, qui ont chacun six pieds de haut, et qui les attendent. Faites-leur bien mes compliments ; dites-leur de venir quand ils voudront, ajouta-t-il, cela nous est bien égal. »

Il passa ses doigts dans les touffes de cheveux qui couvraient sa tête comme un toit de chaume, et il partit d'un grand éclat de rire.

Tombant de fatigue, épuisée, à demi morte, Elisa se traîna jusqu'à la porte, tenant son enfant endormi dans ses bras. John, toujours brusque, lui approcha le flam-

1. Les laissa sur sa terre en tant qu'homme libre.

beau du visage, et, faisant entendre un grognement plein de compassion émue, il ouvrit la porte d'une petite chambre à coucher qui donnait sur la vaste cuisine où ils se trouvaient. Il la fit entrer, alluma un autre flambeau qu'il posa sur la table, puis il lui dit :

« Maintenant, ma fille, vous n'avez plus rien à craindre. Arrive qui voudra ; je suis prêt à tout, dit-il en montrant deux ou trois carabines suspendues au-dessus du manteau de la cheminée. Ceux qui me connaissent savent bien qu'il ne serait pas sain de vouloir faire sortir quelqu'un de chez moi quand je ne veux pas. Et *maintenant,* mon enfant, dormez aussi tranquillement que si votre mère vous gardait. »

Il sortit du cabinet et ferma la porte.

Le sénateur raconta brièvement, en quelques mots, l'histoire d'Elisa.

« Oh !... Hélas !... Quoi ! il serait vrai !... Poursuivie ! poursuivie pour avoir obéi au cri de la nature ! Pauvre femme ! Chassée comme un daim ! chassée pour avoir fait ce qu'aucune mère ne pourrait pas ne pas faire ! Oh ! ces choses-là me feraient blasphémer[1]... »

Et John essuya ses yeux du revers de sa large main calleuse.

« Eh bien ! monsieur, je vous l'avoue, je suis resté des années sans aller à l'église, parce que les ministres

1. Proférer des paroles qui insultent Dieu ou l'Église.

disaient en chaire[1] que la Bible autorisait l'esclavage... aussi j'abandonnai tout, Bible et ministres. Je ne suis pas retourné à l'église, jusqu'à ce que j'aie trouvé un ministre qui fût contre l'esclavage. Maintenant j'y retourne. »

Tout en parlant de la sorte, John faisait sauter le bouchon d'une bouteille de cidre mousseux, dont il offrit un verre à son interlocuteur.

« Vous devriez rester ici jusqu'à demain matin, dit-il cordialement au sénateur ; je vais appeler la vieille, elle va vous préparer un lit en moins de rien.

— Mille grâces, mon cher ami ; mais je dois partir pour prendre cette nuit même la voiture de Colombus.

— S'il en est ainsi, je vais vous accompagner et vous montrer un chemin de traverse meilleur que la route que vous avez prise. Cette route est en effet bien mauvaise. »

John s'équipa, et, une lanterne à la main, conduisit son hôte par un chemin qui longeait sa maison. Le sénateur, en partant, lui mit dans la main un billet de dix dollars.

« Pour elle ! dit-il laconiquement.

— Bien ! » répondit John avec une égale concision.

Ils se serrèrent la main et se quittèrent.

---

1. Ici, chaire d'une église, estrade sur laquelle le prédicateur monte pour se faire entendre de son auditoire.

9

Livraison de la marchandise

Un matin de février, morne et gris, éclairait les fenêtres de l'oncle Tom. La petite table était dressée devant le feu et couverte de la nappe à repasser. Une chemise grossière était déployée sur la table devant Chloe. Avec un soin minutieux, elle repassait et, de temps en temps, portait la main à son visage pour essuyer les larmes qui coulaient le long de ses joues.

Tom s'assit à côté d'elle, sa Bible ouverte sur ses genoux, sa tête appuyée dans sa main. Ni l'un ni l'autre ne parlait. Il était de bonne heure, et les enfants dormaient encore tous ensemble dans leur lit grossier.

Tom se leva et s'approcha solennellement du lit pour contempler ses enfants.

« C'est la dernière fois ! » dit-il.

Chloe ne répondit rien ; mais le fer marcha de long en large, passa et repassa sur la chemise ; puis tout à coup, déposant son fer avec un geste désespéré, elle s'assit près de la table, et éleva la voix et pleura.

« Je sais, dit-elle, qu'il faut être résignée ; mais puis-je l'être, Seigneur ? Si je savais où tu vas, comment on te traitera ! Madame dit bien qu'elle essayera de te racheter dans un an ou deux. Mais, hélas ! ceux qui descendent vers le sud ne remontent jamais ; ils les tuent ! Je sais bien comment on les traite dans les plantations.

— Ce sera là-bas le même Dieu qu'ici, Chloe.

— Soit, je le veux bien, dit Chloe ; mais Dieu parfois laisse accomplir de terribles choses...

— Je suis dans les mains du Seigneur, dit Tom ; rien ne peut aller plus loin qu'il ne le permettra. Il permet cela ; je dois l'en remercier. C'est *moi* qui suis vendu et qui m'en vais, et non pas toi et les enfants. Ici vous êtes en sûreté. Ce qui doit arriver n'arrivera qu'à moi, et le Seigneur m'assistera. Il ne tombe pas un passereau sur la terre sans sa permission.

— Je le sais bien ; mais tout cela ne me console pas, dit Chloe... Mais à quoi bon parler ? Je vais tirer le gâteau du feu et te servir un bon déjeuner. Qui sait quand tu en retrouveras un pareil ? »

Pour comprendre la souffrance des nègres vendus aux marchands du Sud, il faut se rappeler que toutes les affections instinctives de cette race sont d'une incroyable puissance. Ajoutez à cela les terreurs de l'inconnu. Ajoutez qu'être vendu dans le Sud est une perspective placée depuis l'enfance devant les yeux du nègre comme le plus sévère des châtiments. Il y a moins de terreur pour eux dans la menace du fouet et de la torture que dans la menace d'être conduit de l'autre côté de la rivière.

Le modeste repas du matin fumait sur la table de Tom. Mme Shelby avait ce jour-là dispensé Chloe de tout service à l'habitation. La pauvre créature avait mis tout son courage à préparer ce déjeuner d'adieu. Elle avait tué et accommodé ses meilleurs poulets ; le gâteau était juste au goût de Tom ; elle avait également atteint certaine bouteille mystérieuse, et des conserves qui ne voyaient le jour que dans les grandes occasions.

Les enfants, après avoir dévoré tout ce qui se trouvait sur la table, commencèrent à réfléchir sur ce qui se passait autour d'eux. Voyant leur mère pleurer et leur père tout triste, ils commencèrent à soupirer et à se frotter les yeux. L'oncle Tom prit sur ses genoux la petite fille, qui se livrait à son divertissement favori, égratignant le visage et tirant les cheveux du vieux nègre.

« Ris donc, ris, pauvre créature, s'écria Chloe ; ton tour viendra aussi à toi : tu vivras pour voir ton mari vendu et peut-être pour être vendue toi-même ! et tes frères que voilà, ils seront vendus aussi, sans doute, dès qu'ils vaudront un peu d'argent... N'est-ce pas ainsi que l'on nous traite, nous autres nègres ? »

À ce moment un des enfants s'écria :

« Voilà madame qui vient !

— Pourquoi vient-elle ? Elle n'a rien de bon à faire ici », s'écria la pauvre Chloe.

Mme Shelby entra. Chloe lui avança une chaise d'un air maussade. Mme Shelby ne parut rien remarquer. Elle était pâle et semblait inquiète.

« Tom, dit-elle, je viens pour... »

Tout à coup elle s'arrêta, regarda le groupe silencieux, s'assit, mit un mouchoir sur son visage, et ses sanglots éclatèrent.

« Ah ! madame, dit Chloe, ne... ne... » Et elle-même éclata... et pendant un instant tous pleurèrent...

« Mon pauvre Tom, dit Mme Shelby, présentement, je ne puis vous être utile. Si je vous donne de l'argent, on vous le prendra. Mais je vous jure solennellement devant Dieu que je ne vous perdrai pas de vue, et qu'aussitôt que je le pourrai, je vous ferai venir ici ; jusque-là, ayez confiance en Dieu ! »

Les enfants s'écrièrent :

« Voici M. Haley qui vient ! »

Son brutal coup de pied ouvrit la porte. Haley resta debout, de fort mauvaise humeur, fatigué de la course de la nuit et irrité du peu de succès de sa chasse.

« Ici, nègre ! Êtes-vous prêt ?... Madame, votre serviteur. » Et il tira son chapeau en apercevant Mme Shelby.

Chloe ferma et ficela la boîte ; elle regarda le marchand d'un air irrité. Ses larmes semblaient se changer en étincelles.

Tom se leva avec calme pour suivre son nouveau maître ; il chargea la pesante boîte sur ses épaules. La femme prit la petite fille dans ses bras, pour accompagner son mari jusqu'à la voiture. Les enfants suivirent en pleurant.

Mme Shelby alla droit au marchand et le retint un moment ; elle lui parlait avec une extrême animation. Cependant toute la famille s'avançait vers la voiture, qui était attelée près de la porte. Les esclaves jeunes et vieux se pressaient tout autour, pour dire adieu à leur vieux compagnon. Tom était regardé par tous comme le chef des esclaves et comme leur guide religieux. Son départ excitait de vifs et sympathiques regrets, surtout parmi les femmes.

« Montez ! » dit Haley à Tom, en traversant la foule des esclaves qui le regardaient, le front soucieux.

Tom monta.

Alors, tirant de dessous le siège une pesante paire de fers, Haley les lui attacha autour des chevilles.

Un murmure étouffé d'indignation courut dans la foule, et Mme Shelby s'écria du perron :

« Je vous assure, monsieur Haley, que c'est une précaution bien inutile.

— Je n'en sais rien, madame : j'ai perdu ici même un esclave de cinq cents dollars ; je ne veux pas courir de nouveaux risques. »

Les deux enfants, qui semblaient maintenant comprendre le sort de leur père, se suspendirent à la robe de Chloe en criant.

« Je regrette, dit Tom, que M. George se trouve absent. »

George était en effet chez un de ses amis, dans une plantation du voisinage ; il ignorait le malheur de Tom.

« Vous exprimerez toute mon affection à M. George », reprit-il d'un ton pénétré.

Haley fouetta le cheval ; après avoir jeté un long et dernier regard sur la maison, Tom partit.

M. Shelby était absent.

Il avait vendu Tom sous la pression de la plus dure nécessité, et pour sortir des mains d'un homme qu'il redoutait. Sa première impression, quand l'acte fut accompli, fut comme un sentiment de délivrance. Les supplications de sa femme réveillèrent ses regrets à moitié endormis. Le désintéressement de Tom rendait son chagrin plus cuisant encore. C'est en vain qu'il se répétait à lui-même qu'il avait le *droit* d'agir ainsi, que tout le monde le ferait, sans même avoir comme lui l'excuse de la nécessité... Il ne pouvait se convaincre, et, pour ne pas être témoin des dernières et tristes scènes de la séparation, il était parti le matin même, espérant que tout serait fini avant son retour.

Tom et Haley roulaient dans un tourbillon de poussière. Tous les objets familiers à l'esclave passaient comme des fantômes. Les limites de la propriété furent bientôt franchies ; on se trouva sur le chemin public.

Au bout d'un mille environ, Haley s'arrêta devant la boutique d'un maréchal, et il entra pour faire quelques changements à une paire de menottes.

« Elles sont un peu trop petites pour sa taille, dit Haley en montrant les fers et en regardant Tom.

— Comment ! c'est le Tom à Shelby !... Il ne l'a pas vendu !

— Mais si, il l'a vendu, reprit Haley.

— C'est impossible !... lui ? Qui l'aurait cru ? Alors, vous n'avez pas besoin de l'enchaîner ainsi. C'est la meilleure, la plus fidèle créature...

— Oui, oui, dit Haley ; mais ce sont les bons qui veulent s'enfuir, précisément. Les brutes se laissent mener où l'on veut... Pourvu qu'ils aient à manger, ils ne s'inquiètent pas du reste. Mais les esclaves intelligents haïssent le changement comme le péché. Il n'y a qu'un moyen, c'est de les enchaîner.

— Mais, dit le forgeron, les nègres du Kentucky n'aiment pas les plantations du Sud : il paraît qu'ils y meurent assez vite.

— Mais oui, dit Haley : le climat y est pour beaucoup ; il y a aussi bien d'autres choses ! Enfin ça donne du mouvement au marché !

— Eh bien ! reprit le maréchal, on ne peut s'empêcher de penser que c'est un bien grand malheur de voir aller là un aussi honnête, un aussi brave garçon que ce pauvre Tom.

— Mais il a de la chance : j'ai promis de le bien traiter. Je vais le placer comme domestique dans quelque bonne et ancienne famille, et là, s'il peut échapper à la fièvre et au climat[1], il aura un sort aussi heureux qu'un nègre puisse le désirer.

— Mais il laisse derrière lui sa femme et ses enfants.

— Oui, mais il en prendra une autre. Dieu sait qu'il y a assez de femmes partout ! »

Pendant toute cette conversation, Tom était tristement assis dans la charrette, à la porte de la maison. Tout à coup il entendit le bruit sec, vif et court d'un sabot de cheval. Avant qu'il fût revenu de sa surprise, George, son jeune maître, s'élança dans la voiture, lui jeta vivement ses bras autour du cou en poussant un grand cri :

« C'est une infamie ! disait-il, oui, une infamie ! Qu'ils disent ce qu'ils voudront. Si j'étais un homme, cela ne serait pas ; *non,* cela ne serait pas ! reprit-il avec une indignation contenue.

— Ah ! monsieur George, vous me faites du bien, disait Tom... J'étais si malheureux de partir sans vous voir !... »

Tom remua un peu le pied. Le regard de George tomba sur ses fers.

« Quelle honte ! dit-il en levant les mains au ciel. Je vais assommer ce vieux coquin : oui, en vérité !

— Non, monsieur George, non ; il ne faut même

---

1. La Louisiane compte beaucoup de marais et l'été y est brûlant, de là nombre de maladies mortelles à cette époque.

pas parler si haut... cela ne m'avancerait à rien de le mettre en colère contre moi.

— Par égard pour vous, Tom, je me contiens... mais, hélas ! rien que d'y penser ! Oui, c'est une honte ! Mais, tenez, père Tom, ajouta-t-il en tournant le dos à la boutique et en prenant un air mystérieux, *je vous ai apporté mon dollar.*

— Oh ! je ne puis pas le prendre, monsieur George, c'est tout à fait impossible, dit Tom avec émotion.

— Vous allez le prendre, dit George. Regardez ! Chloe m'a dit de faire un trou au milieu, d'y passer une corde, et de vous le pendre autour du cou. Vous le cacherez sous vos vêtements, pour que ce gueux-là ne vous le prenne point », et George attacha le dollar au cou de Tom. « Chaque fois que vous le regarderez, souvenez-vous que j'irai vous chercher un jour là-bas, et que je vous ramènerai. Je l'ai dit à la mère Chloe, je lui ai dit de ne rien craindre. Je vais m'en occuper, et mon père, jusqu'à ce qu'il le fasse, je vais le tourmenter !

— Oh ! monsieur George, ne parlez pas ainsi de votre père !

— Mon Dieu ! Tom, je n'ai pas de mauvaises intentions...

— Et maintenant, monsieur George, dit Tom, il faut que vous soyez un bon jeune homme. N'oubliez pas combien de cœurs s'appuient sur vous. Ne tombez pas dans les folies de la jeunesse ; obéissez à votre mère : n'allez pas croire que vous soyez trop grand pour cela. Dites-vous bien, monsieur George, qu'il y a une foule de choses heureuses que Dieu peut nous donner deux fois, mais qu'il ne nous donne qu'une mère... D'ailleurs, monsieur George, vous ne rencontrerez jamais une femme comme elle, dussiez-vous vivre cent ans. Restez près d'elle, et maintenant que vous allez grandir, devenez son appui. Vous ferez cela, mon cher enfant ; n'est-ce pas que vous le ferez ?

— Oui, père Tom, je vous le *promets,* dit George d'un ton sérieux. Oui, je serai *bon.* Mais ne vous découragez pas ! Je vous ferai revenir. Oh ! vous aurez encore de beaux jours. »

Haley sortit de la maison, les menottes à la main.

« Songez, monsieur, dit George d'un air de haute supériorité, que j'instruirai ma famille de la façon dont vous traitez Tom.

— Bien le bonjour ! répondit Haley.

— Je pensais que vous auriez eu honte, reprit l'enfant, de passer votre vie à trafiquer des hommes et des femmes et à les enchaîner comme des bêtes... C'est un vil métier !

— Tant que vos illustres parents en achèteront, reprit Haley, je pourrai bien en vendre... C'est à peu près la même chose !...

— Quand je serai un homme, reprit George, je ne ferai ni l'un ni l'autre. J'ai honte à présent d'être du Kentucky ! Autrefois, j'en étais fier ! Allons, père Tom ! adieu... et du courage !

— Adieu ! monsieur George, adieu ! dit Tom, le regardant avec une tendresse mêlée d'admiration. Que Dieu vous bénisse !... Le Kentucky n'en a guère qui vous vaillent ! »

George partit... Tom regardait toujours : le bruit du cheval s'éteignit enfin dans le silence ; Tom n'entendit plus, ne vit plus rien qui lui rappelât la maison Shelby... Mais il y avait toujours comme une petite place chaude sur sa poitrine. C'était celle où les mains du jeune homme avaient attaché le dollar... Tom le serra contre son cœur.

10

Chez les quakers[1]

Une scène heureuse et paisible se déroule dans une cuisine vaste et spacieuse ; les murs sont rehaussés de riches couleurs ; pas un atome de poussière sur les briques jaunes de l'aire[2], frottées et polies ; des piles de vaisselle d'étain brillant excitent l'appétit, en vous faisant songer à une foule de bonnes choses. Le noir fourneau reluit ; les chaises de bois, vieilles et massives, reluisent aussi. On aperçoit une chaise à bascule où se balance doucement, les yeux attachés sur son ouvrage, notre ancienne amie, la fugitive Elisa. Elle est

1. Membres d'une secte protestante prêchant le pacifisme, la solidarité et une grande simplicité de mœurs. Venus d'Angleterre, les quakers s'installèrent en Amérique à la fin du XVIIe siècle.

2. Surface plane où l'on prépare le repas dans la cuisine.

plus pâle et plus maigre que dans le Kentucky ; on devine sous ses longues paupières, dans les plis de sa bouche, une douleur à la fois calme et profonde. Il était facile de voir combien ce jeune cœur était devenu ferme et vaillant sous l'austère discipline du malheur. Elle relevait de temps en temps les yeux pour suivre les ébats du petit Harry. On découvrait chez elle une puissance de volonté, une inébranlable résolution inconnue à ses jeunes et heureuses années.

Auprès d'elle est une femme qui tient sur ses genoux un plat d'étain, dans lequel elle range soigneusement des pêches sèches. Elle peut avoir de cinquante-cinq à soixante ans, mais c'est un de ces visages que les années ne semblent toucher que pour les embellir. Sa cape de crêpe, blanche comme la neige, est exactement faite comme celle que portent les femmes des quakers ; un mouchoir de simple mousseline blanche, croisé sur sa poitrine en longs plis paisibles, son châle, sa robe, tout révèle la communion[1] à laquelle elle appartient.

« Eh bien ! Elisa, tu[2] comptes toujours passer au Canada ? dit-elle d'une voix douce en continuant de regarder ses pêches.

— Oui, madame, dit Elisa avec beaucoup de fermeté ; il faut que je parte ; je n'ose point rester ici.

1. Ici, religion.
2. Les quakers tutoient toujours.

— Et que feras-tu, une fois là-bas ? Il faut y songer, ma fille ! »

Ma fille était un mot qui venait naturellement sur les lèvres de Rachel Halliday, parce que ses traits et sa physionomie rappelaient sans cesse la douce idée qu'on se fait d'une mère...

Les mains d'Elisa tremblèrent, et quelques larmes coulèrent sur son ouvrage... mais elle répondit avec fermeté : « Je ferai ce que je pourrai : j'espère que je trouverai quelque ouvrage.

— Tu sais que tu peux rester ici tant qu'il te plaira, dit Rachel.

— Oh ! merci ! fit Elisa, mais (elle regarda Harry) je ne puis pas dormir la nuit. Hier encore, je rêvais que je voyais cet homme entrer dans la cour... »

Et elle frissonna.

« Pauvre enfant ! dit Rachel en essuyant ses yeux ; mais il ne faut pas t'inquiéter ainsi : Dieu a voulu qu'aucun fugitif n'ait encore été arraché de notre village ; il faut bien espérer que l'on ne commencera pas par toi. »

La porte s'ouvrit, et une petite femme courte, ronde, une vraie pelote à épingles, se tint sur le seuil. Elle était vêtue comme Rachel : un gris sévère ; un fichu de mousseline couvrait sa poitrine rebondie.

« Ruth Stedman ! dit Rachel en s'avançant avec empressement vers elle ; comment vas-tu, Ruth ?... Et elle lui prit les deux mains.

— À merveille », dit Ruth en tirant son petit chapeau.

« Ruth, voici notre amie Elisa Harris, et le petit enfant dont je t'ai parlé.

— Je suis très heureuse de te voir, Elisa, très heureuse ! dit Ruth en lui serrant la main comme si Elisa eût été pour elle une vieille amie depuis longtemps attendue. Voilà ton cher petit garçon... je lui apporte un gâteau. »

Elle présenta à Harry un cœur en pâtisserie, que l'enfant accepta timidement en regardant Ruth à travers ses longues boucles flottantes.

« Où est ton bébé ? dit Rachel.

— Oh ! il vient ; mais ta petite Mary s'en est emparée, et elle le conduit à la ferme pour le montrer aux enfants. »

Au même instant la porte s'ouvrit, et Mary, visage rose aux grands yeux bruns, le portrait de sa mère, entra dans la chambre avec le bébé.

« Ah, ah ! dit Rachel en prenant le marmot blanc et potelé dans ses bras, comme il est joli. »

Et elle prit l'enfant et le débarrassa d'un pardessus de soie bleu et de divers châles dont elle l'avait enveloppé, et le déposa sur le plancher.

Sa mère, s'asseyant enfin, prit un long bas chiné de blanc et de bleu, et se mit à tricoter avec ardeur.

« Mary, tu ferais bien de remplir la bouilloire », dit Rachel d'une voix douce.

Mary alla au puits, revint bientôt et mit la bouilloire

sur le fourneau, où elle commença à fumer et à chanter. Sur les conseils de Rachel, elle mit les pêches sur le feu dans un grand plat d'étain.

Rachel prit alors un moule blanc comme la neige, attacha un tablier, et se mit à faire des gâteaux.

« Comment va Abigail Peter ? dit Rachel.

— Oh ! beaucoup mieux, dit Ruth. J'y suis allée ce matin ; j'ai fait le lit et arrangé la maison. Leah Hills y va cet après-midi et fera du pain et des pâtes pour quelques jours ; et j'ai promis d'y retourner pour la garder ce soir.

— J'irai demain, dit Rachel, je laverai et raccommoderai le linge... »

Simeon Halliday, grand, robuste, vêtu d'un pantalon et d'une veste de drap grossier, et coiffé d'un chapeau à larges bords, entra au même instant.

« Comment va, Ruth ? dit-il affectueusement ; et il tendit sa large paume à la petite main grassouillette. Et John ?

— Oh ! John va bien, ainsi que tous nos gens, répondit Ruth d'un ton joyeux.

— Quelles nouvelles, père ? dit Rachel en mettant ses gâteaux au four.

— Peter Stelbins m'a dit qu'ils seraient ici cette nuit avec des amis, dit Simeon d'une voix significative, en lavant ses mains à une fontaine qui se trouvait dans un cabinet à côté.

— Elisa. Ne m'as-tu pas dit que tu te nommais Harris ? » demanda Simeon.

Rachel regarda vivement son mari. Elisa, toute tremblante, répondit : « Oui. »

Ses craintes toujours exagérées lui firent croire que l'on avait sans doute placardé des affiches à son sujet.

« Mère ! dit Simeon du fond du cabinet.

— Que veux-tu ? dit Rachel en frottant ses mains enfarinées, et elle alla vers le cabinet.

— Le mari de cette enfant est dans la colonie[1], murmura Simeon ; il sera ici cette nuit...

— Et tu ne le dis pas, père ! fit Rachel le visage tout rayonnant.

— Il est ici, reprit Simeon ; Peter est allé là-bas hier avec la charrette ; il y a trouvé une vieille femme et deux hommes : l'un d'eux s'appelle George Harris. D'après ce qu'elle a dit de son histoire, je suis certain que c'est lui. C'est un beau et aimable garçon.

— Allons-nous le lui dire maintenant ? fit Simeon. Disons-le d'abord à Ruth. Ici, Ruth, viens ! »

Ruth laissa son tricot et accourut.

« Ruth, ton avis ! Le père dit que le mari d'Elisa est dans la dernière troupe, et qu'il sera ici cette nuit. »

La joie de la petite quakeresse éclata et coupa la phrase : elle bondit et frappa dans ses mains.

« Calme-toi, chérie, lui dit doucement Rachel, calme-toi, Ruth. Voyons ! faut-il lui apprendre maintenant ?

---

1. Les quakers ont d'abord fondé une première colonie au New Jersey (sur la côte Atlantique) puis se sont dispersés dans d'autres États (ici dans l'Indiana).

— Eh oui ! maintenant, à l'instant même ! Dieu ! si c'était mon pauvre John !... dis-le-lui sur-le-champ !

— Ah ! tu ne songes qu'à ton prochain, Ruth ; c'est bien ! dit Simeon en la regardant avec attendrissement.

— Eh bien ! mais n'est-ce pas pour cela que nous sommes faits ? Si je n'aimais pas John et le bébé... je ne saurais compatir à ses chagrins à elle. Voyons, viens ! Parle-lui maintenant. »

Rachel entra dans la cuisine, où Elisa était en train de coudre, et, ouvrant la porte d'une petite chambre à coucher, elle lui dit doucement :

« Viens, ma fille, viens ! j'ai des nouvelles à t'apprendre. »

Le sang monta au visage pâle d'Elisa. Elle se leva tout émue, saisie d'un tremblement nerveux, et jeta les yeux sur son fils.

« Non ! non ! dit la petite Ruth en se levant et en lui prenant la main, non ! Ne crains rien. Ce sont de bonnes nouvelles, Elisa... ne crains rien. Va, va ! » Et elle la poussa vers la porte qu'elle ferma après elle.

Rachel attira Elisa vers elle et lui dit :

« Le Seigneur a eu pitié de toi, ma fille, il a tiré ton mari de la maison de servitude ! »

Un nuage de sang rose monta aux joues d'Elisa, puis il redescendit jusqu'à son cœur ; elle s'assit pâle et presque inanimée.

« Du courage, mon enfant, du courage ! ajouta-t-elle en posant ses mains sur la tête d'Elisa. Il est avec des amis ; ils l'amèneront ici... cette nuit.

— Cette nuit ! répétait Elisa ; cette nuit ! »

Les mots perdaient leur signification pour elle. Il y avait dans sa tête toute la confusion d'un rêve.

Quand elle revint à elle, elle se trouva sur un lit, enveloppée d'une couverture ; la petite Ruth, à ses côtés, lui frottait les mains avec du camphre.

Ses nerfs, toujours irrités depuis la première heure de sa fuite, se détendirent peu à peu. Un sentiment tout nouveau de repos et de sécurité descendit sur elle. Elle restait couchée, ses grands yeux noirs ouverts, et, comme dans un rêve paisible, elle suivait les mouvements de ceux qui l'entouraient. Elle entendait le doux murmure de la causerie, et le cliquetis des cuillers et le choc des tasses et des assiettes... C'était le rêve du repos heureux ! Elisa s'endormit comme elle n'avait jamais dormi depuis cette terrible heure de minuit, où, prenant son enfant dans ses bras, elle s'était enfuie à la lueur glacée des étoiles.

Elle rêvait d'un beau pays, d'une terre de repos, de rivages verdoyants. Là, dans une maison où des voix amies lui disaient qu'elle était chez elle, elle voyait jouer son enfant, heureux et libre ; elle entendait les pas de son mari, elle devinait son approche, ses bras l'entouraient, les larmes de George tombaient sur son visage... et elle s'éveillait.

Ce n'était point un rêve.

Depuis longtemps la nuit était venue ; son enfant

dormait paisiblement à ses côtés. Un flambeau jetait dans la chambre ses clartés douteuses, et George sanglotait au chevet de son lit.

Le lendemain fut une heureuse matinée pour la maison du quaker. La mère fut debout dès l'aube, et s'occupa activement des préparatifs du déjeuner.

John cependant courait à la fontaine ; Simeon le jeune passait au tamis la farine de maïs destinée aux gâteaux ; Mary était chargée de moudre le café ; Rachel était partout, faisant les gâteaux, apprêtant le poulet et répandant sur toute la scène comme un vrai rayon de soleil. Le petit Harry, Elisa et George, quand ils parurent, reçurent un accueil si cordial et si réjouissant, qu'ils crurent à un rêve.

Ils furent bientôt à table tous ensemble. Mary seule restait auprès du feu, faisant rôtir des tartines.

Rachel, au milieu de sa table, n'avait jamais paru si complètement heureuse.

C'était la première fois que George s'asseyait comme un égal à la table des Blancs ; il éprouva d'abord un certain embarras, qui se dissipa bientôt devant cette bonté.

C'était bien une maison : une maison ! George n'avait jamais su ce que ce mot-là voulait dire. La croyance en Dieu, la confiance en sa providence, entourèrent pour la première fois son cœur d'espérance.

« Père, si l'on te découvrait encore ? dit le jeune Simeon en étendant son beurre sur son gâteau.

— Je payerais l'amende, répondit-il tranquillement.

— Mais s'ils te mettaient en prison ?

— Ta mère et toi ne pourriez-vous faire marcher la ferme ? dit Simeon en souriant.

— Maman peut faire tout, répondit l'enfant ; mais n'est-ce point une honte que de telles lois ?

— Il ne faut pas mal parler de nos législateurs[1], mon fils, reprit le père avec autorité. Dieu nous a donné les biens terrestres pour que nous puissions faire justice ; si les législateurs exigent de nous le prix de nos bonnes œuvres, donnons-le !

— Je hais ces propriétaires d'esclaves, dit l'enfant, qui dans ce moment-là n'était pas plus chrétien qu'un réformateur moderne.

— Tu m'étonnes, mon fils ! ce ne sont pas là les leçons de ta mère ; je ferais pour le maître de l'esclave ce que je fais pour l'esclave lui-même, s'il venait frapper à ma porte dans l'affliction[2]. »

Simeon devint écarlate, mais la mère se contenta de sourire.

« Simeon est mon bon fils, dit-elle ; il grandira et il deviendra comme son père.

— Je pense, mon cher hôte, que vous risquez d'être exposé à des ennuis à cause de nous, dit George avec anxiété.

---

1. Ceux qui établissent les lois.
2. Peine profonde, immense chagrin.

— Ne crains rien, George ; c'est pour cela que nous sommes au monde... Si nous n'étions pas des gens à supporter quelque chose pour la bonne cause, nous ne serions pas dignes de notre nom. Reste ici tranquillement tout le jour. Cette nuit, à dix heures, Phineas Fletcher vous conduira tous à la prochaine station[1]. Les persécuteurs se hâtent après toi, nous ne voulons pas te retenir.

— Alors, pourquoi attendre ? dit George.

— Tu es ici en sûreté tout le jour. Dans notre colonie, tous sont fidèles et tous veillent. D'ailleurs il est plus sûr pour toi de voyager pendant la nuit. »

1. Ici, arrêt chez un membre du réseau, ce Chemin de fer souterrain permettant aux esclaves en fuite de gagner le Canada.

11

Evangeline

Les derniers rayons du soleil couchant tremblent sur la vaste étendue du Mississippi. Les cannes[1] frémissantes, les grands cyprès noirs auxquels la mousse sombre suspend ses guirlandes de deuil, étincellent dans la lumière dorée.

Le *steamer*[2], pesamment chargé, continue sa marche.

Les balles de coton s'entassent en piles sur ses flancs, sur le pont, partout ! On dirait une gigantesque masse grise. Il nous faut un examen attentif pour découvrir notre humble ami Tom. Nous l'apercevons

1. Les tiges de la canne à sucre qui peuvent atteindre cinq mètres de hauteur.
2. Bateau à vapeur.

enfin à l'avant du navire, blotti entre les balles[1] de coton.

Les recommandations de M. Shelby ont produit leur effet ; Haley, d'ailleurs, a pu juger lui-même de la douceur et de la tranquillité de ce caractère inoffensif ; Tom a déjà sa confiance : la confiance d'un homme comme Haley !

D'abord il l'avait étroitement surveillé pendant le jour, il n'avait laissé passer aucune nuit sans l'enchaîner... et puis, peu à peu, le calme, la résignation de Tom l'avaient gagné : il se relâchait de sa surveillance, se contentait d'une sorte de parole d'honneur, et lui permettait d'aller et de venir à sa guise sur le bateau.

Toujours bon et obligeant, toujours prêt à rendre service aux travailleurs dans toute occasion, il avait conquis l'estime de tous en les aidant avec le même zèle et le même cœur que s'il eût travaillé dans une ferme du Kentucky.

Quand il voyait qu'il n'y avait plus rien à faire pour lui, il se retirait entre les balles de coton, dans quelque recoin de l'avant, et se mettait à étudier la Bible.

C'est dans cette occupation que nous le surprenons maintenant.

À cent et quelques milles avant La Nouvelle-Orléans, le niveau du fleuve est plus élevé que la contrée qu'il traverse, il roule sa masse énorme entre de puissantes digues de vingt pieds ; du haut du pont,

1. Une fois récolté, le coton était rassemblé en paquets ou balles.

le voyageur découvre tout le pays jusqu'à des distances presque infinies. Tom, en voyant se dérouler ainsi les plantations l'une après l'autre, avait pour ainsi dire sous les yeux la carte de l'existence qu'il allait mener.

Il voyait dans le lointain les esclaves au travail, il voyait leurs villages de huttes, rangées en longues files, loin des superbes maisons et du parc du maître ; et à mesure que se déroulait ce tableau vivant, son cœur retournait à la vieille ferme du Kentucky, cachée sous le feuillage de vieux hêtres ! Il revenait à la maison de Shelby, aux appartements vastes et frais, et à sa petite case à lui.

Il y avait parmi les passagers un jeune gentleman, noble et riche, résidant à La Nouvelle-Orléans : il portait le nom de Saint-Clare.

Il avait avec lui sa fille, de cinq à six ans, sous la surveillance d'une femme qui semblait être de ses parentes.

Tom avait souvent remarqué cette petite fille remuante et vive.

Quand on l'avait vue, on ne pouvait plus l'oublier. La forme de sa tête, l'élégance de son cou, son buste avaient un caractère de noblesse singulière ; ses longs cheveux d'un brun doré, qui flottaient autour d'elle comme un nuage ; son œil d'un bleu sombre, profond, intelligent, réfléchi, ombragé d'un épais rideau de cils bruns, tout semblait la distinguer des autres enfants, et attirer et fixer les regards, quand elle se glissait entre les passagers, insaisissable et légère.

Tom, qui avait toute l'impressionnabilité de sa race, toujours attiré vers la simplicité et l'enfance, suivait des yeux cette petite créature avec un intérêt qui croissait de jour en jour.

Souvent elle passait triste et pensive à côté du troupeau d'hommes et de femmes enchaînés. Elle glissait au milieu d'eux et les regardait d'un air triste et compatissant ; parfois de ses petites mains elle essayait de soulever leurs fers. Puis elle soupirait et s'enfuyait. Mais elle revenait bientôt les mains pleines de sucreries, de noix et d'oranges qu'elle leur distribuait joyeusement ; puis elle s'en retournait bien vite.

Tom la regarda bien des fois avant de se hasarder à lui parler. Mais il savait la manière d'apprivoiser et de captiver les enfants. Il savait faire de petits paniers avec des noyaux de cerises, tailler des figures grotesques dans la noix de cocotier. Ses poches étaient pleines d'articles séducteurs, qu'il avait jadis façonnés pour les enfants de son maître, et dont il se servait maintenant pour se créer de nouvelles relations.

La petite se tenait sur la réserve ; il était difficile de captiver son esprit mobile. Tout d'abord elle venait se percher sur quelque boîte, comme un oiseau des Canaries, dans le voisinage de Tom ; elle acceptait timidement les petits objets que Tom lui présentait : enfin, on en arriva à la confiance presque intime.

« Comment s'appelle la petite demoiselle ? fit Tom, quand il crut le moment favorable pour pousser sa pointe.

— Evangéline Saint-Clare, dit la petite. Mais papa, et tout le monde, m'appelle Eva. Et vous, comment vous nommez-vous ?

— Mon nom est Tom ; mais les petits enfants avaient l'habitude de m'appeler l'oncle Tom, là-bas dans le Kentucky.

— Alors je vais vous appeler l'oncle Tom, dit Eva, parce que, voyez-vous, je vous aime bien. Ainsi, oncle Tom, où allez-vous ?

— Je ne sais pas, miss Eva.

— Comment ! vous ne savez pas ?

— Non. On va me vendre à quelqu'un, mais je ne sais pas à qui.

— Papa pourrait bien vous acheter, dit Eva vivement, et, s'il vous achète, vous serez bien heureux. Je vais le lui demander aujourd'hui même.

— Merci, ma petite demoiselle. »

Le bateau s'arrêta pour prendre du bois à une petite station. Eva, entendant la voix de son père, s'élança vers lui. Tom se leva et alla offrir ses services aux travailleurs.

Eva et son père se tenaient près du parapet pour voir repartir le bateau. La roue fit deux ou trois évolutions : la pauvre enfant perdit l'équilibre et tomba par-dessus le bord... Le père, tout troublé, voulut plonger après elle : il fut retenu par quelques personnes qui avaient vu qu'un secours plus efficace allait lui être offert.

Tom était tout près d'elle au moment de l'accident,

il la vit tomber ; il s'élança : bras puissants, large poitrine, ce n'était rien pour lui que de se tenir un instant à flot pour la saisir au moment où elle reparaîtrait à la surface.

Il la saisit en effet, et nageant avec elle le long du bateau, il la tendit à l'étreinte de cent mains qui se penchaient vers elle comme si elles eussent appartenu à un seul homme.

Un moment après, son père la portait dans la cabine des dames, où, comme on pouvait bien s'y attendre, les femmes, rivalisant de zèle, employèrent tous les moyens possibles... pour l'empêcher de revenir à elle.

Le lendemain, vers le soir d'une journée accablante, le *steamer* approchait de La Nouvelle-Orléans. À bord, c'était un bruit, un tumulte étrange. Chacun retrouvait ses effets, les rassemblait et se préparait à descendre.

Tom était toujours assis à l'avant, les bras croisés sur sa poitrine, inquiet, et de temps en temps tournant les yeux vers un groupe qui se tenait de l'autre côté du bateau.

Dans ce groupe était la belle Evangéline, un peu plus pâle que la veille, mais ne portant du reste aucune trace de l'accident. Un homme encore jeune, gracieux, élégant, se tenait à côté d'elle, le coude négligemment appuyé sur une balle de coton. Un large portefeuille était ouvert devant lui.

Il suffisait d'un premier regard pour voir que ce jeune homme était le père d'Evangéline.

C'était la même coupe de visage, les mêmes yeux grands et bleus, la même chevelure d'un brun doré ; mais l'expression était complètement différente. L'œil clair, comme chez sa fille, également large et bleu, n'avait pourtant pas cette profondeur rêveuse et voilée. Tout cela était net, audacieux, brillant, mais c'était une lumière toute terrestre. La bouche aux fines ciselures avait de temps en temps une expression orgueilleuse et sarcastique. Un air de supériorité plein d'aisance donnait à ses mouvements une certaine fierté qui n'était pas sans grâce. Il écoutait négligemment, gaiement, avec une expression assez dédaigneuse, Haley qui lui détaillait avec une extrême volubilité toutes les qualités de l'article marchandé.

« En somme, dit-il quand Haley eut fini, toutes les qualités morales et chrétiennes reliées en maroquin[1] noir ; eh bien ! mon brave, quel est le *dommage,* comme vous dites dans le Kentucky ? Combien ? Ne le surfaites pas trop, voyons !

— Eh bien ! dit Haley, si j'en demandais treize cents dollars, je ne ferais que rentrer dans mon débours[2] en vérité.

— Pauvre homme ! dit le jeune homme en fixant sur Haley son œil perçant et moqueur... Cependant, vous me le laisseriez à ce prix-là pour me faire plaisir.

---

1. Cuir dont on recouvrait les livres.
2. Rentrer dans ses frais (les compenser).

— Oui ! la jeune demoiselle paraît y tenir... et c'est du reste bien naturel.

— Oui, en effet ; c'est là un appel fait à votre bienveillance, mon cher... Et maintenant, comme charité chrétienne, et pour obliger une jeune demoiselle qui s'intéresse à lui tout particulièrement, quel bon marché pouvez-vous nous faire ?

— Mais regardez donc, disait le marchand. Voyez ces membres, cette large poitrine... Il est fort comme un cheval ! Regardez sa tête ! ce front élevé, qui indique un nègre intelligent... il a un mérite extraordinaire pour les affaires... il faisait marcher à lui seul la ferme de son maître.

— Tant pis ! tant pis ! il en sait beaucoup trop, dit le jeune homme, gardant toujours sur ses lèvres le même sourire moqueur ; on n'en tirera aucun parti ! Ces nègres intelligents décampent toujours, volent les chevaux et vous font des tours du diable... Je crois que vous ferez bien de rabattre deux cents dollars pour sa trop grande intelligence.

— Papa, achetez-le, n'importe le prix, dit Evangéline en montant sur un colis et en passant ses petits bras autour du cou de son père. Je sais que vous avez assez d'argent... je veux l'avoir.

— Et pour quoi faire, mignonne ? un joujou ? un cheval de bois ?

— Je veux le rendre heureux.

— Eh bien ! voilà une raison, et bien trouvée ! »

Au même instant, Haley tendit au jeune homme un

certificat signé de M. Shelby. Celui-ci le prit de ses longs doigts et y jeta un œil distrait.

« Écriture comme il faut, dit-il ; et l'orthographe ! mais cette religion m'inquiète... Il y a tant de religion partout qu'on ne sait plus à qui se fier... Je ne sais pas le prix de la religion au marché : il y a longtemps que je n'ai lu les journaux pour voir à combien c'est côté... À combien de dollars estimez-vous la religion de votre Tom ? »

Et comme il avait fait, tout en parlant, un paquet de billets :

« Voyons ! mon vieux, comptez votre monnaie, dit-il au marchand en lui donnant le paquet.

— Très bien », dit Haley, dont le front rayonna d'aise. Et, tirant de sa poche un vieil encrier, il remplit l'acte de vente, qu'il passa au jeune homme.

« Si j'étais ainsi détaillé et inventorié, dit Saint-Clare, je me demande à combien je pourrais monter ! Mais, voyons, Eva ! venez. »

Et, la prenant par la main, il alla avec elle jusqu'au bout du bateau, et, mettant le bout de son doigt sous le menton de Tom, il lui dit d'un ton de bonne humeur :

« Voyez, Tom, si votre nouveau maître vous convient ! »

Tom leva les yeux.

Il était impossible de voir cette jeune et belle figure de Saint-Clare sans éprouver un sentiment de plaisir.

Tom sentit les larmes lui venir aux yeux, et ce fut du fond du cœur qu'il s'écria :

« Maître, Dieu vous bénisse !

— C'est ce qu'il fera, j'espère bien. Quel est votre nom ? Tom, hein ? Vous pouvez aussi me demander le mien. Savez-vous conduire les chevaux, Tom ?

— Je suis habitué aux chevaux, dit Tom. Chez M. Shelby il y en avait des tas !

— Eh bien, je ferai de vous un cocher, à la condition que vous ne vous griserez[1] qu'une fois la semaine, à moins que dans les grandes occasions... »

Tom parut surpris et blessé.

« Maître, je ne bois jamais.

— On m'a déjà fait ce conte ! Nous verrons bien... Tant mieux, en fait... Allons ! mon garçon, ne vous affectez pas, dit-il, en voyant que Tom paraissait encore soucieux de la recommandation. Je ne doute pas que vous ne vouliez bien faire.

— Oh ! je vous en réponds, maître !

— Et vous serez heureux, dit Evangéline, papa est très bon pour tout le monde ; seulement il aime un peu à se moquer des gens.

— Papa vous remercie bien de cet éloge », dit Saint-Clare en riant ; et, pirouettant sur ses talons, il se disposa à partir.

---

1. Vous ne vous enivrerez.

12

Le nouveau maître de Tom

Augustin Saint-Clare était fils d'un riche planteur de Louisiane[1] ; sa famille était originaire du Canada.

La mère d'Augustin était une protestante française dont la famille avait émigré en Louisiane, à l'époque des premiers établissements[2], Augustin et un autre frère étaient les seuls enfants de leurs parents. Augustin, ayant reçu de sa mère une constitution extrêmement délicate, fut, d'après le conseil des médecins, envoyé dans le Vermont, chez son oncle, où il passa une grande partie de son enfance. On pensait que ce climat froid et salubre fortifierait sa santé.

---

1. État du sud-est des États-Unis, La Nouvelle-Orléans en est la capitale.
2. Colonies, lieux où des personnes s'établissent, s'installent.

Dès son enfance, Augustin se fit remarquer par une sensibilité extrême. De là venait chez lui, comme chez tous ses pareils, une souveraine répugnance pour le commerce et le tracas des affaires. Presque au sortir du collège il avait éprouvé une passion romanesque. Il obtint l'amour d'une jeune fille aussi belle que distinguée : ils furent fiancés. Elle demeurait dans un des États du Nord. Lui dut retourner dans le Sud pour régler les derniers arrangements de famille. Tout à coup ses lettres lui furent renvoyées par la poste, avec une courte note du tuteur de la jeune fille. La note disait qu'avant même qu'il ne l'eût reçue, sa fiancée serait la femme d'un autre.

Il crut qu'il en deviendrait fou ; puis, comme bien d'autres, il espéra pouvoir arracher de son cœur cette flèche mortelle. Trop fier pour prier, trop orgueilleux pour demander une explication, il se jeta dans le tourbillon du plaisir ; il devint bientôt le soupirant avoué de la reine du jour. Tout fut promptement réglé, et il épousa une jolie figure, deux beaux yeux noirs et cent mille dollars. Comme on dut le croire heureux !

Les mariés passèrent la lune de miel au milieu d'un cercle brillant d'amis, dans leur splendide villa, au bord du lac Pontchartrain[1]. Un jour on apporta au jeune mari une lettre de cette écriture qu'il se rappelait si bien.

1. Un lac salé au nord de La Nouvelle-Orléans, au sud-est de la Louisiane.

Elle lui fut remise en plein salon. La causerie était gaie, vive, étincelante.

En reconnaissant l'écriture, il devint pâle comme la mort ; il se contint cependant et poussa jusqu'au bout un assaut d'esprit et d'enjouement où il avait une femme pour adversaire. Il sortit bientôt. Une fois seul dans sa chambre, il ouvrit cette lettre... C'était une lettre d'elle ; elle racontait longuement les persécutions de la famille de son tuteur ; on voulait lui faire épouser le fils de cet homme. On avait d'abord supprimé les lettres d'Augustin... elle avait longtemps continué d'écrire... puis étaient venus le chagrin et le doute. Au milieu de ces anxiétés poignantes elle était tombée malade. À la fin elle avait découvert le complot... La lettre racontait tout cela, elle finissait par des expressions de reconnaissance et d'espoir, et des protestations d'une éternelle affection, plus cruelles que la mort même pour l'infortuné jeune homme.

Il lui répondit immédiatement :

« J'ai reçu votre lettre, mais trop tard. J'ai cru ce qu'on m'a dit, j'ai désespéré. Je suis marié, tout est fini : l'oubli, voilà tout ce qui nous reste, à vous et à moi ! »

Quand on trouva Augustin étendu sur le sofa, la mort sur le visage, et qu'il eut prétexté une migraine, sa femme lui recommanda de respirer de la corne de cerf[1]. Quand elle vit que la pâleur et la migraine per-

---

1. Autre nom du plantain, herbe qui entre dans la composition de nombreux produits pharmaceutiques.

sistaient pendant de longues semaines, elle se contenta de dire qu'elle n'eût jamais cru M. Saint-Clare aussi maladif.

Au fond de l'âme, Augustin se réjouit d'avoir épousé une compagne si peu clairvoyante. Mais, quand les fêtes et les visites de la lune de miel furent passées, il s'aperçut qu'une belle jeune femme qui, toute sa vie, avait été adulée et gâtée, pouvait être dans un ménage une maîtresse bien tyrannique.

Son père, dont elle était l'unique enfant, ne lui avait jamais rien refusé. Au moment de son entrée dans le monde, belle, accomplie, héritière, elle vit soupirer à ses pieds tous les hommes, éligibles ou non, de la ville qu'elle habitait. Elle ne douta pas un instant qu'Augustin ne fût très heureux de l'obtenir.

Personne n'exige l'amour des autres plus impérieusement qu'une femme égoïste... Seulement, elle devient d'autant moins aimable qu'elle veut être plus aimée. Quand Saint-Clare commença à négliger ces galanteries et ces petits soins d'un homme qui fait sa cour, il se trouva en face d'une sultane qui n'était pas résignée à perdre son esclave. Il y eut abondance de larmes, il y eut des bouderies et de petites tempêtes ; puis des accès de colère. Saint-Clare, dont la nature était bonne et indulgente, essaya d'apaiser sa femme. Quand Marie devint mère d'une belle petite fille, il sentit s'éveiller en lui quelque chose comme de la tendresse.

Saint-Clare donna à son enfant le nom de sa mère.

Sa femme en ressentit une violente jalousie. Tout ce qui était donné à la fille semblait être ravi à l'épouse. Depuis la naissance de cette enfant, sa santé déclina sensiblement. Une vie d'inaction constante, dans la torpeur de l'âme et du corps, jointe à la faiblesse ordinaire de cette période de la maternité, changea bientôt cette belle jeunesse florissante en une femme pâle, étiolée, maladive, dont le temps était partagé entre une foule de maux imaginaires, et qui se regardait comme la plus à plaindre et la plus infortunée des femmes.

C'étaient des lamentations sans fin. La migraine la confinait dans sa chambre au moins trois jours sur six ; toute la direction du ménage fut donc abandonnée aux domestiques. Saint-Clare trouva son intérieur très peu confortable. Sa fille était extrêmement délicate, et il craignait que, ainsi abandonnée, sa santé, et même sa vie ne fussent compromises par l'indifférence maternelle. Il l'emmena avec lui dans le Vermont, où il allait faire un voyage, et il engagea sa cousine, miss Ophelia Saint-Clare, à revenir avec eux dans sa résidence du Sud.

Ils étaient sur le bateau qui les ramenait quand nous les avons rencontrés.

Miss Ophelia avait passé quelque quarante-cinq ans d'une heureuse existence, quand son cousin vint la chercher pour visiter ses propriétés du sud. Ophelia était l'aînée d'une nombreuse famille ; pour le père et la mère, elle était toujours rangée parmi les enfants, et la proposition d'aller à La Nouvelle-Orléans fut quelque chose de bien grave aux yeux de la famille.

On sut chez le pasteur, chez le médecin et chez miss Peabody, la marchande de modes, qu'Ophelia Saint-Clare parlait d'aller à Orléans avec son cousin. Ce sujet important fut bientôt la matière de toutes les conversations du village.

Miss Ophelia, telle que nous la voyons dans sa belle robe de voyage en toile brune, est grande, anguleuse. Elle serre les lèvres comme les personnes qui ont sur toutes choses des résolutions arrêtées. Ses yeux noirs et perçants furètent partout, comme si elle avait sans cesse quelque chose à remettre en ordre.

Tous ses mouvements sont secs, décidés, énergiques ; elle ne parle pas beaucoup, mais tout ce qu'elle dit est juste.

Ophelia était l'esclave du devoir.

Comment miss Ophelia pouvait-elle sympathiser avec Augustin Saint-Clare, gai, léger, inexact, sceptique, et, pour ainsi dire, marchant avec une liberté insolente et nonchalante sur tous les principes et sur toutes les opinions qu'elle respectait ?

Pour dire le vrai, elle l'aimait !

Augustin l'avait persuadée que le sentier du devoir était dans la direction de La Nouvelle-Orléans, et qu'elle devait venir avec lui pour veiller sur Eva et empêcher, dans sa maison, la ruine de toute chose. L'idée d'un intérieur dont personne ne s'occupait alla droit au cœur de miss Ophelia... Elle aimait aussi la jeune Eva... Qui ne l'eût pas aimée ? Et, quoiqu'elle regardât Augustin comme un païen[1] cependant, nous l'avons dit, elle l'aimait, elle riait de ses plaisanteries et poussait l'indulgence à son égard jusqu'à des limites fabuleuses.

Cependant le *steamer*, avec de lourds mugissements, comme un monstre gigantesque et fatigué, se préparait à frayer sa voie à travers les innombrables vaisseaux. Eva, toute joyeuse, montrait du doigt les tours, les dômes, les marchés qui lui faisaient reconnaître sa ville natale.

« Oui, oui, chère ! Très beau... très beau ! Mais, Dieu me pardonne ! le bateau s'arrête... »

Ce fut alors une scène de tumulte comme il s'en passe toujours à l'arrivée des bateaux. Les garçons d'hôtel se précipitent sur vous. On va, on vient, les mères appellent leurs enfants, les hommes font leurs paquets, tout le monde se rue sur le plancher qui joint le bateau à la terre ferme.

« Voici un habile garçon..., dit Saint-Clare, en se tournant vers un commissionnaire[2]. Allons, bien ! la voiture nous attend, la foule s'est écoulée... On peut maintenant marcher doucement, sans être poussé et bousculé... Ici ! ajouta-t-il en s'adressant à un cocher qui se tenait derrière lui, prenez ces bagages.

— Où est Tom ? dit Eva.

1. Qui ne croit pas en un Dieu unique.
2. Un commis, un employé.

— Sur le siège, ma mignonne ; je veux lui donner la place de cet ivrogne qui nous a fait verser... Je vais l'offrir à votre mère.

— Oh ! Tom fera un superbe cocher, dit Eva ; il ne boit jamais, j'en suis sûre ! »

La voiture s'arrêta devant la façade d'une ancienne maison, bâtie dans les styles mêlés de France et d'Espagne. L'équipage franchit un portail voûté et pénétra dans une cour entourée de bâtiments carrés : c'était une cour à la mauresque[1]. Au milieu de la cour, une fontaine ; dans l'eau de cette fontaine, transparente comme le cristal, s'ébattaient des poissons qui étincelaient comme autant de bijoux vivants. Le chemin des équipages longeait la galerie mauresque : deux grands orangers versaient leur ombre avec leurs parfums.

La voiture entra. Eva semblait un oiseau prêt à s'élancer de sa cage.

« Oh ! n'est-elle pas belle et charmante, ma maison, ma chère maison ? dit-elle à Ophelia. N'est-elle pas vraiment belle ?

— Oui, l'endroit est joli, dit miss Ophelia en descendant ; mais cela me semble, à moi, un peu antique et bien païen. »

Tom descendit et promena autour de lui un regard de satisfaction calme et paisible.

Saint-Clare, nature voluptueuse et poétique, sourit

1. Dans le style des Maures, des Arabes, avec jardins, fontaines, etc.

en entendant le jugement de miss Ophelia, et, voyant l'admiration qui rayonnait sur la joue de Tom :

« Cela paraît vous convenir, mon garçon ?

— Oui, monsieur, c'est bien comme cela est. »

Tout ceci se passa en un clin d'œil, pendant que les paquets étaient déchargés et le cocher payé. Une foule de serviteurs de tout âge accoururent de partout, pour voir entrer le maître. En avant de tous les autres on apercevait un jeune mulâtre, dont la toilette se distinguait par toutes les exagérations de la mode. Il agitait, en se donnant des grâces, un mouchoir de batiste[1] parfumé.

Ce personnage mit une grande vivacité à repousser jusqu'au fond du vestibule la troupe des domestiques.

« Arrière tous ! disait-il d'un ton d'autorité. Voulez-vous bien ne point importuner monsieur dès le premier moment de son retour ? »

Abasourdis par une aussi belle phrase et par l'air dont elle était dite, tous les esclaves reculèrent et se tinrent désormais à une distance respectueuse, à l'exception de deux robustes porteurs qui déchargeaient les bagages.

Grâce aux dispositions de M. Adolphe, c'était le nom du personnage, quand Saint-Clare eut payé le cocher et qu'il se retourna, il n'aperçut plus que M. Adolphe lui-même, en veste de satin, chaîne d'or

1. Tissu très fin de toile de lin.

et pantalon blanc, qui saluait avec une grâce et une onction[1] inexprimables.

« Ah ! c'est vous, Adolphe, dit le maître en lui tendant la main. Comment cela va-t-il, mon garçon ? »

Adolphe récita avec beaucoup de volubilité un discours improvisé... depuis quinze jours !

« Très bien, très bien, dit Saint-Clare avec son air insouciant et ironique. C'est bien dit, Adolphe ; mais voulez-vous veiller aux bagages ? Je reviens à nos gens dans une minute. »

Il conduisit miss Ophelia dans un grand salon qui ouvrait sur le vestibule.

Cependant Eva, s'élançant à travers le portique et le salon, était entrée dans un petit boudoir qui s'ouvrait également sous le vestibule.

Une grande femme pâle, aux yeux noirs, se souleva à demi sur son lit de repos.

« Maman ! dit Eva avec une sorte d'ivresse en se jetant à son cou et l'embrassant mille fois.

— C'est assez, mon enfant, prenez garde, répondit la mère, vous allez me faire mal à la tête. » Et elle l'embrassa languissamment.

Saint-Clare entra, embrassa sa femme, puis il lui présenta sa cousine. Marie leva ses grands yeux sur la cousine et la regarda avec un certain air de curiosité ; elle l'accueillit du reste avec sa politesse languissante. Cependant la troupe des serviteurs se pressait à la

1. Politesse exagérée.

porte. Parmi eux, ou plutôt en avant de tous les autres, on remarquait une mulâtresse d'une quarantaine d'années, qui se tenait là dans une attente joyeuse et tremblante.

« Ah ! voilà Mammy », dit Eva en traversant la chambre ; et, se jetant dans les bras de Mammy, elle l'embrassa avec la plus naïve effusion.

Mammy ne dit pas qu'elle lui faisait mal à la tête, mais elle la serra sur sa poitrine, riant et pleurant tout à la fois. Enfin elle relâcha Eva, qui passait d'un esclave à l'autre, donnant la main à celui-ci, embrassant celle-là.

Miss Ophelia déclara que tout cela lui avait fait assez mal au cœur.

« Ces enfants du Sud, dit-elle, font des choses que je ne ferais pas, moi !

— Que voulez-vous dire ? demanda Saint-Clare.

— Mais je suis bonne avec tout le monde, et je ne voudrais faire de mal à rien... Cependant embrasser...

— Des nègres... ah ! vous n'êtes pas accoutumée à cela, n'est-ce pas ?

— C'est vrai ! Comment peut-elle ?... »

Saint-Clare alla en riant dans le vestibule.

« Allons ! hé ! arrivez-vous ? Mammy, Jimmy, Polly, Suckey ! vous êtes contents de voir le maître... » Et il alla de l'un à l'autre leur serrant les mains...

C'étaient de toutes parts des rires et des bénédictions. Saint-Clare leur distribua de petites pièces de monnaie.

« Et maintenant, filles et garçons, décampez ! » Et la noire et luisante assemblée disparut par une des portes du vestibule, suivie d'Eva.

Saint-Clare, en se retournant, aperçut Tom qui se tenait debout, tantôt sur un pied, tantôt sur l'autre, assez mal à son aise, tandis qu'Adolphe, négligemment appuyé contre une colonne, l'examinait à travers une lorgnette d'opéra, d'un air qu'eût pu envier un dandy[1] à la mode.

« Eh bien, faquin[2] ! dit Saint-Clare, est-ce ainsi que vous traitez votre compagnon ?... Il me semble, Adolphe, ajouta-t-il en mettant le doigt sur la veste de satin brodé, il me semble que ceci est ma veste...

— Oh ! monsieur, elle était toute tachée de vin, et un gentleman, dans la position de monsieur, n'eût pu la porter dans cet état ; elle n'est bonne que pour un pauvre nègre comme moi ! »

Et Adolphe hocha la tête et passa ses doigts avec grâce dans ses cheveux parfumés.

« Allons ! passe pour cette fois, dit Saint-Clare. Voyons ! je vais montrer Tom à sa maîtresse ; vous le conduirez ensuite à la cuisine, et tâchez de ne pas prendre vos airs avec lui : sachez qu'il vaut deux freluquets[3] comme vous.

— Monsieur plaisante toujours, dit Adolphe en

1. Homme qui recherche l'élégance à tout prix.
2. Impertinent.
3. Jeunes gens frivoles et prétentieux.

riant... Je suis enchanté de voir monsieur de si belle humeur.

— Venez, Tom », dit Saint-Clare.

Tom entra dans le salon ; il regardait silencieusement les tapis de velours et cette splendeur, qu'il n'avait pas même rêvée, des glaces, des peintures, des tableaux, des statues, des rideaux ; il n'osait même pas marcher par terre.

« Vous voyez, Marie, dit Saint-Clare, que je vous amène enfin un cocher ; il est aussi sobre qu'il est noir, et vous conduira comme un corbillard si cela vous plaît : ouvrez les yeux et regardez-le... et dites maintenant que je ne pense pas à vous quand je suis parti ! »

Marie ouvrit les yeux et les fixa sur Tom.

« Je suis sûre qu'il boira, dit-elle.

— Non ; on me l'a garanti comme une marchandise pieuse et sobre.

— Je souhaite qu'il tourne bien, mais je ne le crois pas trop !

— Adolphe ! faites descendre Tom... et rappelez-vous ce que je vous ai dit. »

Adolphe se retira en marchant fort élégamment ; Tom le suivit d'un pas pesant.

« C'est un vrai mastodonte ! dit Marie.

— Voyons, Marie, soyez gracieuse, dit Saint-Clare en s'asseyant sur un tabouret auprès du sofa, dites quelque chose d'aimable à un pauvre mari...

— Vous êtes resté dehors quinze jours de plus que le temps convenu !

— C'est vrai, mais vous savez que je vous en ai dit la raison.

— Une lettre si courte et si froide !

— Ah ! chère, la malle partait... Ce devait être cela ou rien.

— C'est toujours ainsi, dit la femme, on trouve le moyen d'allonger le voyage et de raccourcir les lettres...

— Voyez, reprit Saint-Clare en tirant de sa poche un élégant étui en velours et en l'ouvrant ; c'est un présent que je vous rapporte de New York, un daguerréotype[1], clair et net comme une gravure, et représentant Eva et son père, la main dans la main. »

Marie regarda le portrait d'un air mécontent.

« Voyons ! Marie, que pensez-vous de la ressemblance ? Soyez raisonnable.

— C'est très mal à vous, Saint-Clare, d'insister ainsi pour me faire parler. Vous savez que j'ai eu la migraine toute la journée, et l'on fait tant de bruit depuis que vous êtes venu, que je suis à moitié morte...

— Vous êtes sujette à la migraine, madame ? fit miss Ophelia en sortant des profondeurs d'un grand fauteuil où elle s'était tranquillement assise, faisant l'inventaire et l'estimation du mobilier de l'appartement.

---

1. Premier dispositif photographique, mis au point par le Français Louis Daguerre (1787-1851).

— La migraine ! j'en souffre comme une martyre, dit Mme Saint-Clare.

— L'infusion de genévrier est excellente pour la migraine, dit miss Ophelia.

— Je ferai cueillir la première récolte qui mûrira dans notre jardin, au bord du lac, dit Saint-Clare ; et il sonna. Cousine, vous devez avoir besoin de vous retirer dans votre appartement, après ce long voyage. Adolphe, dites à Mammy de venir. »

La mulâtresse qu'Eva avait si joyeusement embrassée entra, coiffée, par Eva elle-même, d'un turban rouge et jaune que l'enfant venait de lui donner.

« Mammy, dit Saint-Clare, je confie madame à vos soins. Elle est fatiguée et a besoin de repos. Conduisez-la à sa chambre, et que tout soit confortable. »

Mammy sortit, précédant miss Ophelia.

13

La maîtresse de Tom et ses opinions

« Maintenant, Marie, dit Saint-Clare, voici l'aurore de vos jours dorés. Je vous ai amené notre cousine de la Nouvelle-Angleterre, la femme pratique, qui va décharger vos épaules du poids des soucis, et vous donner le temps de redevenir jeune et belle. L'ennui de donner les clefs ne vous tourmentera plus. »

Cette remarque était faite à la table du déjeuner, quelques instants après l'arrivée de miss Ophelia.

« Elle est la bienvenue, dit Marie en appuyant langoureusement sa tête sur sa main. Elle s'apercevra bientôt d'une chose, c'est qu'ici ce sont les maîtresses qui sont esclaves.

— Oh oui ! elle s'en apercevra, et de bien d'autres choses encore, dit Saint-Clare.

— On nous reproche de garder nos esclaves ! dit Marie ; comme si c'était pour notre avantage ! Si nous ne prennions en compte que cela, nous les renverrions tous d'un seul coup. »

Evangéline fixa sur le visage de sa mère ses grands yeux sérieux ; elle ne semblait pas comprendre parfaitement cette réponse. Elle dit très simplement :

« Mais alors, maman, pourquoi les gardez-vous ?

— Je ne sais... pour notre malheur... car ils font le malheur de ma vie. Ce sont eux, plus que tout le reste, qui sont cause de ma mauvaise santé... Les nôtres sont les plus mauvais que l'on puisse rencontrer.

— Marie, vous avez ce matin vos papillons noirs[1], dit Saint-Clare. Vous savez bien que cela n'est pas !... Mammy, par exemple, n'est-elle point le meilleur des êtres ?... Que feriez-vous sans elle ?

— Mammy est excellente, dit Mme Saint-Clare ; et pourtant comme tous les gens de couleur, elle est horriblement égoïste...

— Oh ! l'égoïsme est une terrible chose ! dit gravement Saint-Clare.

— Par exemple, reprit Marie, n'est-ce point de l'égoïsme, cela, d'avoir le sommeil si pesant ?... Elle sait que j'ai besoin de petites attentions, presque chaque heure, quand mes crises reviennent ; eh bien ! il est très difficile de la réveiller. Ce sont mes efforts de la nuit dernière qui me rendent si faible ce matin.

1. Idées sombres dues à une mélancolie passagère.

— N'a-t-elle point veillé près de vous toutes ces dernières nuits, maman ?

— Qui vous a dit cela ? reprit aigrement Marie ; elle s'est donc plainte ?

— Elle ne s'est pas plainte ; elle m'a seulement dit combien vous avez eu de mauvaises nuits, et cela sans aucun répit.

— Pourquoi donc, dit Saint-Clare, ne faites-vous pas prendre sa place une nuit ou deux à Jane et à Rosa ? Elle se reposerait !

— Comment pouvez-vous me proposer cela, Saint-Clare ? Vous êtes vraiment bien irréfléchi ! Nerveuse comme je suis, le moindre souffle me tue ! Une main étrangère autour de moi me jetterait dans des convulsions. »

Miss Ophelia avait écouté ce discours avec une certaine dignité froide, serrant les lèvres comme une personne bien résolue à connaître son terrain avant de se hasarder.

« Sans doute Mammy a une sorte de bonté, dit Marie ; elle est douce et respectueuse, mais au fond du cœur elle est égoïste, elle ne cesse de regretter et de redemander son mari. Quand je me mariai, je l'amenai ici. Mon père garda son mari ; il est maréchal-ferrant et par conséquent très utile ; je pensai et je dis alors que, ne pouvant plus vivre ensemble, ils feraient bien de se regarder comme séparés tout à fait. J'aurais dû insister et marier Mammy à quelque autre. Je ne le fis point : je fus trop indulgente et trop faible. Je dis alors à Mammy qu'elle ne devait plus s'attendre à revoir son mari plus d'une ou deux fois en sa vie. Je lui conseillai donc de prendre quelqu'un ici, mais non ! elle ne voulut pas... Mammy a parfois une sorte d'obstination dont les autres ne peuvent pas s'apercevoir comme moi.

— A-t-elle des enfants ? demanda miss Ophelia.

— Oui, elle en a deux.

— Cette séparation doit lui être très pénible.

— Peut-être bien ; mais je ne pouvais les amener ici... c'étaient deux petits êtres malpropres, je n'aurais pu les souffrir. Et puis, ils lui prenaient tout son temps. Je pense au fond que Mammy a toujours été un peu attristée de tout cela ; elle ne veut prendre personne, et je crois que maintenant, bien qu'elle sache qu'elle m'est nécessaire, si elle le pouvait, elle retournerait dès demain vers son mari.

— Cela fait mal d'y penser », dit Saint-Clare d'un ton sec.

Miss Ophelia fixa sur lui un œil pénétrant ; elle vit toute l'irritation qu'il cherchait à contenir, elle vit le sourire sarcastique qui plissa ses lèvres.

« Mammy a toujours été ma favorite, reprit Mme Saint-Clare. Je voudrais pouvoir montrer sa garde-robe à vos domestiques du Nord, soies, mousselines et véritables batistes ! Elle a toujours été bien traitée, elle n'a pas reçu le fouet plus d'une ou deux fois dans sa vie. Elle a tous les jours du thé ou du café fort, avec du sucre blanc. C'est un abus ; mais c'est ainsi que Saint-Clare veut que l'on soit traité à l'office. Ils font tout ce qu'ils veulent. C'est notre faute si nos esclaves sont égoïstes ; ils se conduisent comme des enfants gâtés. Je l'ai tant répété à Saint-Clare que j'en suis fatiguée.

— Et moi aussi, dit Saint-Clare en prenant le journal du matin.

— Il n'y a pas deux manières d'être avec les esclaves, reprit Marie : il faut leur faire sentir leur infériorité et les mater solidement ! Cela m'a toujours été naturellement facile depuis la plus tendre enfance... Malheureusement Eva est capable à elle seule de gâter toute une maison. Que fera-t-elle quand elle tiendra une maison elle-même ?

— Mais, dit brusquement Ophelia, vous pensez cependant que vos esclaves sont des hommes, et qu'il faut bien qu'ils se reposent quand ils sont fatigués !

— Certainement, certainement. Je veux qu'ils aient tout ce qui est juste, tout ce qui est convenable !... Mammy peut dormir dans un instant ou dans l'autre ; il n'y a pas de difficulté à cela... Mais c'est bien la chose la plus dormeuse que j'aie jamais vue ! Assise, debout, à l'ouvrage, partout elle dort ! Il n'y a pas de danger qu'elle ne dorme pas assez, celle-là ! dit Marie, en plongeant dans les profondeurs d'un volumineux coussin, dont elle retira un élégant flacon de cristal.

— Vous voyez, dit-elle d'une voix mourante ; vous voyez, cousine Ophelia, que je ne parle pas souvent de moi, ce n'est pas mon habitude... Je n'aime pas cela !...

À vrai dire, je n'en ai pas la force. Mais il y a des points sur lesquels nous différons, Saint-Clare et moi. Saint-Clare ne m'a jamais comprise, jamais appréciée. Je crois que cela tient à l'état de ma santé. Saint-Clare a de bonnes intentions, je suis portée à le croire ; mais les hommes sont égoïstes : c'est dans leur constitution ; ils ne comprennent pas les femmes... »

Miss Ophelia, qui avait toute la prudence naturelle aux habitants de la Nouvelle-Angleterre et une horreur toute particulière des difficultés de famille, miss Ophelia prévit le sort qui la menaçait ; elle se fit un visage impénétrable, et tirant un long bas qu'elle tenait en réserve contre les dangers de l'oisiveté, elle commença de tricoter avec une rare énergie, pinçant les lèvres d'un air qui semblait dire : « Vous voulez me faire parler, mais je n'ai pas besoin de me mêler de vos affaires. » Son visage exprimait autant de sympathie qu'un lion de pierre.

Marie n'y prit pas garde ; elle avait quelqu'un à qui parler. Elle sentait qu'elle devait parler ; cela lui suffisait. Elle respira de nouveau son flacon pour se redonner quelque force et poursuivit :

« Voyez-vous bien ? Lorsque j'ai épousé Saint-Clare, je lui ai apporté mon bien et mes esclaves ; j'ai donc le droit d'en user comme il me plaît... Saint-Clare a sa fortune et ses esclaves... qu'il les traite à sa guise. Mais les miens !... Il a sur beaucoup de choses des idées extravagantes... particulièrement sur la manière de traiter les esclaves. Il agit comme s'il les mettait avant moi et avant lui-même... il leur laisse tout faire sans même lever le doigt ! Il a décidé que pas un coup, quoi qu'il arrive, ne serait donné dans la maison, à moins que de sa main ou de la mienne !... Il a dit cela de telle façon que je ne puis pas aller contre. Vous voyez où cela mène... On lui marcherait sur le corps, qu'il ne lèverait pas la main...

— Je ne connais rien à tout cela, grâce au ciel ! dit miss Ophelia.

— Il se peut ; mais vous l'apprendrez à vos dépens, si vous restez ici. Vous ne sauriez vous imaginer tout ce qu'il y a de stupide, d'ingrat, de provocant chez cette misérable espèce ! »

Marie retrouvait ses forces, comme par miracle, quand elle était sur ce chapitre ; elle ouvrit donc tout à fait les yeux et parut oublier sa langueur.

« Vous n'avez pas une idée des épreuves auxquelles ils soumettent les maîtresses de maison, chaque jour et à chaque heure !... Mais il est inutile de se plaindre à Saint-Clare ; il fait de si étranges réponses !... Il dit que c'est nous qui les avons faits ce qu'ils sont, et que nous devons les prendre ainsi ; il dit que leur faute vient de nous, et qu'alors il serait cruel de les punir ; il dit que nous ne ferions pas mieux à leur place... comme si on pouvait raisonner d'eux à nous !

— Mais, dit sèchement Ophelia, ne pensez-vous pas que Dieu les a faits du même sang que nous ?

— Non, certes, je ne le pense pas.

— Ne pensez-vous pas qu'ils ont des âmes immortelles ? continua la cousine avec un ton d'indignation croissante.

— Je ne dis pas non, fit Marie en bâillant. Pour cela, personne n'en doute. Quant à ce qui est de comparer leurs âmes avec les nôtres, c'est impossible. Saint-Clare a bien prétendu que séparer Mammy de son mari, c'était la même chose que de me séparer de lui !... J'ai beau lui dire qu'il y a une différence, il ne peut pas la voir... C'est comme si on disait que Mammy aime ses petits souillons d'enfants comme j'aime Eva ! Pourtant Saint-Clare a prétendu froidement, sérieusement, que je devais, faible comme je suis, renvoyer Mammy et prendre quelque autre personne à sa place... C'était un peu trop fort... même pour moi ! Je ne fais pas souvent voir mes sentiments, mais, cette fois-là, j'éclatai... Il n'y est pas revenu. Mais depuis j'ai compris, à certains égards et à certaines paroles, qu'il est toujours dans les mêmes idées ; et il est si obstiné, si provocant ! »

Miss Ophelia parut avoir peur de dire quelque chose ; elle précipita la marche des longues aiguilles avec une fureur qui eût signifié bien des choses, si Marie Saint-Clare eût pu comprendre...

« Vous voyez donc bien, continua-t-elle, quel gouvernement vous prenez... une maison sans règle, où les esclaves ont ce qu'ils veulent, font ce qu'ils veulent...

— Comment donc fait mon cousin ? Vous dites qu'il ne frappe jamais !

— Mon Dieu ! les hommes ont une manière de

commander... Cela leur est plus facile ! Et puis, si vous regardez bien dans l'œil de Saint-Clare, il y a quelque chose d'étrange ! Moi-même j'en ai peur, et les esclaves savent bien qu'il faut prendre garde à eux dans ces moments-là ! Je ne ferais pas tant, avec des tempêtes de coups, que Saint-Clare avec un clignement d'œil, quand il est ému ! On ne fait pas de bruit quand Saint-Clare est là. C'est pour cela qu'il n'a pas plus de pitié de moi !... Mais, quand vous aurez la direction, vous verrez qu'il n'y a pas moyen de s'en tirer sans sévérité... Ils sont si méchants, si trompeurs, si paresseux !

— Ah ! toujours la vieille chanson ! dit Saint-Clare en entrant tout à coup... Quel terrible compte ces misérables auront à rendre au jour du jugement, surtout pour leur paresse !... Vous voyez que, Marie et moi, nous ne leur en donnons pas l'exemple, dit-il en s'étendant de tout son long sur un canapé en face de sa femme.

— Vous êtes bien méchant, Saint-Clare !

— En vérité ? Je croyais pourtant bien dire, j'appuyais vos remarques... comme je fais toujours.

— Vous savez bien que cela n'est pas, Saint-Clare !

— Je me suis trompé alors... merci de me reprendre, ma chère !

— Ah ! vous voulez me provoquer maintenant !

— Voyons, Marie, il fait très chaud. Je viens d'avoir une longue querelle avec Adolphe ; il m'a fatigué... permettez-moi de me reposer sous votre doux sourire.

— Que s'est-il passé avec Adolphe ?

— Eh bien, il a fallu lui faire comprendre que je voulais conserver quelques-uns de mes vêtements pour mon usage personnel... J'ai dû aussi mettre des bornes à son trop magnifique emploi de l'eau de Cologne. J'ai même poussé la cruauté jusqu'à le réduire à une seule douzaine de mes mouchoirs de batiste... Adolphe portait tout cela avec des fanfaronnades que j'ai dû également modérer par mes conseils paternels.

— Ah, Saint-Clare, voilà une indulgence intolérable ! Quand apprendrez-vous donc comment on traite les esclaves ?

— Et après tout, le beau malheur qu'un pauvre diable d'esclave veuille ressembler à son maître !... Si je l'ai assez mal élevé pour qu'il mette son bonheur dans l'eau de Cologne et les mouchoirs de batiste, pourquoi ne pas lui en donner ?

— Mais pourquoi ne l'avoir pas mieux élevé ? dit Ophelia avec une pointe d'audace.

— Cela fatigue. Oh ! cousine, cousine, la paresse perd plus d'âmes que vous n'en pouvez sauver. Sans la paresse, moi-même j'aurais été un ange. Je suis porté à croire que la paresse est ce que votre ancien docteur Botherem, du Vermont, appelait l'essence du mal moral. »

La position matérielle de Tom ne lui donnait aucun droit de se plaindre.

Une fantaisie de la petite Eva l'avait poussée à prier M. Saint-Clare d'attacher l'esclave à son service spécial. Tom reçut donc l'ordre de tout quitter pour le service d'Eva, chaque fois qu'elle le réclamerait. Tom était ravi. Il était fort bien vêtu : la livrée était un des luxes de Saint-Clare... Pour Tom, le service des écuries était une sinécure[1]. Il avait lui-même des esclaves sous ses ordres. Il se contentait d'une simple inspection. Marie Saint-Clare avait déclaré qu'elle ne tolérerait pas qu'il sentît le cheval quand il approcherait d'elle. Elle avait donc exigé qu'on ne lui imposât aucune corvée dont les conséquences pussent réagir sur son système nerveux, fort incapable, disait-elle, de subir de pareilles épreuves. Tom, dans son habit de drap bien brossé, coiffé d'un chapeau de castor, chaussé de bottes luisantes, avec un col et des manchettes irréprochables, et sa face noire et bienveillante, semblait assez respectable pour occuper le siège épiscopal[2] de Carthage[3] qu'obtinrent autrefois des gens de sa couleur.

Il habitait une charmante maison. Il jouissait avec un bonheur tranquille des oiseaux, des fleurs, des fontaines, des parfums, de la lumière même, et de la beauté de la cour.

Marie Saint-Clare, un dimanche matin, se tenait

1. Travail qui n'est pas fatigant.
2. Siège de l'évêque.
3. Ville d'Afrique du Nord (près de l'actuelle Tunis), capitale de l'Afrique romaine et chrétienne.

debout, magnifiquement parée, sur le perron de son palais, fermant un bracelet de diamants sur son mince poignet. Car Marie patronnait les bonnes œuvres et elle allait en toilette superbe, diamants, soie, dentelles, à je ne sais plus quelle église à la mode pour y être très pieuse. Marie, c'était chez elle un principe, était très pieuse tous les dimanches ! Il fallait la voir dans son vestibule, élancée, élégante. C'était une gracieuse créature ! Miss Ophelia était, à ses côtés, un vivant contraste. Ce n'est pas qu'elle n'eût mis une aussi belle robe de soie, mais elle était raide et anguleuse...

« Où est Eva ? dit Marie.

— Elle s'est arrêtée dans l'escalier pour dire un mot à Mammy. »

Que disait donc Eva à Mammy ? Écoutez, lecteur, et vous l'entendrez, quoique Mme Saint-Clare ne l'entendît pas.

« Ma bonne Mammy, je sais que vous avez bien mal à la tête.

— Vous êtes bien bonne, miss Eva ! Depuis quelque temps j'ai toujours mal à la tête... ça ne fait rien !...

— Oh ! cette sortie va vous faire du bien !... (Et elle lui jeta les bras autour du cou.) Tenez, Mammy, prenez mon flacon.

— Quoi ! cette belle chose en or, avec des diamants ? Dieu ! miss, je ne puis.

— Et pourquoi ? Vous en avez besoin, et moi pas ;

maman s'en sert toujours pour le mal de tête... Cela vous fera du bien. Allons !

— Comme elle parle, cher trésor ! dit Mammy, pendant qu'Evangéline lui coulait le flacon dans la poitrine, l'embrassait et descendait quatre à quatre.

— Qui donc vous arrêtait ? fit la mère.

— Je donnais mon flacon à Mammy, pour qu'elle l'emportât à l'église.

— Comment ! Eva, votre flacon d'or ?... à Mammy ! dit Marie en frappant du pied. Quand saurez-vous donc ce qui est convenable ? vite, allez le reprendre ! »

Evangéline baissa les yeux, fit une petite mine piteuse et retourna lentement vers l'escalier.

« Allons, Marie, dit Saint-Clare, laissez cette enfant libre... qu'elle fasse comme il lui plaira.

— Ah ! Saint-Clare, comment voulez-vous qu'elle fasse son chemin dans le monde ? dit Marie.

— Dieu le sait ; mais elle fera son chemin dans le ciel beaucoup mieux que vous et moi.

— Ah ! papa, ne dites pas cela ; vous faites de la peine à maman, dit la petite fille en touchant doucement le coude de son père.

— Qu'aimez-vous mieux, vivre comme chez votre oncle du Vermont[1] ou avoir une maison pleine d'esclaves comme ici ?

---

1. État de la Nouvelle-Angleterre, au nord-est des États-Unis.

— Oh ! C'est notre manière qui est la meilleure, dit Eva.

— Pourquoi ? dit Saint-Clare en lui touchant le front.

— Parce qu'elle nous donne plus de monde à aimer autour de nous.

— Ah ! voilà bien Eva, dit Marie, voilà bien une de ses sottes réponses.

— C'est mal, papa ? dit Evangéline.

— Oui, à la façon dont va ce monde, dit Saint-Clare ; mais où était donc ma petite fille pendant le dîner ?

— Dans la chambre de Tom à l'écouter chanter... La mère Dinah m'a apporté à manger...

— Écouter chanter Tom !

— Oui ; il chante pour moi... Je lui fais la lecture dans ma Bible, et il m'explique ce que cela veut dire !

— Ma parole, dit Marie en riant aux éclats, voilà la meilleure plaisanterie de la saison !

— Je gage, dit Saint-Clare, que Tom n'explique pas si mal l'Écriture. Cet esclave a le génie de la religion... J'avais besoin des chevaux de bonne heure ce matin... Je suis monté à sa chambre, au-dessus de l'écurie... Il faisait sa prière... Je n'ai rien entendu d'aussi touchant... Il m'y recommandait à Dieu.

— Il se doutait peut-être que vous l'écoutiez... Je connais ces tours-là.

— Alors il ne serait pas trop poli... car il disait au bon Dieu son opinion de moi assez librement... Il trouvait que j'avais beaucoup de progrès à faire, et c'est pour ma conversion qu'il priait.

— Eh bien, songez-y ! fit miss Ophelia.

— C'est aussi votre avis, je m'en doute bien, dit Saint-Clare... Eh ! nous verrons... n'est-ce pas, Eva ? »

14

Comment se défend un homme libre

Nous retournons maintenant chez les quakers. Le soir approche, il y a un peu d'agitation au logis. Rachel Halliday va d'une place à l'autre ; elle met ses provisions à contribution pour fournir un petit viatique[1] aux amis qui vont partir. Les ombres du soir s'allongent vers l'Orient ; à l'horizon le soleil rougissant verse ses rayons calmes et dorés dans la petite chambre où sont assis l'un près de l'autre George et Elisa. George a l'enfant sur ses genoux, et dans sa main la main de sa femme. Ils paraissent sérieux et tristes, il y a sur leurs joues des traces de larmes.

« Oui, Elisa, disait George, je reconnais que tout ce

1. Ici, provisions que l'on donne à des gens qui partent en voyage.

que tu dis est vrai : tu vaux bien plus que moi ! J'essayerai de faire comme tu veux... J'essayerai d'avoir des sentiments dignes d'un homme libre, dignes d'un chrétien ! Le Dieu tout-puissant sait que j'ai voulu bien faire... que j'ai péniblement essayé de bien faire, quand tout était contre moi !... et maintenant, je vais oublier le passé... je vais rejeter loin de moi tout sentiment amer et dur... je vais lire ma Bible et apprendre à être bon.

— Quand nous serons au Canada, je t'aiderai à vivre, reprit Elisa. Je sais faire des robes, repasser, blanchir le linge fin... À nous deux nous pouvons nous suffire.

— Oui, Elisa, tant que chacun de nous aura l'autre et que tous deux nous aurons notre enfant. Nous n'avons que nos bras, et pourtant je me sens riche et fort... Il me semble que je ne pourrais rien demander de plus à Dieu... Oui, j'ai travaillé jour et nuit jusqu'à vingt et un ans, et je n'ai pas un sou vaillant... Je n'ai pas un toit de chaume pour abriter ma tête, pas un pouce de terre que je puisse dire mien... Mais qu'ils me laissent en paix, et je serai heureux et reconnaissant. Je travaillerai et j'enverrai aux Shelby le prix du rachat pour vous et pour l'enfant... Quant à mon ancien maître, il est payé au centuple ; je ne lui dois rien.

— Nous ne sommes pas encore hors de danger, dit Elisa ; nous ne sommes pas encore au Canada !

— C'est vrai ; mais il me semble que je respire déjà l'air libre, et que cela me rend fort ! »

À ce moment on entendit des voix à l'extérieur ; on frappa à la porte... Elisa l'ouvrit en tressaillant.

Simeon était là avec un autre quaker, qu'il introduisit et présenta sous le nom de Phineas Fletcher. Phineas était grand, avec une expression de visage pleine de finesse et de perspicacité ; il était loin d'avoir la physionomie placide de Simeon Halliday. C'était au contraire un homme très éveillé.

« Notre ami Phineas, dit Simeon Halliday, a découvert quelque chose d'important pour toi et les tiens ; tu ferais bien de l'écouter.

— C'est vrai, dit Phineas, et cela montre une fois de plus qu'il est bon, dans certains endroits, de ne dormir que d'une oreille. La nuit dernière, je me suis arrêté dans une petite taverne solitaire, de l'autre côté de la route. Tu te rappelles, Simeon, cet endroit où, l'an passé, nous avons vendu des pommes à une grosse femme qui avait de longues boucles d'oreilles ?... J'étais fatigué de ma route ; je m'étendis, dans un coin, sur une pile de sacs, en attendant que mon lit fût prêt... Qu'est-ce que je fais ?... Je m'endors.

— Avec une oreille ouverte, Phineas ? dit tranquillement Simeon.

— Non, de toutes mes oreilles, une heure ou deux ! J'étais très fatigué. Quand je revins un peu à moi, il y avait des hommes dans la pièce, assis autour d'une table, buvant et causant... Comme j'avais entendu dire un mot des quakers, j'écoutai un peu. "Ainsi, disait l'un, ils sont chez les quakers, sans aucun doute !" Ici, j'écoutai des deux oreilles. C'était de vous autres qu'ils parlaient. J'entendis tout leur plan. George devait être renvoyé à son maître, dans le Kentucky, pour qu'on en fît un exemple capable de terrifier à jamais les nègres qui veulent fuir ; deux d'entre eux devaient aller vendre Elisa à La Nouvelle-Orléans... ils espéraient en tirer seize à dix-huit cents dollars ; l'enfant devait être rendu à un marchand qui l'avait acheté ; Jim et sa mère seraient également renvoyés à leur maître, dans le Kentucky. Ils disaient que dans la ville voisine il y avait deux constables[1] qu'ils emmenaient avec eux pour reprendre les fugitifs... Ils savaient du reste le chemin que nous allons suivre, et viendraient à sept ou huit à notre poursuite. Et maintenant que faut-il faire ? »

Pendant cette communication, le groupe gardait une attitude vraiment digne. Rachel Halliday, qui venait de quitter ses gâteaux pour écouter les nouvelles, levait au ciel ses mains blanches de farine ; l'inquiétude se lisait sur son visage. Simeon réfléchissait profondément. Elisa entourait George de ses bras, et n'en pouvait détacher ses yeux. George serrait les poings, son œil lançait des éclairs.

« George, que ferons-nous ? dit Elisa d'une voix éteinte.

---

1. Officiers de police dans les pays anglo-saxons.

— Je sais ce que je ferai, dit George en rentrant dans la chambre à coucher, où il examina ses pistolets.

— Eh ! eh ! dit Phineas à Simeon, en hochant la tête, tu vois comme cela va se passer.

— Je vois bien, dit Simeon ; je souhaite qu'on n'en vienne pas là.

— Je ne veux entraîner personne avec moi, dit George ; prêtez-moi seulement votre voiture, et indiquez-nous la route ; je vais conduire. Jim a la force d'un géant. Il est brave comme la mort et le désespoir, et moi aussi !

— Très bien, ami, dit Phineas ; mais avec tout cela tu as encore besoin de quelque chose, de quelqu'un qui te conduise. Bats-toi, c'est ton affaire, parfaitement ; mais il y a dans cette route deux ou trois choses que tu ne connais pas.

— Mais je ne veux pas vous compromettre, dit George.

— Compromettre ! dit Phineas avec une expression de malice et de ruse. En quoi me compromettre, s'il te plaît ?

— Phineas est sage et habile, dit Simeon, tu peux t'en rapporter à lui, George. »

À dire vrai, Phineas avait été longtemps un coureur de bois, intrépide chasseur, redoutable au gros gibier... Mais il s'était épris d'une belle quakeresse, il était entré dans sa communion ; mais, quoiqu'il en fût maintenant un digne et irréprochable membre, les plus fervents lui reprochaient encore un certain levain[1] de l'ancien monde.

« L'ami Phineas a toujours des façons à lui, dit Rachel en souriant ; mais après tout... nous savons que son cœur est bien placé !

— Ne faut-il point nous hâter ? dit George.

— Je me suis levé à quatre heures et je suis venu à toute vitesse, reprit Phineas. S'ils ont suivi leur plan, j'ai sur eux deux ou trois heures d'avance... Il n'est pas prudent d'ailleurs de partir avant la chute du jour. Il y a dans le village trois ou quatre mauvais drôles qui pourraient nous inquiéter et nous retarder... Nous pourrons nous risquer dans deux heures. Je vais aller trouver l'ami Michael Cross et le prier de nous suivre, sur son petit bidet[2] pour éclairer la route et nous avertir. Ce petit bidet-là va bien ; s'il y a quelque danger, Michael nous préviendra. Je vais avertir Jim et la vieille femme de se tenir prêts et de voir aux chevaux. Nous avons des chances d'atteindre notre première station avant d'être attaqués. »

Phineas sortit et ferma la porte sur lui.

« Phineas ne craint rien et fera tout pour toi, George, dit Simeon.

— Ce qui m'attriste, répondit George, c'est de vous faire courir à tous quelques périls.

— Tu nous feras plaisir, ami, de ne plus répéter ce

---

1. Ici, il s'agit d'une image, le levain étant ce qui anime, ce qui fait agir Phineas.

2. Petit cheval de selle.

mot-là. Ce que nous faisons, nous sommes obligés en conscience à le faire ; nous ne pouvons pas agir autrement. Et maintenant, mère, dit-il en se tournant vers Rachel, hâte les préparatifs : il ne faut pas renvoyer nos amis à jeun. »

Pendant que Rachel et ses enfants achevaient les gâteaux de maïs et faisaient cuire le poulet et le jambon, George et sa femme étaient assis dans le petit salon, les bras entrelacés, songeant que, dans quelques heures, ils seraient peut-être séparés pour toujours.

« Elisa, lui disait George, les gens qui ont des amis, des maisons, des terres, de l'argent, ne peuvent s'aimer comme nous faisons, nous qui n'avons que nous-mêmes. Jusqu'à ce que t'aie connue, Elisa, personne ne m'aima, que ma sœur et ma mère. Et, maintenant, sache-le bien, Elisa, je vais peut-être verser la dernière goutte de mon sang... Mais ils ne t'arracheront point à moi... Pour te prendre, il faudra passer sur mon cadavre.

— Oh ! que Dieu ait pitié de nous, dit Elisa. S'il voulait seulement nous permettre de sortir de ce pays... c'est tout ce que nous lui demandons. »

On frappa un petit coup à la porte : Ruth entra.

« J'ai couru, dit-elle, pour apporter à l'enfant ces trois petites paires de bas propres, chauds et en laine. Il fait si froid, au Canada !... »

Et elle disparut en sautillant.

Un moment après, une grande voiture couverte s'arrêta devant la porte. La nuit était claire et scintillante d'étoiles. Phineas sauta vivement à bas de son siège pour faire placer les voyageurs. George sortit ; il tenait son enfant d'une main, sa femme de l'autre. Son pas était ferme, son visage plein de courage et de résignation. Rachel et Simeon venaient après lui.

« Descendez un peu, vous autres, dit Phineas à ceux qui se trouvaient déjà dans la voiture, que j'arrange le fond pour les femmes et pour l'enfant.

— Voilà deux peaux de buffle, dit Rachel, mets-les sur le banc ; les cahots sont durs, la nuit. »

Jim descendit le premier et aida sa mère à descendre. Il en prenait le soin le plus touchant. La pauvre femme jetait partout des regards inquiets, comme si elle se fût attendue à voir à chaque instant arriver ses persécuteurs.

« Jim, vos pistolets ! dit George à voix basse. Et vous savez ce que nous ferons, si on nous attaque...

— Si je le sais ! dit Jim en montrant sa large poitrine et en respirant vaillamment... Ne craignez rien, je ne leur laisserai pas reprendre ma mère ! »

Pendant qu'ils échangeaient ces quelques mots, Elisa avait pris congé de Rachel. Simeon la plaça dans la voiture, et elle s'y installa dans le fond avec son enfant. La vieille femme vint se placer à côté d'elle. George et Jim se placèrent devant elle sur un banc grossier, et Phineas sur le siège.

« Adieu, mes amis ! dit Simeon.

— Dieu vous bénisse ! » répondit-on.

Et la voiture partit en faisant craquer le sol gelé sous

les roues. On roula à travers les chemins du bois à demi défriché ; on franchit de larges plaines, on gravit des collines, on descendit dans les vallées, et les heures passaient.

L'enfant s'endormit bientôt et tomba lourdement sur le sein de sa mère. La pauvre vieille négresse oublia ses craintes, et, vers le point du jour, Elisa elle-même ferma les yeux. Phineas était le plus gai de la compagnie ; il sifflait, pour abréger la route, certains airs un peu profanes[1]... pour un quaker.

Vers trois heures, l'oreille de George saisit le bruit vif et rapide d'un sabot de cheval ; il donna un coup de coude à Phineas, qui arrêta pour écouter.

« Ce doit être Michael ; je reconnais le galop de son bidet. »

Il se leva et regarda avec une certaine inquiétude.

Ils aperçurent, au sommet d'une colline assez éloignée, un homme qui venait vers eux à fond de train.

« C'est lui ! » dit Phineas.

George et Jim sautèrent à bas avant de savoir trop ce qu'ils allaient faire ; ils se tournèrent silencieusement du côté où ils voyaient venir le messager attendu. Il avançait toujours ; une hauteur le déroba un instant, mais ils entendaient toujours l'allure précipitée : enfin on l'aperçut au sommet d'une éminence, et à portée de la voix.

« Oui ! c'est Michael. Holà ! ici, par ici, Michael !

---

1. Étrangers à la religion (les quakers n'apprécient pas trop les frivolités).

— Phineas ! est-ce toi ?

— Oui.

— Quelle nouvelle ? Viennent-ils ?

— Ils sont derrière moi, huit ou dix ! échauffés par l'eau-de-vie, jurant, écumant comme autant de loups. »

À peine avait-il parlé qu'une bouffée de vent apporta le bruit du galop de leurs chevaux.

« Remontez ! Vite, vite en voiture, dit Phineas. Si vous voulez combattre, attendez que je vous choisisse l'endroit... »

Ils remontèrent. Phineas lança les chevaux au galop. Michael se tenait à côté d'eux. Les femmes entendaient... elles voyaient dans le lointain une troupe d'hommes, dont la silhouette brune se découpait sur les bandes roses du ciel matinal. Encore une colline franchie, et les ravisseurs allaient apercevoir la voiture, si reconnaissable à la blancheur de sa bâche... On entendit un cri de triomphe brutal... Elisa, prête à se trouver mal, serrait son enfant sur son cœur ; la vieille femme priait ; George et Jim saisirent leurs pistolets d'une main convulsive.

Les ennemis gagnaient du terrain ; la voiture tourna brusquement et s'arrêta près d'un bloc de rochers escarpés, dont la masse solitaire s'élevait au milieu d'un vaste terrain.

« Nous y voilà, dit-il en arrêtant et en sautant à bas du siège... Allons ! tous, vite à terre, et grimpez avec moi dans ces rochers ! Michael, mets ton cheval à la voiture et va chez Amariah ; ramène-le avec quelques-uns des siens pour dire un mot à ces drôles ! »

En un clin d'œil tout le monde fut descendu.

« Par ici, dit Phineas, en attrapant le petit Harry ; par ici, prenez la femme ! et, si jamais vous avez su courir, courez maintenant ! »

En moins de temps que nous ne saurions le dire, la haie fut franchie, la petite troupe s'élançait vers les rochers, tandis que Michael, suivant le conseil de Phineas, s'éloignait rapidement.

« Avancez, dit Phineas, au moment où, déjà plus près du rocher, ils distinguaient, aux lueurs mêlées de l'aube et des étoiles, la trace d'un sentier âpre, mais nettement marqué, qui conduisait au cœur du roc. Voilà une de nos cavernes de chasse... Venez ! »

Phineas allait devant, bondissant comme une chèvre, de pic en pic, et portant l'enfant dans ses bras. Jim venait ensuite, chargé de sa vieille mère. George et Elisa fermaient la marche.

Les cavaliers arrivèrent à la haie, et descendirent en proférant des cris et des serments ; ils se préparaient à suivre les fugitifs. Après quelques minutes d'escalade, ceux-ci se trouvèrent au sommet du roc. Le sentier passait alors à travers un étroit défilé où l'on ne pouvait marcher qu'un de front. Tout à coup ils arrivèrent à une crevasse d'à peu près trois pieds de large et de trente pieds de profondeur, qui séparait en deux la masse des rochers. Phineas franchit aisément la crevasse et déposa l'enfant sur un épais tapis de mousse blanche.

« Allons, allons, vous autres, sautez tous ! il y va de la vie... »

Et ils sautèrent, en effet, l'un après l'autre. Quelques fragments de rochers les dérobaient au regard des assaillants.

« Bien ! nous voici tous », dit Phineas, avançant la tête au-dessus de ce rempart naturel pour suivre le mouvement de l'ennemi.

L'ennemi s'était engagé dans les rochers.

« Qu'ils nous attrapent s'ils peuvent ; mais ils vont être obligés de marcher un à un entre ces rochers, à la portée de nos pistolets... Vous voyez bien, enfants !

— Oui, je vois bien, dit George ; mais, comme ceci nous est une affaire personnelle, laissez-nous seuls en courir le risque et seuls combattre.

— Mon Dieu ! George, combats tout à ton aise, dit Phineas en mâchant quelque feuille de mûrier sauvage, mais tu me laisseras bien le plaisir de regarder, j'imagine. Vois-les donc délibérer et lever la tête, comme des poules qui vont sauter sur le perchoir. Ne ferais-tu pas bien de leur dire un mot d'avertissement avant de les laisser monter ?... Dis-leur seulement qu'on va tirer dessus ! »

La troupe, que l'on pouvait maintenant très nettement distinguer, se composait d'anciennes connaissances, Tom Loker et Marks, et d'un renfort de chenapans, recrutés à la taverne pour quelques verres d'eau-de-vie.

« Eh bien, Tom, dit l'un d'eux, vos lapins sont joliment pris !...

— Oui, les voici là-haut... et voici le sentier... Il faut marcher... ils ne vont pas sauter du haut en bas, ils sont pris !

— Mais, Tom, ils peuvent tirer sur nous de derrière les rochers, et ce ne serait pas agréable du tout !

— Fi donc ! reprit Tom d'un air railleur, toujours penser à votre peau ! Il n'y a pas de danger ; les nègres ont trop peur.

— Je ne vois pas pourquoi je ne penserais pas à ma peau, fit Marks, je n'en possède pas de meilleure... Quelquefois les nègres se battent comme des diables. »

En ce moment George apparut au sommet du rocher, et d'une voix calme et claire :

« Messieurs, dit-il, qui êtes-vous et que voulez-vous ?

— Nous venons reprendre un troupeau de nègres en fuite, dit Loker, George et Elisa Harris et leur fils, Jim Selden et une vieille femme. Nous avons avec nous des constables et un warrant[1] pour les prendre... et nous allons les prendre. Vous entendez ? Êtes-vous George Harris, appartenant à M. Harris, du comté de Shelby, dans le Kentucky ?

1. Autorisation de justice.

— Je suis George Harris. Un monsieur Harris, du Kentucky, dit que je suis à lui. Mais maintenant je suis un homme libre, sur le sol libre de Dieu ! et je revendique comme miens ma femme et mon enfant. Jim et sa mère sont ici... Nous avons des armes pour nous défendre... Vous pouvez monter si vous voulez... mais le premier qui se montre à la portée de nos balles est un homme mort, et le second aussi, et le troisième, et ainsi de suite jusqu'au dernier.

— Allons, allons ! jeune homme, dit un personnage court et poussif qui s'avança en se mouchant, tous ces discours ne sont pas convenables dans votre bouche. Vous voyez que nous sommes des officiers de justice... nous avons la loi de notre côté, et le pouvoir, et tout ! Ce que vous avez de mieux à faire, voyez-vous, c'est de vous rendre paisiblement... aussi bien tôt ou tard il va falloir que vous en veniez là !

— Je sais bien que vous avez le pouvoir et la loi de votre côté, répondit George avec amertume... Vous voulez vous emparer de ma femme, pour la vendre à La Nouvelle-Orléans. Vous voulez étaler[1] mon fils comme un veau dans le parc d'un marchand ! Vous voulez renvoyer la vieille mère de Jim à la bête brute qui la fouettait et qui la maltraitait, parce qu'elle ne pouvait pas maltraiter Jim lui-même. Moi et Jim, vous voulez nous rendre au fouet et à la torture... Vous voulez nous faire écraser sous le talon de ceux que vous

1. Ici, exhiber.

appelez nos maîtres... et vos lois vous protègent... Eh bien ! honte à vos lois et à vous ! Mais vous ne nous tenez pas encore ! Nous ne reconnaissons pas vos lois, nous ne reconnaissons pas votre pays. Nous sommes ici sous le ciel de Dieu, aussi libres que vous-mêmes ; et, par ce Dieu qui nous a faits, je vous le jure, nous allons combattre pour notre liberté jusqu'à la mort ! »

Pendant qu'il faisait cette déclaration, George se tenait debout, en pleine lumière, sur le rocher. Les rayons de l'aurore éclairaient son visage ; l'indignation suprême et le désespoir mettaient des flammes dans ses yeux, et en parlant il élevait sa main vers le ciel comme s'il en eût appelé à la justice de Dieu.

L'attitude, l'œil, la voix réduisirent au silence la troupe de Tom Loker. Marks fut le seul qui n'éprouva aucune émotion. Il arma résolument son pistolet, et, pendant l'instant de silence qui suivit le discours de George, il fit feu sur lui.

« Vous savez, dit-il en essuyant son pistolet sur sa manche, qu'on aura autant pour lui mort que vivant ! »

George fit un bond en arrière. Elisa poussa un cri terrible. La balle avait passé dans les cheveux du mari et effleuré la joue de la femme : elle alla s'enfoncer dans un arbre.

« Ce n'est rien, Elisa, dit George vivement.

— Ce sont des gueux[1] ! dit Phineas... Mais, au lieu

---

1. Ici, personnes négligeables.

de faire des discours, tu ferais mieux de te mettre à l'abri.

— Attention, Jim ! dit George, voyez vos pistolets, gardons le passage ; le premier homme qui se montre est à moi : vous prendrez le second... il ne faut pas perdre deux coups sur le même...

— Mais si vous ne touchez pas ?

— Je toucherai, fit George avec assurance.

— Il y a de l'étoffe[1] dans cet homme-là », murmura Phineas entre ses dents.

Cependant, après le coup de pistolet de Marks, les assaillants s'arrêtèrent, irrésolus.

« Vous devez en avoir frappé un, dit-on à Marks, j'ai entendu un cri.

— Je vais en prendre un autre, moi, dit Tom. Je n'ai jamais eu peur des nègres ; je ne vais pas commencer aujourd'hui. Qui vient après moi ? » et il s'élança dans les rochers.

George entendit très distinctement toutes ces paroles. Il dirigea son pistolet vers le point du défilé où le premier homme allait paraître.

Un des plus courageux de la bande suivait Tom ; les autres venaient après ; les derniers poussaient même les premiers un peu plus vite que ceux-ci n'eussent voulu. Ils approchaient ; bientôt la forme massive de Tom apparut au bord de la crevasse.

George fit feu ; la balle pénétra dans le flanc ; mais

1. Ici, du caractère.

Tom, avec le mugissement d'un taureau affolé, franchit l'espace béant et vint tomber sur la plate-forme du rocher.

« Ami, dit Phineas, en se mettant tout à coup devant sa petite troupe et arrêtant Tom au bout de ses longs bras, on n'a pas du tout besoin de toi ici ! »

Loker tomba dans le précipice, roulant au milieu des arbres, des buissons, des pierres détachées, jusqu'à ce qu'il arrivât au fond, brisé et gémissant. La chute l'aurait tué, si elle n'eût été amortie par des branches qui le retinrent à demi ; mais elle n'en fut pas moins assez lourde.

« Miséricorde ! ce sont de vrais démons ! » fit Marks guidant la retraite à travers les rochers avec beaucoup plus d'empressement qu'il n'en avait mis à monter à l'assaut. Toute la bande le suivit précipitamment. Le gros constable courait à perdre haleine.

« Camarades, dit Marks, faites le tour et allez chercher Tom ; moi je vais prendre mon cheval et aller quérir du secours... »

Et, sans écouter les sarcasmes et les huées, Marks joignit l'action à la parole et détala.

« Quelle vermine ! dit un des hommes... On vient pour ses affaires, et il décampe.

— Voyons ! reprit un autre, allons chercher cet individu ; peu m'importe qu'il soit mort ou vivant ! »

Conduits par les gémissements de Tom, s'aidant des branches et des buissons, ils descendirent jusqu'au pied du précipice où le héros gisait étendu, soupirant et jurant avec une égale véhémence.

« Vous criez bien fort, Tom, vous devez être moulu !

— Je ne sais pas. Soulevez-moi ! pouvez-vous ? Malédiction sur le quaker ! Sans lui j'en aurais jeté quelques-uns du haut en bas... pour voir si ça leur aurait plu ! »

On l'aida à se lever, on le prit par les épaules, et on le conduisit ainsi jusqu'aux chevaux.

« Si vous pouviez seulement me ramener à un mille d'ici, jusqu'à cette taverne ! Donnez-moi un mouchoir de poche, quelque chose... pour mettre sur cette plaie et arrêter le sang ! »

George regarda par-dessus les rochers, il vit qu'ils s'efforçaient de le mettre sur son cheval ; après deux ou trois efforts inutiles, il chancela et tomba lourdement sur le sol.

« J'espère qu'il n'est pas mort, dit Elisa, qui, avec ses compagnons, surveillait toute cette scène.

— Pourquoi non ? dit Phineas ; il n'aurait que ce qu'il mérite !

— Mais après la mort vient le jugement ! dit Elisa.

— Sur ma parole ! je crois qu'ils l'abandonnent », dit Phineas.

C'était vrai. Après avoir réfléchi et s'être consultés un instant, ils avaient repris les chevaux et s'étaient retirés.

Quand ils eurent disparu, Phineas commença à se remuer un peu.

« Voyons, dit-il, il faut descendre et marcher. J'ai dit à Michael d'aller à la ferme, de nous ramener des secours, et de revenir avec la voiture, mais je pense que nous devons marcher un peu au-devant de lui. Dieu veuille qu'il soit bientôt ici ! Il est de bonne heure. Nous ne tarderons pas à le rejoindre ; nous ne sommes pas à plus de deux milles de notre station. »

En s'approchant de la haie, Phineas aperçut la voiture, qui revenait avec les amis.

« Bon ! s'écria-t-il joyeusement, voilà Michael, Stéphen et Amariah... Maintenant nous voici en sûreté, comme si nous étions arrivés là-bas !

— Alors, arrêtons-nous un peu, dit Elisa, faisons quelque chose pour ce pauvre homme qui gémit si fort...

— Ce ne serait faire que notre devoir de chrétien, dit George ; prenons-le et emportons-le avec nous.

— Et nous le soignerons parmi les quakers, dit Phineas ; c'est bien, cela ! je ne m'y oppose certes pas ! Voyons-le ! »

Et Phineas qui, dans sa vie de chasseur et de maraudeur, avait acquis certaine notion de la chirurgie primitive, s'agenouilla auprès du blessé et commença un examen attentif.

« Marks, dit Tom d'une voix faible... Est-ce vous, Marks ?

— Non, ami, ce n'est pas lui, dit Phineas ; il s'inquiète bien plus de sa peau que de toi... Il y a longtemps qu'il est parti !

— Je crois que je suis perdu ! dit Tom... le maudit chien qui me laisse mourir seul !... Ma pauvre vieille mère m'a toujours dit que cela finirait ainsi.

— Doucement ! dit Phineas, sois tranquille, ne fais pas le méchant. Tu es perdu si je ne parviens pas à arrêter le sang.

— C'est vous qui m'avez précipité, lui dit Tom d'une voix faible.

— Mais sans cela tu nous aurais précipités nous-mêmes, tu vois bien ! dit Phineas en appliquant le bandage. Allons, allons, laisse-moi panser cela ; nous n'y entendons pas malice, nous autres ; nous te voulons du bien. Nous allons te mener dans une maison où l'on te gardera comme si c'était ta mère. »

Tom poussa un gémissement et ferma les yeux...

Cependant Michael était là avec la voiture : on tira les bancs, on doubla les peaux de buffle, on les plaça d'un seul côté, et quatre hommes, avec de grands efforts, placèrent Tom dans la voiture. Il s'évanouit entièrement. La vieille négresse, tout émue, s'assit au fond et mit la tête du blessé sur ses genoux ; Elisa, George et Jim se casèrent comme ils purent, et l'on repartit.

« Que pensez-vous de lui ? dit George à Phineas auprès de qui il s'était assis sur le siège.

— Cela va bien ; les chairs seules sont atteintes, mais la chute a été rude ; il a beaucoup saigné, ça lui a retiré des forces et du courage. Il s'en tirera et ceci lui apprendra peut-être une chose ou deux...

— Que ferons-nous de ce pauvre diable ? dit George.

— Nous allons le conduire chez Amariah ! Il y a là la grand-maman Stephens Dorcas, comme ils l'appellent ; c'est la meilleure garde-malade... En quinze jours elle le rétablira. »

Une heure après, nos voyageurs arrivaient dans une jolie ferme, où les attendait un excellent déjeuner. Tom fut déposé avec soin sur un lit plus propre et doux. Sa blessure fut pansée et bandée.

15

Expériences et opinions de miss Ophelia

Notre ami Tom, dans ses rêveries naïves, comparait sa position d'esclave heureux à celle de Joseph en Égypte[1]. En effet, avec le temps, et à mesure qu'il se révélait à son maître, le parallèle devenait de plus en plus juste.

Saint-Clare était indolent de sa nature et n'avait aucun souci de l'argent. Jusque-là le marché et l'approvisionnement avaient été confiés aux soins d'Adolphe, aussi insouciant lui-même et aussi extravagant que son maître. Avec eux la dissipation et le gaspillage allaient leur train. Tom, en entrant chez

1. Dans la Bible, Joseph fut vendu comme esclave par ses frères en Égypte, où il devint ministre du Pharaon.

Saint-Clare, accoutumé depuis des années à regarder la fortune de ses maîtres comme une chose livrée à sa garde, voyait avec un malaise qu'il ne pouvait dissimuler toutes les dépenses de la maison, et, avec cette habileté dans l'emploi des insinuations détournées, que possèdent les gens de sa classe, il faisait parfois d'humbles remontrances.

Saint-Clare, frappé de son merveilleux bon sens et de son intelligence des affaires, se confia à lui de plus en plus, jusqu'à ce qu'il en fît une sorte d'intendant.

Investi de la confiance sans bornes d'un maître négligent, qui lui remettait des billets sans en regarder le chiffre, et qui recevait le change sans compter, Tom avait toutes les facilités et toutes les tentations de l'infidélité ; il lui fallait pour se sauver toute l'honnête simplicité de sa nature, raffermie encore par la foi chrétienne.

Tom avait pour son jeune et beau maître un singulier mélange de respect, de dévouement et de sollicitude paternelle. Il remarquait qu'il ne lisait jamais la Bible, qu'il n'allait point à l'église, qu'il plaisantait de tout, qu'il allait au théâtre, même le dimanche ! qu'il fréquentait les clubs, les soupers fins, qu'il buvait ! Tom avait la conviction que son maître n'était pas chrétien. Cette conviction, Tom n'aurait voulu l'avouer à personne ; mais elle était pour lui l'occasion et la cause de bien des peines, quand il était renfermé dans sa petite chambre.

Ce n'est pas que Tom ne sût exprimer sa pensée

avec une certaine habileté. Une nuit, Saint-Clare, après un festin, avec des convives choisis, rentrait au logis entre une ou deux heures, dans un état où il n'était que trop évident que la matière l'emportait sur l'esprit. Tom et Adolphe le mirent au lit. Ce dernier était enchanté, il trouvait le tour excellent... il riait de tout son cœur de la naïve désolation de Tom, qui resta toute la nuit éveillé, priant pour son jeune maître.

« Pourquoi ne vous êtes-vous pas couché, Tom ? lui demanda le lendemain Saint-Clare, en pantoufles et en robe de chambre dans sa bibliothèque. Y a-t-il quelque chose qui vous inquiète ? » ajouta-t-il, voyant que Tom attendait toujours. Il se rappelait qu'il lui avait donné des ordres et remis de l'argent.

« J'en ai peur, maître », dit Tom avec une mine grave.

Saint-Clare laissa tomber son journal, posa sa tasse de café et regarda Tom.

« Eh bien ! Tom, qu'est-ce ? vous êtes solennel comme un tombeau !

— Oui ! je suis bien malheureux, maître ! J'avais toujours pensé que mon maître était bon pour tout le monde. Il n'y a qu'une chose en quoi mon maître n'est pas bon...

— Allons, que vous êtes-vous mis dans la tête ? Parlez ; voyons, expliquez-vous.

— La nuit dernière, entre une ou deux heures, je réfléchissais à cela... Je me disais : le maître n'est pas bon pour lui-même. »

Tom dit ces mots en se retournant et en mettant la main sur le bouton de la porte.

Saint-Clare se sentit rougir, puis il se mit à rire.

« Ah ! c'est tout ? fit-il gaiement.

— Tout ! dit Tom en se retournant tout d'un coup et en tombant à ses genoux... Ô mon cher maître !... j'ai peur que vous ne veniez à perdre tout ! tout ! corps et âme. »

La voix de Tom tremblait dans sa gorge, et les larmes ruisselaient le long de ses joues.

« Pauvre fou ! dit Saint-Clare, qui se sentait aussi des larmes dans les yeux. Relevez-vous, Tom, je ne mérite pas que l'on pleure pour moi. Tom, séchez vos yeux et allez à vos affaires... (Et il mit doucement Tom à la porte de la bibliothèque.) Je vous jure, Tom, que vous ne me reverrez jamais dans cet état ! »

Tom s'en alla, essuyant ses yeux et la joie dans l'âme.

« Je lui tiendrai parole », dit Saint-Clare en le voyant partir.

Et cette parole fut tenue.

Mais qui donc pourra maintenant énumérer les tribulations de toutes sortes de notre amie Ophelia, chargée de gouverner une maison du Sud ?

Il y a une différence profonde entre les esclaves des divers établissements[1] du Sud : cette différence tient toujours au caractère et au mérite de la maîtresse de maison.

---

1. Ici, les plantations.

Dans le Sud, aussi bien que dans le Nord, il y a des femmes qui ont à un haut degré la science de commander et l'art d'élever les esclaves. Avec une apparente facilité, sans déploiement de rigueur, elles se font obéir.

Telle était, par exemple, Mme Shelby.

Le premier jour de son administration, miss Ophelia fut debout à quatre heures, et, après avoir fait le ménage de sa propre chambre, ce qu'elle faisait toujours depuis son arrivée chez Saint-Clare, au grand étonnement de sa femme de chambre, elle se mit en devoir de commencer une sévère inspection des armoires et cabinets dont elle avait les clefs.

L'office, la lingerie, la porcelaine, la cuisine, le cellier furent passés en revue ce jour-là. On s'effraya, on s'alarma, on murmura contre les façons de ces dames du Nord.

La vieille Dinah, passée cordon-bleu, directrice générale au département de la cuisine, se mit en grande colère contre ces empiétements sur son pouvoir.

Dinah était un caractère. Elle était née cuisinière aussi bien que Chloe. Mais Chloe était dirigée, commandée ; elle avait sa place dans une hiérarchie. Dinah était au contraire un génie primesautier. Dinah méprisait souverainement la logique et la raison ; elle s'en rapportait à l'intuition instinctive. L'instinct était pour elle une forteresse imprenable. Ainsi Dinah avait un pouvoir absolu.

Mais, en dernière analyse, on n'avait presque jamais rien à lui reprocher... Sa cuisine était toujours propre ; elle avait pour chaque chose autant de places qu'il y a de jours à l'année...

C'était l'heure où commencent les préparatifs du dîner. Mère Dinah, qui avait besoin de réflexion et de repos, et qui, d'ailleurs, prenait toujours ses aises, était assise sur le plancher de sa cuisine, fumant un vieux culot de pipe auquel elle tenait beaucoup, et qu'elle allumait toujours, comme un encensoir[1], quand elle était à la recherche de l'inspiration.

Autour d'elle étaient assis les divers membres de cette florissante famille qui pullule dans les maisons du Sud. Ils écossaient les pois, pelaient les pommes de terre, ou arrachaient le fin duvet des volailles. Dinah, de temps en temps, interrompait sa méditation pour donner un coup de poing sur la tête de quelqu'un de ses jeunes aides, ou envoyer à quelque autre un avertissement au bout de sa cuillère à pudding[2].

Miss Ophelia, sa tournée faite dans le reste de la maison, arriva donc à la cuisine. Dinah avait appris de diverses sources la réforme qui se préparait ; elle était résolue à se tenir sur une ferme défensive, et bien déterminée à opposer à toute nouvelle mesure la force passive de l'inertie.

La cuisine était une vaste pièce, pavée de briques.

---

1. Récipient dans lequel on fait brûler de l'encens au cours des cérémonies religieuses.
2. Gâteau traditionnel dans les pays anglo-saxons.

Une large cheminée à l'ancienne mode en occupait tout un côté. Saint-Clare avait vainement essayé de la remplacer par un fourneau. Dinah n'avait pas voulu.

Quand miss Ophelia entra dans la cuisine, Dinah ne se leva pas ; elle continua de fumer avec une tranquillité sublime, suivant tous les mouvements de la vieille fille, du coin de l'œil, bien qu'en apparence elle ne s'occupât qu'à surveiller ses aides.

Miss Ophelia ouvrit un placard.

« Qu'est-ce qu'on met là-dedans ?

— Toutes espèces de choses, *missis*[1] ! » répondit la vieille Dinah.

La réponse paraissait juste : il y avait de tout dans le placard. Miss Ophelia en retira d'abord une superbe nappe damassée, toute tachée de sang, qui avait évidemment servi à envelopper de la viande crue.

« Qu'est-ce cela, Dinah ? Vous n'enveloppez pas la viande dans le plus beau linge de table de votre maîtresse, j'imagine ?

— Oh Dieu ! non... Je n'avais plus de serviettes... j'ai pris celle-ci pour l'envoyer au blanchissage... Voilà pourquoi elle est là...

— Étourdie ! » dit miss Ophelia en se parlant à elle-même, et elle continua à fureter. Elle trouva une râpe et deux ou trois noix de muscade, un livre de cantiques, des madras[2] déchirés, de la laine, un tricot, du

1. Variante de *missus,* « patronne » en anglais.
2. Tissu de couleurs vives dont on fait souvent des foulards.

tabac, une pipe, des pétards, deux sauciers dorés et de la pommade dedans, de vieux souliers fins, un morceau de flanelle très soigneusement piqué, renfermant de petits oignons blancs, des nappes damassées et de grosses serviettes, des aiguilles à tricoter et des enveloppes déchirées.

« Où mettez-vous vos muscades ? » demanda miss Ophelia, du ton d'une personne qui a prié Dieu de lui donner de la patience.

« Partout, missis ! Il y en a dans cette tasse fêlée... il y en a aussi dans cette armoire.

— Il y en a aussi dans la râpe, dit miss Ophelia en les atteignant.

— Oui ! je les y ai mises ce matin. J'aime à avoir tout sous la main.

— Voici du linge de table.

— Ah ! je l'avais mis là pour le faire laver... un de ces jours !

— Mais n'avez-vous point quelque place où mettre ce qui doit être lavé ?

— M. Saint-Clare dit qu'il a acheté un coffre pour cela, mais le couvercle est lourd à lever. Et puis je mets toute sorte de choses dessus, et j'y pétris ma pâte !

— Et pourquoi pas sur cette table faite exprès ?

— Hélas, missis ! elle est si pleine de vaisselle... et de choses et d'autres... qu'il n'y a plus de place...

— Vous devez laver votre vaisselle et l'ôter de là.

— Laver ma vaisselle ! » s'écria Dinah. La colère lui faisait oublier la réserve habituelle de ses manières.

« Qu'est-ce que les dames connaissent à cela ? Je voudrais bien le savoir !... Quand m'sieu aurait-il son dîner, si je passais mon temps à nettoyer et à ranger les plats ? Jamais miss Marie ne me parle de cela !

— Dinah, je vais, moi, tout ranger dans la cuisine, dit miss Ophelia ; et j'espère que vous maintiendrez l'ordre par la suite.

— Ah ! ciel ! miss Phélia, ce n'est pas aux dames à faire cela. Non, je n'ai jamais vu faire cela aux dames... ni à ma vieille maîtresse, ni à miss Marie... non ! »

Et Dinah, indignée, marchait à grands pas, tandis que miss Ophelia elle-même, de ses propres mains, rangeait, empilait, frottait, nettoyait, disposait, assortissait les objets, avec une rapidité dont Dinah était comme éblouie.

En quelques jours, miss Ophelia eut réformé toute la maison. Mais ses efforts dans tout ce qui réclamait la coopération des domestiques étaient pareils à ceux des Danaïdes[1]. Un jour en désespoir de cause elle en appela à Saint-Clare.

« Il est impossible de mettre aucun ordre parmi ces gens !

— C'est bien vrai.

— Je n'ai jamais vu tant d'étourderie, tant de gaspillage, tant de confusion !

— J'en conviens.

1. Dans la mythologie grecque, les Danaïdes, filles du roi Danaos, furent condamnées à verser éternellement de l'eau dans un tonneau sans fond.

— Vous ne le prendriez pas si froidement, si vous étiez chargé de tenir la maison.

— Chère cousine, comprenez donc une fois pour toutes que, nous autres maîtres, nous sommes divisés en deux classes, les oppresseurs et les opprimés. Nous qui sommes bons et qui détestons d'être sévères, nous nous soumettons à une foule d'inconvénients. Puisque nous voulons entretenir une bande de sacripants dans nos maisons, il faut que nous en subissions les conséquences. Il est bien rare que l'on puisse obtenir l'ordre sans la sévérité. Je n'ai pas ce talent-là ; aussi voilà longtemps que je me résigne à laisser aller les choses comme elles vont. Je ne voudrais pas faire fouetter ces pauvres diables... Ils le savent bien... et peut-être qu'ils en abusent.

— Mais, Augustin, vous ne savez pas en quel état j'ai trouvé les choses ?

— Vous croyez ! Est-ce que je ne sais pas que le rouleau à pâtisserie est sous son lit... la râpe dans sa poche avec son tabac ? qu'il y a soixante-cinq sucriers dans autant de trous différents... qu'elle essuie sa vaisselle un jour avec du linge de table, et le lendemain avec un morceau de sa vieille jupe ?... Mais la merveille, c'est qu'elle me fait des dîners superbes, et du café... quel café ! Il faut la juger comme les généraux et les hommes d'État... sur le succès !

— Mais le gaspillage ! la dépense !

— Soit ! Enfermez tout, gardez la clef... Donnez au

fur et à mesure, mais ne vous occupez pas des petits morceaux... c'est encore ce qu'il y a de mieux à faire.

— Eh bien, Augustin, cela m'inquiète... Je me demande quelquefois : sont-ils réellement honnêtes ?... Croyez-vous qu'on puisse compter dessus ?... »

Augustin rit aux éclats de la mine grave et inquiète de miss Ophelia pendant qu'elle lui faisait cette question.

« Ah ! cousine, c'est vraiment trop fort ! c'est vraiment trop fort ! Honnêtes ! comme si on pouvait s'attendre à cela !... Et pourquoi le seraient-ils ? Qu'a-t-on fait pour qu'ils le fussent ?

— N'y en a-t-il point quelques-uns d'honnêtes ?...

— Oui vraiment ; de temps en temps la nature s'amuse et fait l'un, si simple, si naïf, si fidèle, que les plus détestables influences n'y peuvent rien ! Mais, voyez-vous, depuis le sein de leur mère les enfants de couleur comprennent qu'ils ne peuvent arriver que par des voies clandestines. Il n'y a que ce moyen-là, avec les parents, avec les maîtres et les enfants des maîtres, compagnons de leurs jeux ! La ruse, le mensonge deviennent des habitudes nécessaires, inévitables. On ne peut attendre rien autre chose de l'esclave ; il ne faut même pas le punir pour cela. On le retient dans une sorte de demi-enfance qui l'empêche toujours de comprendre que le bien de son maître n'est pas à lui... s'il peut le prendre... Pour ma part, je ne vois pas comment les esclaves pourraient être probes[1]... Un individu comme Tom me semble un miracle moral.

— Et qu'advient-il de leur âme ?

— Ma foi, ce ne sont pas mes affaires ! Je n'en sais rien ; je ne m'occupe que de cette vie. On pense généralement que toute cette race est vouée au diable ici-bas, pour le plus grand avantage des Blancs... Peut-être cela change-t-il là-haut.

— C'est horrible, dit Ophelia. Ah ! maîtres d'esclaves, vous devriez avoir honte de vous-mêmes !

— Je ne sais trop ! Nous sommes en bonne compagnie... Voyez en haut et en bas, partout, c'est la même histoire. La classe inférieure est sacrifiée à l'autre, corps et âme. Il en est de même en Angleterre et partout ; et cependant toute la Chrétienté se dresse contre nous et s'indigne, parce que nous faisons la même chose qu'elle, mais pas tout à fait de la même manière.

— Et quelle sera, selon vous, la fin de tout ceci ?

— Je ne sais... ce qu'il y a de certain, c'est qu'aujourd'hui une colère sourde gronde à travers les masses dans le monde entier ; je sens venir... ou demain, ou plus tard... un terrible *Dies irae*[2]. Les mêmes événements se préparent en Europe, en Angleterre du moins. Ma mère avait coutume de parler d'une date qui approchait et verrait le règne du Christ,

1. Honnêtes.
2. « Jour de colère » (en latin) : allusion au Jugement dernier.

et la liberté et le bonheur de tous les hommes. Quand j'étais enfant, elle m'apprenait à prier pour l'avènement de ce règne... Mais qui pourra vivre le jour où il apparaîtra ?

— Augustin, il y a des moments où je crois que vous n'êtes pas loin du règne de Dieu, dit Ophelia, en attachant un regard inquiet sur son cousin.

— Merci, cousine, de votre bonne opinion... J'ai des hauts et des bas ! En théorie, je touche aux portes du ciel... S'agit-il de pratique, je suis dans la poussière de la terre... Mais on sonne pour le thé... Venez, cousine... J'espère maintenant que vous ne direz plus que je n'ai pas parlé sérieusement une fois en ma vie... »

« Il y a de ces nègres, dit Marie, dont il est vraiment impossible d'avoir raison. Je me rappelle que mon père eut jadis un homme qui était si paresseux, qu'il s'enfuit pour ne pas travailler ; il errait dans les savanes[1], volant et commettant toutes sortes de méfaits : cet homme fut pris et fouetté... Il recommença, on le fouetta encore ; cela ne servit de rien. À la fin il rampa encore jusqu'aux savanes, bien qu'il pût à peine marcher... il y mourut, et notez qu'il n'avait aucun motif d'agir ainsi, car chez mon père les nègres étaient toujours bien traités.

— Il m'est arrivé une fois, dit Saint-Clare, de sou-

1. Ici, grandes étendues quasi désertes.

mettre un homme dont tous les maîtres et tous les surveillants avaient désespéré.

— Vous ! dit Marie... Ah ! je serais curieuse de savoir comment vous avez jamais pu faire pareille chose !

— C'était un Africain[1], un hercule, un géant. On sentait en lui je ne sais quel puissant instinct de liberté... Je n'ai jamais rencontré d'homme plus indomptable. On l'appelait Scipion[2]. Les surveillants, d'une plantation à l'autre, le vendaient et le revendaient. Enfin Alfred l'acheta, comptant pouvoir le réduire. Un jour il assomma le surveillant et se sauva dans les savanes. Je visitai la plantation d'Alfred ; c'était après notre partage. Alfred était dans un état d'exaspération terrible. Je lui dis que c'était sa faute, et que je gageais bien[3] de mater le rebelle. On convint que si je le prenais il serait à moi pour que je pusse expérimenter sur lui. Nous nous mîmes en chasse à six ou sept, avec des fusils et des chiens. Vous savez qu'on peut mettre autant d'enthousiasme à la chasse de l'homme qu'à celle du daim ; tout cela est affaire d'habitude. Je me sentais moi-même un peu excité, quoique je ne me fusse posé que comme médiateur, au cas où il serait repris.

« Nous lançons nos chevaux. Les chiens aboient sur la piste. Nous le débusquons. Il courait et bondissait

1. Ici, un esclave noir qui n'est pas métissé.
2. Référence à Scipion l'Africain, surnom d'un général de la Rome antique.
3. Signifie : « J'avais l'intention de ».

comme un chevreuil ; il nous laissa longtemps en arrière. Enfin il se trouva arrêté par un épais fourré de cannes à sucre. Il se retourna pour nous faire face, et je dois dire qu'il combattit bravement les chiens ; rien qu'avec ses poings il en assomma deux ou trois qu'il envoya rouler à droite et à gauche. Un coup de fusil l'abattit ; il vint tomber tout sanglant à mes pieds. Le pauvre homme leva vers moi des yeux où il y avait à la fois du désespoir et du courage. Je rappelai les gens et les chiens, qui allaient se jeter sur lui, et je le revendiquai comme mon prisonnier : ce fut tout ce que je pus faire que de les empêcher de le fusiller dans l'ivresse du triomphe. Je tins au marché et je l'achetai à Alfred. Je l'avais rendu, au bout de quinze jours, aussi doux et aussi soumis qu'un agneau.

— Que lui fîtes-vous ? s'écria Marie.

— Ce fut simple... je le fis mettre dans ma chambre, je lui donnai un bon lit... je pansai ses blessures... je le veillai moi-même jusqu'à ce qu'il fût debout... puis je l'affranchis, et je lui dis qu'il pouvait s'en aller où il lui plairait...

— Et s'en alla-t-il ? fit miss Ophelia.

— Non ; l'imbécile déchira le papier en deux et refusa de me quitter... Je n'ai jamais eu un serviteur plus dévoué... fidèle et vrai comme l'acier !... Quelque temps après, il se fit chrétien et devint doux comme un enfant... Il surveilla mon habitation sur le lac et s'acquitta de ce soin d'une façon irréprochable ; le choléra l'a emporté... Je puis dire qu'il a donné sa vie pour moi... J'étais malade à la mort ; c'était une vraie panique ; tout le monde m'abandonnait. Scipion fit des efforts inouïs... et me rappela à la vie ; mais le pauvre homme fut pris lui-même ; on ne put le sauver... Je n'ai perdu personne que j'aie regretté davantage. »

Eva, pendant ce récit, s'était peu à peu rapprochée de son père, ses petites lèvres entrouvertes, ses yeux dilatés, et, sur son visage, toutes les marques d'un intérêt absorbant.

Quand Saint-Clare se tut, elle lui jeta les bras autour du cou, fondit en larmes et éclata en sanglots convulsifs.

« Eva, chère enfant... qu'est-ce donc ? dit Saint-Clare en voyant cette frêle créature toute tremblante d'émotion... Il ne faut plus rien dire de pareil devant elle... elle est si nerveuse !

— Papa, je ne suis pas nerveuse, dit Eva en se dominant avec une puissance de résolution singulière chez une aussi jeune enfant ; je ne suis pas nerveuse, mais ces choses-là me tombent dans le cœur !...

— Que voulez-vous dire, Eva ?

— Je ne saurais vous expliquer... Je pense bien des choses... Peut-être qu'un jour je vous les dirai.

— Pense, pense toujours, chère ! Seulement ne pleure pas et ne fais pas de peine à ton père. Regardez, voyez quelle jolie pêche j'ai cueillie pour vous ! »

Eva, souriant, prit la pêche ; mais on voyait toujours un petit frémissement nerveux au coin de ses lèvres.

« Venez voir les poissons rouges », dit Saint-Clare en la prenant par la main, et il l'emmena dans la cour. On entendit bientôt de joyeux éclats de rire ; Eva et Saint-Clare se jetaient des roses et se poursuivaient dans les allées.

Notre humble ami Tom court, je crois, grand risque de se trouver négligé au milieu des aventures de tous ces nobles personnages ; mais, si nos lecteurs veulent bien nous accompagner dans une petite chambre au-dessus des écuries, ils pourront se mettre bien vite au courant de ses affaires.

C'était une chambre décente ; elle contenait un lit, une chaise, une petite table en bois grossier, sur laquelle on voyait la Bible de Tom et son livre de cantiques. Tom est maintenant assis à cette table, son ardoise devant lui, appliqué à quelque travail qui absorbe l'attention de sa pensée.

Le regret de la famille était devenu si puissant dans le cœur de Tom, qu'il avait demandé à Eva une feuille de papier à lettre, et, appelant à lui toute la science calligraphique[1] qu'il devait aux soins de M. George, il avait pris la résolution audacieuse d'écrire une lettre ; il en faisait d'abord le brouillon sur son ardoise. Tom était dans le plus grand embarras... Il avait oublié la forme de certaines lettres, et il ne se rappelait pas trop la valeur des autres... Pendant qu'il cherchait pénible-

1. Art de former harmonieusement les caractères de l'écriture.

ment, Eva, légère comme un oiseau, vint se poser derrière sa chaise et regarda par-dessus son épaule.

« O père Tom ! quelles drôles de choses vous faites là !

— J'essaye d'écrire à ma pauvre vieille femme, miss Eva, et à mes petits enfants...

— Je voudrais bien vous aider, Tom ; j'ai un peu appris à écrire ; l'année dernière je savais former toutes mes lettres, mais j'ai peur aussi d'avoir oublié... »

Eva rapprocha sa petite tête blonde de la grosse tête noire de Tom. Après beaucoup d'efforts, de réflexion et de tentatives, la chose commença à prendre un air d'écriture.

« Ah ! père Tom ! voilà qui est très beau, disait Eva en jetant des regards ravis sur leur ouvrage... Comme elle sera heureuse, votre femme !... et les petits enfants donc ! Oh ! que c'est mal de vous avoir enlevé à eux ! Je demanderai à papa de vous renvoyer dans quelque temps.

— Mon ancienne maîtresse m'a dit qu'elle me rachèterait dès qu'elle le pourrait. Le jeune monsieur George a dit qu'il viendrait me chercher... et il m'a donné ce dollar comme un gage[1]. (Et Tom tira de sa poitrine le petit dollar.)

— Oh ! alors il reviendra, c'est certain, dit Evangéline...

— Il faut que je leur écrive, vous voyez bien, pour

1. Ici, objet qu'on laisse à une personne comme preuve de son affection.

leur faire savoir où je suis, et apprendre à la pauvre Chloe que je suis bien. Elle avait si peur pour moi, cette pauvre âme !

— Eh bien, Tom ! » fit Saint-Clare, arrivant au même moment à sa porte.

Tom et Eva se levèrent en même temps.

« Qu'est-ce ? fit Saint-Clare en s'approchant et en regardant l'ardoise...

— C'est une lettre, dit Tom... Est-ce que ce n'est pas bien ?

— Je ne voudrais vous décourager ni l'un ni l'autre... mais je crois, Tom, que vous feriez mieux de me prier de vous l'écrire...

— C'est très important qu'il écrive, reprit Eva, parce que, voyez-vous bien, père, sa maîtresse lui a dit qu'elle enverrait de l'argent pour le racheter. »

Saint-Clare pensa en lui-même que c'était probablement une de ces promesses téméraires, comme en font les maîtres bienveillants pour adoucir dans l'âme de l'esclave l'horreur qu'il a d'être vendu ; mais il se garda bien de faire tout haut le commentaire. Il se contenta d'ordonner à Tom de seller les chevaux.

Dans la soirée, la lettre de Tom fut bien et dûment écrite et logée dans la boîte aux lettres.

16

Topsy

Un matin, pendant que miss Ophelia vaquait aux soins du ménage, elle entendit la voix de Saint-Clare qui l'appelait du bas de l'escalier.

« Descendez, cousine, j'ai quelque chose à vous montrer.

— Qu'est-ce ? fit miss Ophelia en descendant.

— Voyez !... c'est une acquisition que je viens de faire pour vous. » Et il fit avancer une petite négresse de huit à neuf ans.

C'était bien un des plus noirs visages de sa race... Ses yeux ronds avaient l'éclat des grains de verroterie[1] ; ils se tournaient avec une incessante mobilité vers

1. Petites perles de verre coloré.

tous les objets qui se trouvaient dans l'appartement. Sa bouche, à moitié ouverte par l'étonnement que lui causaient tant de merveilles, découvrait une étincelante rangée de dents blanches. Sa chevelure laineuse était divisée en petites tresses qui s'éparpillaient autour de sa tête. L'expression de sa physionomie était un étonnant mélange de finesse et de ruse, sur lesquelles s'étendait, comme un voile, une sorte de gravité solennelle et dolente... Elle n'avait pour tout vêtement qu'un vieux sac déchiré. Il y avait dans toute sa personne un je-ne-sais-quoi de bizarre et de fantastique. Miss Ophelia était déconcertée. Enfin, se retournant vers Saint-Clare :

« Augustin, pourquoi avez-vous amené cela ici ?

— Eh mais, pour que vous puissiez l'instruire et l'élever comme il faut. J'ai pensé que c'était un assez joli petit échantillon de la race des corbeaux[1]. Ici, Topsy ! ajouta-t-il, en sifflant comme un homme qui veut fixer l'attention d'un chien ; voyons ! chante-nous une de tes chansons et fais-nous voir une de tes danses. »

On vit briller dans ses yeux de verre une sorte de drôlerie malicieuse, et d'une voix claire et perçante elle chanta une vieille mélodie nègre ; elle accompagnait son chant d'un mouvement mesuré des mains et des pieds... c'était un rythme étrange et sauvage... Elle faisait entendre aussi de temps en temps ces sons rauques

---

1. La race noire.

et gutturaux qui distinguent la musique de sa race ; enfin, après deux ou trois cabrioles, elle poussa une note finale suraiguë, puis elle se laissa tomber sur le parquet, resta les mains jointes, et une expression de douceur et de solennité extatique[1] reparut sur son visage...

Miss Ophelia ne disait mot : elle était stupéfaite. Saint-Clare, comme un garçon malicieux qu'il était, semblait jouir de son étonnement, et, s'adressant à l'enfant :

« Topsy, voici votre nouvelle maîtresse. Je vais vous donner à elle. Faites attention à bien vous conduire.

— Oui, m'sieu, fit Topsy avec sa gravité solennelle, mais en clignant de l'œil d'un air assez méchant.

— Il faut être bonne, Topsy ; vous entendez ?

— Oh ! oui, m'sieu, reprit Topsy en joignant dévotement les mains.

— Voyons, Augustin, qu'est-ce que cela veut dire ? reprit enfin miss Ophelia ; votre maison est déjà pleine de ces petites pestes ; on ne peut pas faire un pas sans marcher dessus... Je me lève le matin, je trouve un négrillon endormi derrière la porte... ici c'est une tête noire qui se montre sous la table ; un autre est étendu sur le paillasson ; ils fourmillent, et vous avez besoin d'en amener encore !... mais pour quoi faire, bon Dieu ?

---

1. Propre à l'extase, état provoqué par un déséquilibre nerveux, ou une grande ferveur religieuse.

— Pour que vous l'instruisiez : ne vous l'ai-je pas déjà dit ? Vous prêchez toujours sur l'éducation, j'ai voulu vous donner une nature vierge... essayez-vous la main ; élevez-la comme elle doit être élevée.

— Je ferai ce que je pourrai », dit miss Ophelia. Et elle s'approcha de son nouveau sujet, avec la précaution que l'on prendrait vis-à-vis d'une araignée noire, pour laquelle on aurait des intentions bienveillantes.

« Elle est affreusement sale et presque nue...

— Eh bien ! faites-la descendre pour qu'on la nettoie et qu'on l'habille... »

Miss Ophelia la conduisit vers la cuisine.

« Quel besoin d'une nouvelle négresse a donc miss Ophelia ? se demanda la cuisinière, en surveillant la nouvelle arrivée d'un air peu amical... On ne va pas, je suppose, me la mettre dans les jambes.

— Ah fi ! dirent Jane et Rosa avec un suprême dégoût, qu'elle ne se montre pas sur notre passage... Si nous savons pourquoi monsieur a voulu avoir encore un de ces affreux nègres de plus !...

— Avez-vous fini ? s'écria la vieille Dinah, prenant pour elle une partie de la remarque. Elle n'est pas plus noire que vous, miss Rosa. Vous avez l'air de vous croire blanche ! Eh bien ! vous n'êtes ni blanche, ni noire... Il faudrait pourtant être l'une ou l'autre. »

Miss Ophelia vit bien que personne ne se souciait de présider à l'opération du nettoyage et de l'habillement de la nouvelle venue ; elle résolut donc d'y procéder elle-même, avec l'assistance peu aimable de

Mlle Jane. Quand miss Ophelia découvrit, sur les épaules et sur le dos de l'enfant, de larges cicatrices et des callosités nombreuses, marques du système sous lequel on l'avait élevée, elle sentit en elle-même son cœur ému de compassion.

« Voyez-vous, disait Jane, en montrant les marques, est-ce que cela ne fait pas bien voir sa malice ? Nous aurons de belle besogne avec elle. Je hais ces vilains nègres... si dégoûtants, pouah ! je m'étonne que monsieur l'ait achetée. »

Topsy écoutait ces commentaires dont elle était l'objet avec son air dolent et sournois ; seulement ses yeux vifs et perçants se portaient à chaque instant sur les pendants d'oreille de Jane. Quand elle fut complètement vêtue, quand enfin on lui eut coupé les cheveux, miss Ophelia éprouva une certaine satisfaction, et dit qu'elle avait ainsi l'air plus chrétien qu'auparavant. Elle commença même à méditer quelque plan d'éducation.

Elle s'assit devant la jeune esclave et se mit à l'interroger.

« Quel âge avez-vous, Topsy ?

— Je sais pas, madame... (Et elle fit une grimace qui laissa voir toutes ses dents.)

— Comment, vous ne savez pas votre âge ? Personne ne vous l'a dit ? Quelle est votre mère ?

— Je n'en ai jamais eu, dit l'enfant avec une autre grimace.

— Jamais eu de mère ! que voulez-vous dire ? Où êtes-vous née ?

— Je suis jamais née, continua Topsy avec des grimaces.

— Ce n'est pas ainsi qu'il faut me répondre, mon enfant ; je ne plaisante pas avec vous : dites-moi où vous êtes née et ce qu'étaient votre père et votre mère.

— Je ne suis pas née, reprit l'enfant avec plus de fermeté, je n'ai eu ni père, ni mère, ni rien... J'ai été élevée par un spéculateur, avec une troupe d'autres... c'était la vieille mère Sue qui nous soignait. »

L'enfant était sincère : cela se voyait. Alors Jane dit en ricanant :

« Voyez ces gueux de nègres... les spéculateurs les achètent bon marché quand ils sont petits, et les vendent cher quand ils sont grands.

— Combien de temps avez-vous vécu avec votre maître et votre maîtresse ?

— Je sais pas.

— Un an ? plus ? moins ?

— Sais pas.

— Avez-vous entendu parler de Dieu, Topsy ? »

L'enfant parut étonnée et fit sa grimace habituelle.

« Savez-vous qui vous a créée ?

— Personne, j'crois, et elle se mit à rire.

— Savez-vous coudre ? demanda miss Ophelia, qui sentait la nécessité de faire des questions d'un ordre moins élevé.

— Non.

— Que savez-vous faire ? Que faisiez-vous pour vos maîtres ?

— Je sais tirer de l'eau, laver les plats, frotter les couteaux, servir le monde.

— Étaient-ils bons pour vous ?

— Je crois bien ! » fit-elle en jetant un regard défiant sur miss Ophelia.

Miss Ophelia mit un terme à cet entretien peu encourageant. Saint-Clare était appuyé sur le dos de sa chaise.

« Eh bien ! cousine, voilà un sol vierge... vous n'aurez rien à arracher ; semez-y vos idées. »

Les idées de miss Ophelia sur l'éducation, de même que toutes ses autres idées, étaient nettement déterminées. C'étaient les idées qui prévalaient, il y a cent ans, dans la Nouvelle-Angleterre. Ces idées peuvent du reste s'exprimer en peu de mots.

Apprendre aux enfants quand ils doivent parler, leur enseigner le catéchisme, la lecture, l'écriture, les fouetter quand ils mentent... Que ce système soit de beaucoup dépassé, aujourd'hui que l'on verse sur l'éducation des *torrents de lumière,* c'est possible, mais on n'en conviendra pas moins que nos grand-mères, avec ce régime dont tant de gens se souviennent, sont parvenues à élever des hommes et des femmes qui en valaient bien d'autres.

En tout cas, miss Ophelia ne connaissait pas d'autre système, et elle s'empressait d'appliquer celui-ci à sa petite païenne.

Topsy fut considérée comme appartenant à miss Ophelia. Celle-ci, voyant l'accueil peu gracieux que l'enfant recevait à l'office[1], résolut de borner à sa propre chambre la sphère de ses opérations.

Miss Ophelia fit donc venir Topsy dans sa chambre.

« Je vais vous montrer, Topsy, comment un lit doit être fait.

— Oui, m'ame, dit Topsy en soupirant profondément et avec une expression de tristesse lugubre.

— Regardez, Topsy, voici le haut bout du drap, voici l'envers, voici l'endroit. Vous vous rappellerez, n'est-ce pas ?

— Oui, madame, dit Topsy avec toutes les marques d'une profonde attention.

— Le drap de dessus, poursuivit miss Ophelia, doit être rabattu de cette façon, il faut le border fortement sous les pieds, le côté le plus épais du côté des pieds.

— Oui, madame. »

Ajoutons que, pendant que miss Ophelia avait tourné le dos pour joindre l'exemple au précepte, la jeune élève était parvenue à s'emparer d'une paire de gants et d'un ruban qu'elle avait adroitement coulés dans ses manches. Les mains étaient revenues promptement se croiser sur la poitrine, dans la position la plus inoffensive.

« Voyons, Topsy, comment vous ferez », dit miss Ophelia en retirant les couvertures. Et elle s'assit.

---

1. Ici, les cuisines et leurs dépendances.

Topsy s'acquitta de sa tâche avec autant d'adresse que de gravité, à la complète satisfaction de miss Ophelia. Mais un mouvement malheureux fit passer un bout de ruban qui flotta hors de la manche et attira tout à coup l'attention de miss Ophelia. Elle s'élança vers l'infortuné ruban.

« Qu'est-ce, vilaine ? méchante enfant, vous avez volé cela ! »

Le ruban tombait de la manche de Topsy ; elle ne fut cependant pas trop déconcertée... Elle le regarda avec un air d'innocence et de stupéfaction profonde.

« Quoi ! c'est le ruban de miss Phélia ? Comment a-t-il pu venir dans ma manche ?...

— Topsy, ne mentez pas, méchante créature ; vous l'avez volé.

— Missis ! cela n'est pas. Je viens de le voir à cette minute même pour la première fois.

— Topsy, reprit miss Ophelia, ne savez-vous pas que c'est très mal de mentir ?

— Je ne mens jamais, miss Phélia, reprit Topsy avec toute la gravité de la vertu. C'est la vérité que je viens de vous dire, la pure vérité !

— Topsy, vous continuez de mentir... Je vais vous faire donner le fouet.

— Hélas ! missis, vous me ferez fouetter toute la journée, que je ne pourrai pas dire autre chose..., reprit Topsy en bégayant... Je n'ai même pas vu ce ruban... Il faut qu'il se soit pris dans ma manche... Miss Phélia l'a sans doute laissé sur son lit... Voilà comme ça s'est fait. »

Ce mensonge évident indigna tellement miss Ophelia qu'elle saisit l'enfant et la secoua.

« Ne me répétez pas cela ! »

Le choc fit tomber les gants de l'autre manche.

« Eh bien ! allez-vous me dire encore que vous n'avez pas volé le ruban ? »

Topsy avoua qu'elle avait volé les gants, mais nia obstinément qu'elle eût pris le ruban.

« Eh bien ! si vous confessez tout, vous n'allez pas avoir le fouet. »

Topsy fit des aveux complets, avec toutes les marques d'une contrition[1] parfaite.

« Allons, parlez ! vous devez avoir pris autre chose encore depuis que vous êtes dans la maison... Je vous ai laissée courir hier toute la journée... dites-moi ce que vous avez fait, et vous n'aurez pas le fouet.

— Eh bien ! missis, j'ai pris la chose rouge que miss Eva porte autour du cou...

— Méchante créature ! et quoi encore ?

— J'ai pris les boucles d'oreilles de Rosa, vous savez, ses boucles rouges...

— Rapportez-moi cela tout à l'heure... tout cela, vous dis-je !

— Hélas ! m'ame, je peux pas... c'est brûlé !

---

1. Remords.

— Brûlé ! quel mensonge !... Allons, tout de suite... ou le fouet ! »

Alors, avec des protestations retentissantes, des larmes et des sanglots, Topsy déclara que cela ne se pouvait pas, que c'était brûlé, tout brûlé...

« Et pourquoi avoir brûlé ?

— Parce que je suis méchante, oui, très méchante... Je ne puis pas m'en empêcher... »

Au même instant Eva entra fort innocemment dans la chambre, son collier rouge au cou.

« Eva, où avez-vous retrouvé votre collier ?

— Retrouvé ? mais je l'ai eu toute la journée...

— Hier ?

— Hier aussi, cousine ; et, ce qui est plus drôle, je l'ai eu toute la nuit... j'ai oublié de l'ôter en me couchant. »

Miss Ophelia parut fort étonnée... Elle le fut bien davantage encore ; car au même instant Rosa entra, portant sur sa tête un panier de linge frais repassé... Les pendants de corail tintaient à ses oreilles...

« Je ne sais vraiment pas quoi faire avec cette enfant, dit miss Ophelia désespérée... Topsy, pourquoi m'avez-vous dit que vous aviez pris ?...

— Missis m'avait dit d'avouer... je n'avais pas autre chose à avouer, dit Topsy en se frottant les yeux.

— Mais je ne voulais pas vous faire avouer des choses que vous n'avez pas faites... c'est encore mentir.

— Vraiment ! c'est encore mentir ? dit Topsy d'un air de parfaite innocence.

— Il n'y a pas un brin de vérité dans cette espèce, dit Rosa en regardant Topsy avec indignation... Si j'étais M. Saint-Clare, je la ferais fouetter jusqu'au sang... ça lui apprendrait.

— Non, non, Rosa, dit Evangéline d'un ton de commandement qu'elle savait prendre quelquefois... il ne faut pas parler ainsi... Je ne veux pas entendre parler ainsi.

— Ah ! miss Eva, vous êtes trop bonne... Vous ne savez pas comment il faut agir avec les nègres... il n'y a pas d'autre moyen que de les rouer de coups... C'est moi qui vous le dis...

— Fi donc[1] ! Rosa... c'est indigne, pas un mot de plus sur ce sujet...

— Miss Eva a le sang de son père dans les veines... c'est évident, murmura-t-elle en sortant... elle soutient tout le monde... c'est tout comme son père ! »

Quand miss Ophelia s'emporta en reproches violents contre la méchante conduite de Topsy, Eva parut triste et incertaine, puis elle dit d'une voix bien douce :

« Pauvre Topsy ! qu'avez-vous besoin de voler ? Vous savez qu'on va prendre bien soin de vous... J'aimerais bien mieux vous donner tout ce que j'ai que de vous voir voler... »

C'était la première parole de bonté que Topsy eût

1. Allons donc.

jamais entendue. La douceur de cette voix, le charme de ces façons agirent étrangement sur ce cœur sauvage et indompté... et dans cet œil rond, perçant et vif, on vit briller quelque chose comme une larme. Puis on entendit un petit rire sec, et Topsy fit sa grimace habituelle. Non ! l'oreille qui n'a jamais entendu que des mots durs et cruels est nécessairement incrédule la première fois qu'elle entend une parole de tendresse ! Pour Topsy, ce que disait Evangéline était tout simplement drôle et incompréhensible. Elle n'y croyait pas !

Mais comment donc s'y prendre avec Topsy ? Miss Ophelia y perdait son latin. Son plan ne semblait guère applicable... Elle voulait avoir le temps d'y penser... et, pour avoir ce temps-là, elle enferma Topsy dans un cabinet noir. Elle croyait à l'influence morale des cabinets noirs sur les enfants !

« Je ne vois pas trop, dit-elle à Saint-Clare, comment je pourrai élever cette enfant sans lui donner le fouet !

— Eh ! fouettez-la à cœur joie... Je vous donne plein pouvoir, faites à votre guise !

— Il faut toujours fouetter les enfants, dit miss Ophelia, je n'ai jamais entendu dire qu'on pût les élever sans cela !

— C'est évident ! reprit Saint-Clare, riant en lui-même. Faites comme vous l'entendez... Je vous ferai une simple observation. J'ai vu frapper cette enfant avec la pelle à feu ; je l'ai vu assommée à coups de pincettes... enfin, avec tout ce qui leur tombait sous la main... elle est faite à tout cela ; voyez-vous, il faudra que vous la fassiez fouetter bien vigoureusement pour que cela puisse avoir quelque effet.

— Que faire alors ? C'est ce que je ne saurais dire.

— Ni moi non plus, dit Saint-Clare. Les horribles cruautés, les sévices dont on remplit parfois les journaux. On les trouve souvent dans la blâmable conduite des uns et des autres... Le maître devient de plus en plus cruel, l'esclave de plus en plus endurci. Il faut doubler la dose quand la sensibilité diminue. J'ai vu cela bien vite quand je suis devenu possesseur d'esclaves... Je résolus de ne pas commencer, parce que je ne saurais pas où finir. Je voulus du moins sauver ma moralité, à moi... Aussi mes esclaves se conduisent comme des enfants gâtés... Je crois que cela vaut mieux pour eux et pour moi que de nous endurcir et de nous dégrader tous ensemble. Vous avez beaucoup parlé de notre responsabilité dans l'éducation, cousine... J'avais véritablement besoin de vous voir essayer avec une enfant qui n'est, après tout, qu'un échantillon de mille autres.

— Je ne puis pas vous remercier de l'expérience, mais je vois là un devoir ; je persévérerai, et je tâcherai de faire de mon mieux. »

Miss Ophelia se mit résolument à la tâche : elle eut du zèle, elle eut de l'énergie, elle fixa l'ordre et l'heure du travail ; elle entreprit de lui apprendre à lire et à coudre.

La lecture marcha assez bien. Topsy apprit ses

lettres, que c'était une merveille... elle lut bientôt couramment... la couture offrit plus de difficultés. Souple comme un chat, remuante comme un singe, elle avait en horreur l'immobilité qu'exige ce genre de travail... elle brisait les aiguilles, les jetait par la fenêtre, ou les glissait dans les fentes du mur. Miss Ophelia avait beau se dire que de tels accidents, si répétés, ne pouvaient arriver tout seuls, jamais, malgré la plus active surveillance, elle ne pouvait la trouver en défaut.

Topsy fut bientôt remarquée dans la maison ; elle avait d'inépuisables ressources ; elle mimait, singeait et grimaçait ; elle dansait, sautait, grimpait, pirouettait, sifflait et imitait tous les cris et toutes les intonations imaginables. Aux heures de récréation, elle avait invariablement à ses trousses tous les enfants de la maison, qui la suivaient, admiratifs et étonnés. Miss Eva était elle-même comme éblouie de toute cette diablerie fantastique ; Miss Ophelia regrettait qu'Eva prît tant de goût à la société de Topsy ; elle priait Saint-Clare d'y mettre ordre.

« Ah bah ! laissez faire les enfants... Topsy ne lui fera que du bien. Le mal glisse sur le cœur d'Eva comme la rosée sur une feuille.

— Ce n'est jamais sûr. Je sais bien pour mon compte que je ne laisserais pas mes enfants jouer avec Topsy.

— Vos enfants, non, mais les miens, oui », reprit Saint-Clare.

Topsy avait d'abord été dédaignée et méprisée par les autres esclaves.

Ils comprirent bientôt qu'il fallait revenir sur son compte. On s'aperçut que ceux dont elle avait à se plaindre recevaient un châtiment qui ne se faisait jamais attendre. C'était une paire de boucles d'oreilles, c'était quelque bijou favori qu'on ne retrouvait plus. C'était un objet de toilette tout gâté... Ordonnait-on une enquête ? impossible de découvrir l'auteur du délit... Topsy était citée devant les grandes assises[1] de la cuisine... Elle parvenait toujours à établir son innocence.

On n'avait pas le moindre doute, mais on n'avait pas non plus la moindre preuve, et miss Ophelia était trop juste pour sévir sans preuves.

En un mot, Topsy fit bientôt comprendre à tout le monde qu'il fallait la laisser en repos. C'est ce que l'on fit.

Topsy avait la main habile et preste. Elle apprenait avec une étonnante vivacité tout ce qu'on voulait lui montrer. En quelques leçons elle sut faire la chambre de miss Ophelia comme celle-ci voulait qu'elle fût faite. Il était impossible de mieux tendre le drap, de mieux poser l'oreiller, de mieux balayer, épousseter, arranger, que ne faisait Topsy, quand elle le voulait ; mais par malheur elle ne voulait pas souvent.

Si miss Ophelia, après deux ou trois jours de sur-

1. Tribunal pénal qui juge des crimes. Ici, emploi comique.

veillance attentive, s'imaginait que Topsy était maintenant tout à fait dans la bonne voie, et que, s'occupant d'autres choses, elle l'abandonnât à elle-même, Topsy, pendant une heure ou deux, faisait de la chambre un vrai chaos. Au lieu de faire le lit, elle enlevait les taies d'oreiller, et, passant sa tête laineuse entre les traversins, elle se couronnait d'un bizarre diadème de plumes, qui pointaient dans toutes les directions ; elle grimpait au ciel du lit, et de là se suspendait la tête en bas ; elle étendait les draps comme un tapis dans l'appartement, elle habillait le traversin avec la camisole de nuit de miss Ophelia ; et au milieu de tout cela elle chantait, sifflait, se regardait dans la glace, se faisait des grimaces : pour tout dire, un vrai diable !

Un jour, miss Ophelia, par une négligence bien étrange chez une femme comme elle, avait oublié la clef sur son tiroir. En rentrant, elle trouva Topsy parée de son beau châle rouge en crêpe de Chine[1], qu'elle avait enroulé en turban autour de sa tête ; elle marchait devant la glace avec des airs de reine de théâtre en répétition.

« Topsy, s'écria-t-elle à bout de patience, qui vous fait donc agir ainsi ?

— Sais pas, m'ame ! c'est peut-être parce que je suis bien méchante !

— Je ne sais pas, moi, ce que je ferai de vous, Topsy.

— Faut me fouetter, m'ame ! Mon ancienne maî-

1. Tissu léger de soie ou de laine fine très prisé.

tresse me fouettait toujours ; j'ai besoin de ça pour travailler !

— Non, Topsy, je ne veux pas vous fouetter... vous pouvez très bien faire si vous voulez : pourquoi ne voulez-vous pas ?

— J'avais l'habitude d'être fouettée, m'ame ; je crois que c'est bon pour moi ! »

Miss Ophelia usait parfois de la recette ; Topsy ne manquait jamais d'entrer en convulsions... elle poussait des cris perçants, elle sanglotait, pleurait, gémissait... Une demi-heure après, perchée sur quelque saillie du balcon, entourée de la troupe des petits négrillons, elle témoignait le plus profond dédain pour tout ce qui s'était passé.

« Ah ! ah ! miss Phélia me donne le fouet... elle ne tuerait pas une mouche avec son fouet... Il fallait voir mon ancien maître comme il faisait voler la chair... il savait la manière, lui, mon ancien maître ! »

Chaque dimanche, miss Ophelia s'occupait activement de lui apprendre son catéchisme. Topsy avait, à un haut degré, la mémoire des mots, et elle récitait avec une volubilité[1] qui enchantait son institutrice.

« Quel bien pensez-vous que cela lui fasse ? disait Saint-Clare.

— Mais cela a toujours fait du bien aux enfants.

— Qu'ils comprennent ou non ?

---

1. Très grande facilité à parler vite et beaucoup.

— Oh ! les enfants ne comprennent jamais tout d'abord, mais ça leur vient en grandissant.

— Ça ne m'est pas encore venu, dit Saint-Clare, quoique je puisse dire que vous m'avez joliment fourré mes leçons dans la tête.

— Ah ! Augustin, vous aviez de grandes dispositions et vous me donniez de bien belles espérances !

— Eh bien ! est-ce que...

— Je voudrais que vous fussiez aussi bon aujourd'hui que vous l'étiez alors, Augustin.

— Je le voudrais bien aussi, cousine, allez ! Mais continuez... catéchisez Topsy ; peut-être en ferez-vous quelque chose ! »

Ainsi se poursuivit, pendant un an ou deux, l'éducation de Topsy.

Saint-Clare s'en amusait comme on s'amuse d'un perroquet ou d'un chien d'arrêt. Quand les fautes de Topsy lui fermaient tout autre asile, elle venait se réfugier derrière sa chaise, et Saint-Clare trouvait toujours le moyen de faire sa paix[1] ; elle trouvait, elle, le moyen de lui soutirer quelque monnaie pour acheter des noix ou du sucre candi qu'elle distribuait avec une inépuisable générosité aux autres enfants de la maison : car, pour être juste, nous devons dire que Topsy avait du cœur.

---

1. De plaider en sa faveur.

17

Le Kentucky

Peut-être nos lecteurs voudront-ils bien jeter un coup d'œil en arrière, revenir vers la ferme du Kentucky, à la case du père Tom, et voir un peu ce qui se passe chez ceux que nous avons depuis si longtemps négligés.

C'est le soir, les portes et les fenêtres du grand salon sont ouvertes... M. Shelby est assis dans une vaste pièce qui communique avec le salon, et qui s'étend sur toute la façade de la maison... il est à demi renversé sur une chaise, les pieds étendus sur une autre ; il fume le cigare de l'après-dîner. Mme Shelby est assise à la porte de l'appartement, elle travaille à quelque belle couture. On voit qu'elle a quelque chose sur l'esprit et qu'elle cherche l'occasion et le moment favorable pour le dire.

« Savez-vous, dit-elle enfin, que Chloe a reçu une lettre de Tom ?

— Ah ! vraiment ? Il paraît qu'il a trouvé des amis là-bas... Comment va-t-il, ce pauvre vieux Tom ?

— Il a été acheté par une excellente famille... Je crois qu'il est bien traité et qu'il n'a pas trop à faire.

— Ah ! tant mieux ! tant mieux ! Cela me fait plaisir, dit très sincèrement M. Shelby. Il ne va plus songer à revenir ici, je pense bien.

— Au contraire, il demande très vivement si on aura bientôt assez d'argent pour le racheter.

— Cela, je n'en sais rien, dit M. Shelby. Quand les affaires commencent à tourner mal, on ne sait pas où cela s'arrête.

— Mais il me semble, cher, qu'on pourrait améliorer au moins la position. Si vous vendiez les chevaux... une de vos fermes... pour payer partout.

— C'est ridicule, Emily, ce que vous dites là ! Tenez, vous êtes la plus charmante femme du Kentucky... mais vous êtes en cela comme toutes les femmes... vous n'entendez rien aux affaires...

— Ne pourriez-vous du moins m'initier un peu aux vôtres ? me donner, par exemple, la note de ce que vous devez et de ce qu'on vous doit... J'essayerais, je verrais s'il m'est possible de vous aider à économiser...

— Ne me tourmentez pas... je ne puis vous dire exactement... je sais à peu près, mais on n'arrange pas les affaires comme Chloe arrange la croûte de ses pâtés... N'en parlons plus... je vous le répète, vous n'entendez pas les affaires... »

Mme Shelby se tut et soupira un peu : bien qu'elle ne fût qu'une femme, comme disait son mari, elle avait cependant une intelligence nette, claire et pratique, et une force de caractère supérieure à son mari ; elle était beaucoup plus capable que M. Shelby ne se l'imaginait. Elle avait à cœur d'accomplir les promesses faites à Tom et à Chloe, et elle se désolait de voir les obstacles se multiplier autour d'elle.

« Ne croyez-vous pas que nous puissions en arriver là ? reprit-elle. Cette pauvre Chloe ! elle ne pense qu'à cela.

— J'en suis fâché. Nous avons fait là une promesse téméraire... Je ne suis maintenant sûr de rien ; mais ce qu'il y a de mieux à faire, c'est de prévenir Chloe... Elle s'y fera ! Tom, dans un an ou deux, aura une autre femme... et elle-même prendra quelqu'un.

— Monsieur Shelby, j'ai appris à mes gens que leur mariage est aussi sacré que le nôtre. Je ne donnerai jamais un pareil conseil à Chloe.

— Il est désolant, ma chère, que vous les ayez ainsi chargés d'une morale bien au-dessus de leur position.

— Ce n'est que la morale de la Bible, monsieur.

— Soit ! n'en parlons plus, Emily... Je n'ai rien à démêler avec vos idées religieuses... seulement, je persiste à penser qu'elles ne conviennent pas à des gens de cette condition.

— Oui ! vous avez raison... elles ne conviennent

pas à cette condition... C'est pourquoi je hais cette condition... Je vous le déclare mon ami, je me regarde comme liée par les promesses que j'ai faites à ces malheureux... Si je ne puis avoir d'argent d'une autre façon... eh bien ! je donnerai des leçons de musique. Je gagnerai assez... et je compléterai ainsi, à moi seule, la somme nécessaire.

— Je n'y consentirai jamais... Vous ne voudriez pas, Emily, vous dégrader à ce point...

— Me dégrader ! dites-vous... Je serais plus dégradée par cela que par ma promesse violée ! Non certes !

— Allons ! vous êtes toujours héroïque, mais vous ferez bien d'y réfléchir avant d'entreprendre cet œuvre de donquichottisme[1]... »

Cette conversation fut interrompue par l'apparition de la mère Chloe au bout de la véranda.

« Madame voudrait-elle voir ce lot de volailles ? »

Mme Shelby s'approcha.

« Je me demandais si madame ne serait pas bien aise d'avoir un pâté de poulet.

— Mon Dieu ! cela m'est indifférent ; faites comme vous voudrez, mère Chloe. »

Chloe tenait les poulets d'un air distrait... Il était bien évident que ce n'était pas aux poulets qu'elle songeait. Enfin, avec ce petit rire sec et bref, particulier

---

1. Référence au héros de Cervantès, Don Quichotte, homme généreux, idéaliste et irrationnel.

aux gens de race nègre quand ils s'apprêtent à faire une proposition douteuse :

« Mon dieu ! fit-elle, pourquoi donc monsieur et madame s'occupent-ils tant de gagner de l'argent... quand ils ont le moyen dans la main ?...

— Je ne vous comprends pas, fit Mme Shelby, devinant bien aux façons de Chloe qu'elle n'avait pas perdu un mot de la conversation qui venait d'avoir lieu entre elle et son mari ; je ne vous comprends pas !

— Eh mais, fit Chloe, les autres gens louent leurs nègres et gagnent de l'argent avec... Pourquoi garder à la maison tant de bouches qui mangent ?

— Eh bien, parlez, Chloe, lequel de nos esclaves nous proposez-vous de louer ?

— Proposer ! je ne propose rien, madame ! Seulement, il y a Sam qui disait qu'il y avait à Louisville[1] des fabricants qui donneraient bien quatre dollars par semaine pour quelqu'un qui saurait faire les gâteaux et la pâtisserie... Oui, madame, quatre dollars !

— Eh bien, Chloe ?

— Mais, madame, je pense qu'il est bientôt temps que Sally fasse quelque chose. Maintenant, elle en sait autant que moi, voyez-vous bien ! Et, si madame voulait me laisser aller, je gagnerais de l'argent là-bas...

— Ainsi, Chloe, vous consentiriez à quitter vos enfants ?

— Ils sont assez grands pour travailler, et Sally

1. Ville du Kentucky, sur l'Ohio.

prendrait soin de la petite... C'est un bijou, la petite ! il n'y a rien à faire après elle...

— Louisville est bien loin d'ici.

— Oh Dieu ! ça ne me fait pas peur ! c'est au bas de la rivière..., pas loin de mon vieux mari, je pense ?... »

Cette dernière partie de la réponse fut faite d'un ton interrogatif, ses yeux attachés sur Mme Shelby.

« Hélas ! Chloe, c'est à plus de cent miles de distance ! »

Chloe fut comme abattue.

« N'importe, Chloe, reprit Mme Shelby, cela vous rapprochera toujours... et tout ce que vous gagnerez sera mis de côté pour le rachat de votre mari. »

Tout à coup la face noire de Chloe rayonna !

« Oh ! madame est trop bonne ! s'écria-t-elle. Je n'ai besoin ni de souliers, ni d'habits, ni de rien ! je pourrais mettre tout de côté ! Combien y a-t-il de semaines dans l'année, madame ?

— Cinquante-deux, Chloe.

— Cinquante-deux ! à quatre dollars par semaine... combien cela fait-il ?

— Deux cent huit dollars par an.

— Ah ! vraiment ! fit Chloe d'un air ravi... Et combien me faudrait-il d'années pour...

— Quatre ou cinq ans... Mais vous n'attendrez pas cela..., j'ajouterai.

— Oh ! je ne voudrais pas que madame donnât des leçons... ni rien de pareil, monsieur a bien raison ! cela ne se peut pas... J'espère bien que personne de la famille n'en sera réduit là... tant que j'aurai des mains...

— Ne craignez rien, Chloe, reprit Mme Shelby en souriant, j'aurai soin de l'honneur de la famille... Mais quand comptez-vous partir ?

— Mais je ne comptais sur rien... Seulement Sam va descendre la rivière pour conduire des poulains... il dit qu'il m'emmènerait bien avec lui... J'ai mis mes affaires ensemble. Si madame voulait, je partirais demain matin avec Sam... Si madame voulait écrire mon passe et me donner une recommandation...

— Soit ! je vais m'en occuper. »

Mme Shelby rentra chez elle, et Chloe, ravie, courut à sa case pour faire ses préparatifs.

« Vous ne savez pas, monsieur George ? je pars demain pour Louisville, dit-elle au jeune homme qui entra dans la case, et la trouva occupée de mettre en ordre les petits effets du bébé... Je fais le paquet de Suzette, j'arrange tout. Je pars, monsieur George, je pars... Quatre dollars la semaine... et madame les mettra de côté pour racheter mon vieil homme.

— Eh bien ! en voilà une affaire... dit George. Et comment vous en allez-vous ?

— Demain matin, avec Sam. Et maintenant, monsieur George, vous allez vous asseoir là et écrire à mon pauvre homme... et lui dire tout... Vous voulez bien ?

— Certainement ! dit George. Le père Tom sera joliment content de recevoir de nos nouvelles... Je vais chercher de l'encre et du papier... Je vais lui parler des nouveaux poulains et de tout !

— Oui ! oui ! monsieur George, allez... Je vais vous avoir un morceau de poulet ou quelque autre chose... Vous ne souperez plus bien des fois avec votre pauvre mère Chloe ! »

18

L'arbre se flétrit – la fleur se fane

La vie passe jour après jour ; ainsi s'écoulèrent deux années de l'existence de notre ami Tom. Il était séparé de tout ce que son cœur aimait ; il soupirait après tout ce qu'il avait laissé derrière lui, et cependant nous ne pouvons pas dire qu'il fût malheureux.

Tom avait appris à se contenter de son sort, quel qu'il pût être. C'est la Bible qui lui avait enseigné cette doctrine ; elle lui semblait raisonnable et juste. Elle était en parfait accord avec la tendance de son âme pensive et réfléchie.

Comme nous l'avons déjà dit, George avait répondu exactement à sa lettre, et d'une belle et bonne écriture d'écolier que Tom pouvait lire, à ce qu'il disait, d'un bout de la chambre à l'autre. Cette lettre lui donnait de nombreux détails domestiques. Elle annonçait que Chloe était en location à Louisville, où, par son habileté dans tout ce qui touchait aux pâtes fines, elle gagnait beaucoup d'argent... On disait à Tom que cet argent était destiné à son rachat. Mose et Pete travaillaient bien, et le bébé trottait dans la maison, sous la surveillance de Sally en particulier, et de tout le monde en général.

La case de Tom était provisoirement fermée, mais George s'étendait, avec beaucoup d'éloquence et d'imagination, sur les embellissements et agrandissements qu'il y ferait au moment du retour de Tom.

Le style de George était net et concis ; aux yeux de Tom cette lettre était la plus magnifique composition des temps modernes... Il ne se lassait jamais de la contempler... Il tint même conseil avec Eva pour savoir comment on pourrait l'encadrer, afin de l'accrocher dans sa chambre.

L'amitié de Tom et d'Eva grandissait à mesure que l'enfant grandissait elle-même... Il serait difficile de dire quelle place elle tenait dans l'âme douce et impressionnable du fidèle serviteur. Son plus grand bonheur, c'était de satisfaire les gracieuses fantaisies d'Eva.

À cette époque de notre histoire, toute la maison de Saint-Clare est établie dans la villa du lac Pontchartrain.

La villa de Saint-Clare était un cottage comme on

en voit dans les Indes orientales[1]. Elle était entourée de légères galeries en bambous, et s'ouvrait de toutes parts sur des jardins et des parcs. Le grand salon dominait un jardin embaumé des fleurs des tropiques. Des sentiers descendaient jusqu'au bord du lac, dont la nappe argentée miroitait sous les rayons du soleil.

Evangéline et Tom étaient assis sur un siège de mousse, dans le jardin. C'était un dimanche soir. La Bible d'Eva était ouverte sur ses genoux.

« Où croyez-vous, père Tom, dit alors miss Eva, que soit située la Jérusalem nouvelle ?

— Là-haut, dans les nuages, miss Eva !

— Oh ! alors, dit Evangéline, je crois bien que je la vois. Regardez ces nuages-là, s'ils ne semblent pas de grandes portes de perles... Et voyez-vous, plus loin, mais bien plus loin, si ce n'est pas comme tout or ? »

Evangéline se leva et étendit sa petite main vers le ciel... Le rayon du soir se jouait dans sa chevelure dorée ; il versait sur ses joues un éclat qui n'était point de cette terre... et ses yeux s'attachaient vers le ciel !

« Oui, je m'en vais là, Tom, j'irai avant peu ! »

Le pauvre vieux cœur fidèle ressentit comme un choc... et Tom se rappela combien de fois, depuis six mois, il avait remarqué que les petites mains d'Evangéline devenaient plus fines, et sa peau plus transparente, et sa respiration plus courte... Il se rappela, quand elle jouait et courait dans les jardins, combien

1. Anciennes colonies néerlandaises (aujourd'hui l'Indonésie).

elle était vite fatiguée et languissante. Il avait entendu miss Ophelia parler d'une toux que les médicaments ne pouvaient guérir... Et maintenant encore les mains, les joues ardentes étaient comme brûlantes de fièvre... et cependant, la pensée qui se cachait derrière les paroles d'Eva ne s'était jamais présentée à son esprit !

La conversation de Tom et d'Eva fut interrompue par un soudain appel de miss Ophelia.

« Eva ! Eva ! comment, chère petite ! mais voilà la rosée qui tombe... il ne faut pas rester là ! »

Eva et Tom se hâtèrent de rentrer.

La vieille miss Ophelia était excellente pour les malades. Elle avait remarqué les premiers et terribles progrès de ce mal silencieux et perfide[1] qui enlève par milliers les plus chers et les plus beaux, et, avant qu'une seule fibre de la vie soit brisée, semble les marquer irrévocablement pour la mort.

Elle avait observé cette petite toux sèche, cet incarnat[2] trop vif de la joue ; et ni l'éclat des yeux ni la fiévreuse animation du visage n'avaient pu tromper sa vigilance.

Elle essaya de faire partager ses inquiétudes à Saint-Clare... Saint-Clare repoussa ses insinuations avec sa gaieté et son insouciance habituelles.

« Pas de mauvais augures[3], cousine, je les déteste !

---

1. La tuberculose.
2. Rouge clair.
3. Prédictions néfastes.

Ne voyez-vous pas que c'est la croissance ? À ce moment-là les enfants sont toujours plus faibles.

— Mais cette toux ?...

— Ce n'est rien, elle a peut-être attrapé un rhume...

— Hélas ! c'est ainsi que furent prises Elisa Jane Ellen et Maria Sanders.

— Assez de discours funèbres !... Vous autres, vieilles gens, vous devenez si sages, qu'un enfant ne peut tousser ou éternuer sans que vous ne voyiez là le désespoir ou la mort... Je ne vous demande qu'une chose : surveillez bien Eva, préservez-la de l'air du soir, ne la laissez pas trop s'échauffer au jeu... et tout ira bien. »

Ainsi parla Saint-Clare. Au fond de l'âme il se sentait inquiet. Il épiait Eva jour par jour, avec une anxiété fiévreuse... Il répétait trop souvent : « Eva est très bien... cette toux n'est rien... » Il ne la quittait presque plus ; il l'emmenait plus souvent avec lui dans ses promenades à cheval... Chaque jour il rapportait quelque boisson fortifiante, quelque recette nouvelle ; non pas, ajoutait-il, que l'enfant en eût besoin ; mais cela ne pouvait pas lui faire de mal.

Ce qui jetait dans son cœur une angoisse plus profonde, c'était cette maturité précoce et toujours croissante de l'âme et des sentiments d'Eva...

« Maman, dit-elle un jour à sa mère, pourquoi n'apprenons-nous pas à lire à nos esclaves ?...

— Quelle question ! On ne fait jamais cela.

— Pourquoi ne le fait-on pas ?

— Parce que cela ne leur servirait pas. Cela ne les ferait pas mieux travailler... et ils n'ont été créés que pour travailler.

— Mais il faut qu'ils lisent la Bible, maman, pour apprendre à connaître la volonté de Dieu.

— Ils peuvent se la faire lire tant que cela leur est nécessaire.

— Il me semble, maman, que la Bible est faite pour que chacun se la lise à soi-même... On a souvent besoin de cette lecture quand personne n'est là pour la faire.

— Eva ! vous êtes une enfant bien singulière !

— Miss Ophelia a bien appris à lire à Topsy !

— Oui, et vous voyez quel bien ça lui fait... Topsy est la plus méchante créature que j'aie jamais vue.

— Mais il y a cette pauvre Mammy... elle aime tant la Bible et serait si heureuse de pouvoir la lire ! Que fera-t-elle quand je ne pourrai plus la lire pour elle ? »

Mme Saint-Clare, tout occupée à fouiller dans ses tiroirs, répondit d'un ton distrait : « Oui, oui, sans doute ; mais vous aurez bientôt autre chose à quoi penser... quand il faudra vous habiller, aller dans le monde[1], vous n'aurez pas le temps... Voyez, ajouta-t-elle, les bijoux que je vous donnerai quand vous sortirez... ce sont ceux que je portais à mon premier bal. Je puis vous dire, Eva, que je fis sensation. »

Eva prit le coffret, elle en tira un collier de dia-

1. Fréquenter les hautes classes de la société.

mants... Ses grands yeux pensifs s'arrêtèrent un instant sur lui...

« Est-ce que cela vaut beaucoup d'argent, maman ?

— Sans doute : votre père les a envoyé chercher en France... C'est presque une fortune.

— Je voudrais en avoir le prix pour en faire ce que je voudrais.

— Et qu'en voudriez-vous faire ?

— Acheter une ferme dans les États libres, y emmener tous nos esclaves, et leur donner des maîtres pour leur apprendre à lire et à écrire.

— Tenir une pension... ah ! ah ! ah !... Vous leur apprendriez aussi à jouer du piano et à peindre sur velours ?

— Je leur apprendrais à lire la Bible... à lire et à écrire leurs lettres, dit Eva d'un ton calme et résolu... Je sais, maman, combien il leur est pénible d'ignorer ces choses.

— Allons, c'est bien ! Vous n'êtes qu'une enfant... Vous ne connaissez rien à tout cela... Et puis, vous me faites mal à la tête... »

Mme Saint-Clare tenait toujours un mal de tête en réserve pour le cas où la conversation n'était pas de son goût.

Eva sortit.

À partir de ce moment, elle donna très assidûment des leçons de lecture à Mammy.

19

Henrique

Ce fut vers cette époque de notre histoire qu'Alfred, le frère de Saint-Clare, vint avec son fils, jeune garçon de douze ans, passer un jour ou deux dans la villa du lac Pontchartrain.

On ne pouvait rien voir de plus étrange et de plus beau que ces deux frères jumeaux l'un près de l'autre. La nature, au lieu de les faire ressemblants, avait comme pris à tâche de n'établir entre eux que des différences.

Le fils aîné d'Alfred, Henrique, avait l'œil noir et le maintien aristocratique de son père. À peine arrivé à la villa, il se sentit comme fasciné par les attractions spirituelles de sa cousine Evangéline.

Evangéline avait un petit poney favori, blanc comme la neige.

Tom conduisait ce poney derrière la véranda au moment même où un jeune mulâtre de treize à quatorze ans amenait à Henrique un petit cheval arabe, tout noir, qu'on avait fait venir à grands frais pour lui.

Henrique était fier, comme un enfant, de sa nouvelle acquisition. Au moment de prendre les rênes des mains de son jeune groom, il examina le cheval avec soin, et sa figure s'assombrit...

« Eh bien ! Dodo, paresseux petit chien ! vous n'avez pas étrillé[1] mon cheval, ce matin ?

— Pardon, m'sieu, fit Dodo d'un ton soumis... il faut qu'il ait ramassé cette poussière.

— Taisez-vous, canaille ! dit Henrique en levant son fouet avec violence... Comment vous permettez-vous d'ouvrir la bouche ? »

Le groom[2] était un beau mulâtre aux yeux brillants, de la même taille qu'Henrique. Ses cheveux bouclés encadraient un front élevé et plein d'audace ; il avait du sang des Blancs dans les veines... On put le voir au soudain éclat de sa joue et à l'étincelle de ses yeux quand il voulut répondre...

« M'sieu Henrique ! »

À peine ouvrait-il la bouche qu'Henrique lui cingla le visage d'un coup de fouet, et, le saisissant par le

1. Frotté avec l'étrille, l'instrument qui sert à nettoyer le poil des chevaux.
2. Ici, jeune garçon qui travaille dans les écuries.

bras, il le fit mettre à genoux et le battit à perdre haleine.

« Impudent chien ! cela t'apprendra à me répliquer ! Remmenez ce cheval et pansez-le avec soin... Je vous remettrai à votre place, moi !

— Mon jeune monsieur, dit Tom, je sais ce qu'il allait vous dire : le cheval s'est roulé par terre en sortant de l'écurie... il est si ardent !... C'est comme cela qu'il a attrapé toute cette poussière... j'assistais à son pansage.

— Vous, silence ! jusqu'à ce qu'on vous interroge. »

Il tourna sur ses talons et fit quelques pas vers Eva, qui se tenait debout, en habit de cheval.

« Je regrette, cousine, que ce stupide drôle vous ait fait attendre... Veuillez vous asseoir... il va revenir à l'instant... Qu'avez-vous donc, cousine ? Vous semblez triste !

— Comment avez-vous pu être si cruel et si méchant envers ce pauvre Dodo ?

— Cruel ! méchant ! reprit l'enfant avec une surprise toute naïve. Qu'entendez-vous par là, chère Eva ?

— Je ne veux pas que vous m'appeliez chère Eva quand vous vous conduisez ainsi.

— Chère cousine, vous ne connaissez pas Dodo ! Il n'y a pas d'autre moyen d'en avoir raison ; il est si plein de mensonge et de détours !

— Mais le père Tom dit que c'est un accident... et Tom ne dit jamais que ce qui est vrai.

— Alors, c'est un vieux nègre bien rare dans son espèce... Dodo va mentir dès qu'il va pouvoir parler.

— Vous le rendez fourbe par terreur, en le traitant ainsi...

— Allons, Eva, vous avez un caprice pour Dodo ; je vous préviens que je vais être jaloux...

— Mais vous venez de le battre, et il ne le méritait pas.

— Cela fera compensation avec une autre fois où il le méritera sans l'être. Avec Dodo les coups ne sont jamais perdus. C'est un diable ! Mais je ne le battrai plus devant vous, si cela vous fait de la peine. »

Eva n'était certes pas satisfaite ; mais elle comprit bien qu'il serait inutile de vouloir faire partager ses sentiments à son cousin.

Dodo apparut bientôt avec les chevaux.

« Allons, Dodo, vous avez bien fait cette fois, dit-il d'un air gracieux. Venez maintenant ici, et tenez le cheval de miss Eva, tandis que je vais la mettre en selle. »

Dodo approcha, et se tint tout près du cheval d'Eva. Son visage était bouleversé, et on voyait à ses yeux qu'il avait pleuré.

Henrique, très fier de ses façons aristocratiques, de son adresse et de sa courtoisie chevaleresque, eut bientôt mis en selle sa jolie cousine, puis, rassemblant les rênes, il les lui plaça dans la main.

Mais Eva se pencha de l'autre côté du cheval, du côté où se trouvait l'esclave...

« Vous êtes un brave garçon, Dodo, lui dit-elle, je vous remercie. »

Dodo, tout surpris, leva les yeux sur ce jeune et doux visage... il se sentait venir des larmes ; le sang lui monta aux joues.

« Ici, Dodo ! » s'écria Henrique d'une voix impérieuse.

Dodo s'élança et tint le cheval pendant que son maître montait.

« Tenez, voici de l'argent pour acheter du sucre candi. » Et il lui jeta un picaillon[1].

Les deux enfants s'éloignèrent.

Dodo les suivit des yeux : l'un d'eux lui avait donné de l'argent... l'autre lui avait donné... ce qu'il désirait bien davantage : une parole dite avec bonté !

Il n'y avait que quelques mois que Dodo était séparé de sa mère. Son maître l'avait acheté dans un entrepôt d'esclaves à cause de sa belle figure.

La scène avait eu pour témoins les deux frères Saint-Clare, qui se promenaient dans le jardin.

Augustin fut indigné ; mais il se contenta de dire avec son ironie habituelle :

« J'espère, Alfred, que c'est là ce que nous pouvons appeler une éducation républicaine.

---

1. Petite pièce de monnaie.

— Henrique est un vrai diable quand le sang lui bout, répondit Alfred avec une égale ironie.

— Eh mais, vous devez approuver cela, fit Augustin assez sèchement.

— Que j'approuve ou non, je ne saurais l'empêcher. Henrique est une vraie tempête. Voilà longtemps que nous l'avons abandonné, sa mère et moi. Mais ce Dodo est un drôle, et une volée de coups de fouet ne peut pas lui faire de mal.

— Non, sans doute. C'est pour lui apprendre la première ligne du catéchisme républicain[1] : tous les hommes sont nés libres et égaux.

— Pouah ! c'est une de ces bêtises sentimentales que Jefferson[2] a pêchées en France... Il faudrait retirer cela de la circulation, maintenant.

— C'est ce que je crois, répondit Saint-Clare d'un ton significatif.

— Nous voyons assez clairement, reprit Alfred, que tous les hommes ne sont pas nés libres ni égaux... tant s'en faut ! Pour ma part, je crois qu'il y a moitié de vrai dans cette facétie républicaine. Les gens riches, instruits, bien élevés, civilisés, en un mot, doivent avoir entre eux des droits égaux. Mais pas la canaille !

— Voilà, dit Augustin, une façon chrétienne d'envisager les choses !

---

1. Façon ironique de parler du texte de la Déclaration des droits de l'homme et du citoyen votée par la Révolution française en 1789.
2. Thomas Jefferson (1743-1826), homme d'État, principal auteur de la Déclaration d'indépendance des États-Unis, président de 1801 à 1809.

— Eh ! Mon Dieu ! ni plus ni moins chrétienne que la plupart des choses de ce monde.

— C'est possible ! dit Saint-Clare.

— Enfin, Augustin, tout ce que nous disons là ne sert à rien, nous avons parcouru cette vieille route cinquante fois sans aboutir. Mais que diriez-vous d'une partie de trictrac[1] ? »

Les deux frères remontèrent sous la véranda, et s'assirent à une petite table de bambou, le casier devant eux. Pendant qu'ils rangeaient les pièces, Alfred dit :

« En vérité, Augustin, si je pensais comme vous, je ferais une chose...

— Ah ! ah ! je vous reconnais là, vous voulez toujours faire quelque chose... Eh bien ! quoi ?

— Mais, élevez et instruisez vos esclaves... comme échantillon. »

Et Alfred sourit assez dédaigneusement.

« Me dire d'élever mes esclaves, quand ils sont écrasés sous la masse des abus sociaux ! Autant vaudrait placer sur eux le mont Etna[2] et leur dire de se redresser ! Un homme ne peut rien contre la société... Pour que l'éducation fasse quelque chose, il faut que ce soit l'éducation de l'État... il faut du moins que l'État n'y mette point d'entraves !

— À vous le dé ! » dit Alfred.

---

1. Jeu de dés où l'on fait avancer des pions sur un plateau à cases triangulaires.
2. Volcan d'Italie.

Et les deux frères jouèrent silencieusement jusqu'à ce qu'ils entendissent le bruit des chevaux qui rentraient.

« Voici venir les enfants, dit Augustin en se levant ; voyez, frère, avez-vous jamais rien vu d'aussi beau ? »

C'était vraiment une charmante chose que ces deux enfants. Henrique, avec sa tête hardie, ses boucles noires et lustrées, ses yeux brillants, son rire joyeux, se penchait vers sa belle cousine. Eva portait la toque bleue et un habit de cheval de la même couleur ; l'exercice avait donné à ses joues un incarnat plus vif.

« Par le ciel ! quelle éblouissante beauté, dit Alfred... Elle fera un jour le désespoir de plus d'un cœur, je vous jure !

— Oui, le désespoir... Dieu sait que j'en ai peur », dit Saint-Clare d'une voix qui devint amère tout à coup.

Et il s'élança pour la recevoir comme elle descendait de cheval.

« Eva, chère âme ! vous n'êtes pas trop fatiguée ? dit-il en la serrant dans ses bras.

— Non, papa. »

Mais Saint-Clare sentait sa respiration courte et embarrassée... et il tremblait. Il l'emporta dans ses bras jusque sur le sofa et l'y déposa.

« Henrique ! vous devez avoir soin d'Eva, vous ne devez pas galoper si vite avec elle.

— J'en aurai soin », dit Henrique en s'asseyant auprès du sofa et en prenant la main d'Evangéline.

Eva se trouva mieux ; les deux frères reprirent leur jeu, et on laissa les enfants seuls.

« Savez-vous bien, Eva, que je suis tout triste que papa ne reste que deux jours ici ? Je vais être si longtemps sans vous voir ! Si j'étais avec vous, j'essayerais de devenir bon, de ne plus battre Dodo... Je n'ai pas l'intention de lui faire de mal... mais, vous savez, je suis si vif !... Je vous assure que je ne suis pas mauvais pour lui ! Je lui donne un picaillon de temps en temps... et vous voyez que je l'habille bien... En somme, Dodo est assez heureux.

— Vous trouveriez-vous heureux, s'il n'y avait autour de vous personne pour vous aimer ?

— Moi ? non, sans doute !

— Eh bien ! vous avez pris Dodo à ceux qui l'aimaient... et maintenant il n'a plus d'affection auprès de lui... ce bien-là, vous ne pourrez pas le lui rendre.

— Eh ! mon Dieu non, je ne puis pas... je ne puis pas l'aimer, ni moi, ni personne ici !

— Pourquoi ne pouvez-vous pas ? dit Evangéline.

— Aimer Dodo !... Que voulez-vous dire, Eva ? Il me plaît assez... mais l'aimer ! Est-ce que vous aimez vos esclaves ?

— Sans doute.

— Quelle folie !

— La Bible ne dit-elle point qu'il faut aimer tout le monde ?

— Ah ! la Bible... elle dit sans doute beaucoup de

choses... mais ces choses-là, vous savez... personne ne les fait ! personne, Eva ! »

Eva ne répondit rien... Ses yeux étaient fixes et pleins de larmes et de rêveries.

« En tout cas, reprit-elle, aimez Dodo, par égard pour moi, mon cher cousin, et soyez bon pour lui !

— Pour vous, chère, j'aimerais tout au monde, car vous êtes bien la plus aimable créature que j'aie jamais vue. »

La cloche du dîner mit fin à l'entretien.

20

Sinistres présages

Deux jours après cette petite scène, Alfred et Augustin se séparaient. Eva, que la compagnie de son jeune cousin avait un peu excitée, s'était livrée à des exercices au-dessus de ses forces ; elle commença à décliner rapidement. Saint-Clare songea donc à consulter. Il avait toujours reculé. Appeler un médecin, n'était-ce pas reconnaître la triste vérité ? Mais Eva ayant été assez mal pour garder deux jours la chambre, le médecin fut appelé.

Marie Saint-Clare n'avait pas remarqué ce déclin rapide de la force et de la santé de sa fille. Elle était absorbée par l'étude de deux ou trois maladies nouvelles, dont elle-même se croyait atteinte. Elle repoussait avec une sorte d'indignation l'idée que quelqu'un pût être malade autour d'elle. Elle était toujours certaine que, pour les autres, c'était paresse ou manque d'énergie.

Miss Ophelia avait plusieurs fois, mais toujours en vain, tenté d'éveiller ses craintes maternelles au sujet d'Eva.

Quand la maladie d'Eva devint trop visible, quand le médecin eut été appelé, Marie se jeta dans un autre extrême. Elle savait bien, disait-elle, elle en avait toujours eu le pressentiment, elle savait bien qu'elle était destinée à être la plus malheureuse des mères... Malade comme elle était, il lui faudrait voir son enfant unique et bien-aimée emportée avant elle. Et Marie tourmentait Mammy toutes les nuits, et le jour elle criait et se lamentait sur ce nouveau, sur cet affreux malheur.

« Ma chère Marie, ne parlez pas ainsi, disait Saint-Clare ; il ne faut point se désespérer tout de suite !

— Ah ! Saint-Clare, vous n'avez pas le cœur d'une mère ! vous ne pouvez pas comprendre !

— Mais Marie, le mal n'est pas sans remède.

— Je ne saurais, Saint-Clare, partager votre indifférence ; si vous ne sentez rien quand votre pauvre enfant est dans un tel état... je ne suis pas comme vous ! c'est un coup trop fort pour moi, après ce que j'ai déjà souffert. »

Marie faisait parade de son nouveau malheur et en profitait pour tourmenter tous ceux qui l'approchaient... Tout ce qu'on disait, tout ce qu'on faisait, tout ce qu'on ne faisait pas, lui démontrait, disait-elle, qu'elle était environnée de cœurs durs, d'êtres insensibles, qui ne prenaient aucun souci de ses tourments. La pauvre Eva l'entendait parfois, et elle pleurait de compassion pour les tristesses de sa mère, s'affligeant tout bas de la tourmenter ainsi.

Au bout d'une quinzaine de jours il y eut une grande amélioration. Son père, ivre de joie, disait à tout le monde qu'elle avait retrouvé sa belle santé... Seuls le médecin et miss Ophelia ne partageaient point cette mortelle sécurité. Il y avait aussi un autre cœur qui ne s'y trompait pas, c'était le pauvre petit cœur d'Eva. Elle avait une certitude calme, douce, prophétique, qu'elle était maintenant près du ciel. Et dans cette certitude même le jeune cœur trouvait un repos qui n'était troublé que par la pensée du chagrin de ceux qui l'aimaient si chèrement.

Et cependant elle éprouvait les angoisses d'une amère tendresse, quand elle songeait à tous ceux qu'elle allait laisser derrière elle, à son père surtout ! Sans peut-être s'en rendre compte bien distinctement, elle sentait pourtant qu'elle était plus dans ce cœur-là que dans tout autre. Elle aimait sa mère, mais l'égoïsme de Mme Saint-Clare l'affligeait et l'embarrassait à la fois, car elle croyait bien fort que sa mère devait toujours avoir raison... Il y avait bien quelque chose qu'elle ne pouvait pas s'expliquer ; mais elle se disait : « Après tout, c'est maman ! »... et elle l'aimait bien !

Elle regrettait aussi ces bons et fidèles esclaves pour lesquels elle était comme le rayon du soleil ! Elle avait le vague désir de faire quelque chose pour eux, de soulager, non pas seulement les siens, mais tous ceux-là qui souffraient comme eux ; et il y avait comme un pénible contraste entre l'ardeur de ses désirs et la fragilité de sa frêle enveloppe[1].

« Père Tom, disait-elle un jour en lisant la Bible, je comprends bien pourquoi Jésus a voulu mourir pour nous...

— Pourquoi ? miss Eva.

— Parce que je sens que je l'aurais voulu aussi.

— Comment ? expliquez-vous, miss Eva... je ne comprends pas.

— Je ne saurais vous expliquer ; mais sur le bateau, vous vous rappelez ? quand je vis ces pauvres créatures... les unes avaient perdu leurs maris, les autres leurs mères... il y avait des mères aussi qui pleuraient leurs petits enfants, je sentis que je mourrais avec joie si ma mort pouvait mettre fin à toutes ces misères... Oui, je voudrais mourir pour eux », reprit-elle avec une profonde émotion, en posant sa petite main fine sur la main de Tom.

Tom la regardait avec vénération. Saint-Clare appela sa fille ; elle disparut. Tom la suivait encore du regard en essuyant ses yeux.

« Il est inutile de retenir ici miss Eva, dit-il à

---

1. Image pour parler du corps, l'enveloppe terrestre de l'âme.

Mammy qu'il rencontra un instant après ; le Seigneur lui a mis sa marque sur le front.

— Oui, oui, fit Mammy en élevant ses mains vers le ciel, c'est ce que j'ai toujours dit. J'en ai bien souvent parlé à madame... Voilà que cela approche... nous le voyons bien tous... Pauvre petit agneau[1] du bon Dieu ! »

Evangéline vint en courant rejoindre son père seul sous la galerie. Elle était en robe blanche, ses cheveux blonds flottaient, ses joues étaient animées, et la fièvre, qui brûlait son sang, donnait à ses yeux un éclat surnaturel.

« Eva chérie, vous êtes mieux depuis quelques jours... N'est-ce pas que vous êtes mieux ?

— Papa, dit Eva avec fermeté, il y a bien longtemps que j'ai quelque chose à vous dire. Je veux vous le dire maintenant, avant que je sois devenue trop faible. »

Saint-Clare se sentit trembler. Eva s'assit sur ses genoux, appuya sa petite tête sur sa poitrine et lui dit :

« Il est inutile, papa, de s'occuper de moi plus longtemps. Voici venir le moment où je vous quitterai... Je m'en vais pour ne plus revenir...

— Ah, comment, ma chère petite Eva, dit Saint-Clare d'une voix qu'il voulait rendre gaie et que l'émotion rendait tremblante, vous devenez nerveuse ? Vous

---

1. À l'image du Christ, l'Agneau de Dieu, agneau mystique donné en sacrifice.

vous laissez abattre !... Il ne faut pas vous abandonner à ces sombres pensées.

— Non, père, dit Eva, il ne faut pas vous y tromper... Je ne suis pas mieux, je le vois bien... Je vais partir. Je ne suis pas nerveuse, je ne me laisse pas abattre... Si ce n'était pour vous, père, et pour ceux qui m'aiment, je serais parfaitement heureuse... Il faut que je m'en aille... bien loin, bien loin !

— Mais qu'as-tu, chère, et qui donc a rendu ce pauvre petit cœur si triste ?...

— Il y a bien des choses ici qui m'attristent, qui me semblent terribles... J'aimerais mieux être là-haut... et pourtant je ne voudrais pas vous quitter...

— Eh bien ! dites-moi ce qui vous attriste, Eva ! Dites-moi ce qui vous semble si terrible.

— Mon Dieu ! des choses qui se sont toujours faites... qui se font tous les jours... Tenez ! ce sont tous nos esclaves qui m'affligent... ils m'aiment bien, ils sont bons et tendres pour moi... je voudrais qu'ils fussent libres...

— Mais, chère petite, voyez !... est-ce qu'ils ne sont pas assez heureux chez nous ?...

— Oui, papa ; mais, s'il vous arrivait quelque chose, que deviendraient-ils ?... Il y a très peu d'hommes comme vous, papa... Mon oncle Alfred n'est pas comme vous, ni maman non plus... Papa, est-ce qu'il n'y aurait vraiment pas du tout moyen de rendre la liberté à tous les esclaves ?

— C'est bien difficile à faire, mon enfant... L'esclavage est une mauvaise chose, au jugement de bien du monde, et moi-même je le condamne... Je désirerais de tout mon cœur qu'il n'y eût plus un seul esclave sur terre ; mais le moyen d'en arriver là, je ne le connais pas !

— Papa, vous êtes si bon, vous savez si bien toucher en parlant !... Ne pouvez-vous point aller un peu dans les habitations... et essayer de persuader aux gens de faire... ce qu'il faut ? Quand je serai morte, père, vous penserez à moi... et, pour l'amour de moi, vous ferez cela... Je le ferais moi-même si je pouvais !

— Morte, Eva ?... Quand tu seras morte !... Oh ! ne me parle pas ainsi, enfant... N'es-tu pas tout ce que je possède au monde ?

— Tenez, cette pauvre Mammy aime ses enfants... je l'ai vue pleurer en parlant d'eux ! Tom aime aussi ses enfants, dont il est séparé... Ah ! père, c'est terrible de voir ces choses-là tous les jours.

— Allons, allons, cher ange ! dit Saint-Clare d'une voix pleine de tendresse, ne vous affligez plus, ne parlez plus de mourir... Je vous promets de faire ce que vous voudrez.

— Eh bien, cher père ! promettez-moi que Tom aura sa liberté aussitôt que... (Elle s'arrêta ; puis, avec un peu d'hésitation :) Aussitôt que je serai partie.

— Oui, chère, je ferai tout ce que vous me demanderez.

— Cher père, ajouta-t-elle en mettant sa joue brûlante contre la joue de son père, combien je voudrais que nous pussions nous en aller ensemble !

— Et où donc, chère ?

— Dans la demeure de notre Sauveur... C'est le séjour de la paix... de la douceur et de l'amour... »

L'enfant en parlait naïvement comme d'un lieu dont elle serait revenue.

Saint-Clare la pressa contre sa poitrine, mais il ne répondit rien.

« Vous viendrez à moi », reprit l'enfant d'une voix calme, mais pleine d'assurance.

« Oui, je vous suivrai, dit Saint-Clare... je ne vous oublierai pas... »

Cependant le soir versait autour d'eux une ombre plus solennelle. Saint-Clare ne parlait plus, mais il serrait contre son cœur cette forme frêle et charmante. Il ne voyait plus le regard profond, mais la voix venait encore à lui, pareille à la voix d'un esprit ; et alors, comme une sorte de vision du Jugement dernier, il lui sembla revoir tout le passé de sa vie, qui se levait devant ses yeux. Il entendait les prières et les cantiques de sa mère ; il sentait de nouveau ses jeunes désirs et ses aspirations vers le bien ; et puis, entre ces moments bénis et l'heure présente, il y avait les années de doute et de mondanités. Les réflexions et les sentiments se pressaient dans l'âme de Saint-Clare, mais il ne trouvait pas de paroles.

La nuit était venue... Il porta sa fille dans sa

chambre, et, quand elle fut prête pour la nuit, il renvoya les femmes, et la prenant encore une fois dans ses bras, il la berça jusqu'à ce qu'elle se fût doucement endormie.

21

La mort

La chambre à coucher d'Eva était très grande ; comme toutes les autres, elle ouvrait sur la véranda. Cette chambre communiquait d'un côté avec l'appartement de ses parents, de l'autre avec celui de miss Ophelia. Les fenêtres étaient tendues de mousseline blanche et rose. Le tapis, exécuté à Paris, était encadré de feuilles et de boutons de roses. Au milieu de la chambre, sur une petite table de bambou, on voyait un vase en marbre de Paros[1], toujours rempli de fleurs. C'était sur cette table qu'Eva plaçait ses livres, ses petits bijoux et son pupitre d'ivoire sculpté. Son père le lui avait

1. Île grecque des Cyclades, qui possédait autrefois de célèbres carrières de marbre.

donné quand il vit qu'elle voulait sérieusement apprendre à écrire.

On avait mis sur la cheminée une statuette de Jésus appelant à lui les petits enfants ; de chaque côté, des vases de marbre. C'était la joie et l'orgueil de Tom de les garnir de fleurs chaque matin.

La force trompeuse qui avait soutenu Eva pendant quelque temps s'était évanouie. On la voyait plus souvent étendue sur sa chaise longue, près de la fenêtre ouverte, ses grands yeux profonds fixés sur le lac.

C'était au milieu de l'après-midi ; sa Bible, devant elle, était à moitié ouverte... Ses doigts transparents glissaient, inattentifs, entre les feuillets du livre... Elle entendit la voix de sa mère monter sur les notes aiguës.

« Qu'est-ce encore ? un de vos méchants tours... Vous avez ravagé mes fleurs ? hein ! »

Eva entendit le bruit d'un soufflet bien appliqué.

« Las ! m'ame ! c'était pour miss Eva, dit une voix qu'Eva reconnut pour être la voix de Topsy.

— Miss Eva ! voyez la belle excuse ! elle a bien besoin de vos fleurs, méchante propre à rien ! »

Eva quitta le sofa et descendit dans la galerie.

« Ô maman ! je voudrais ces fleurs... donnez-les-moi ! je les voudrais !

— Comment ? votre chambre en est remplie.

— Je ne puis en avoir trop. Topsy, apportez-les-moi ! »

Topsy, qui s'était tenue, pendant cette scène, toute triste et la tête basse, s'approcha d'Eva et lui offrit ses fleurs... elle les lui offrit avec un regard timide et hésitant, qui était bien loin de ressembler à sa pétulance et à son effronterie ordinaires.

« Charmant bouquet ! » dit Eva en le contemplant. C'était plutôt un singulier bouquet. Il se composait d'un géranium pourpre et d'une rose blanche du Japon, avec ses feuilles lustrées.

« Topsy, vous vous y connaissez en bouquets, dit Eva, tenez, je n'ai rien dans ce vase... Je voudrais que chaque jour vous eussiez soin d'y mettre des fleurs... »

Topsy parut enchantée.

« Quelle folie ! dit Mme Saint-Clare... Qu'avez-vous besoin ?...

— Laissez, maman... Ah ! est-ce que vous aimeriez mieux qu'elle ne le fît pas ?... Dites ! l'aimeriez-vous mieux ?

— Comme vous voudrez, chère, comme vous voudrez ! Topsy, vous entendez votre jeune maîtresse. Faites ! » Topsy fit une courte révérence et baissa les yeux. Comme elle se retournait, Evangéline vit une larme qui roulait sur ses joues noires...

« Vous voyez, maman, je savais bien que Topsy voulait faire quelque chose pour moi.

— Folie ! elle ne veut que faire mal... Elle sait qu'il ne faut pas prendre les fleurs... elle les prend ! Voilà tout... mais, si cela vous plaît... soit !

— Maman, je crois que Topsy n'est plus ce qu'elle était... Elle essaye d'être bonne fille maintenant...

— Elle essayera longtemps avant de réussir, dit Marie avec un rire insouciant.

— Ah ! mère ! vous savez bien, cette pauvre Topsy ! tout a toujours été contre elle !

— Pas depuis qu'elle est ici, je pense... Si elle n'a pas été prêchée, sermonnée... en un mot, tout ce qu'il a été possible de faire !... Et elle est aussi mauvaise... et elle le sera toujours !... On ne peut rien faire d'une pareille créature.

— Hélas ! il y a tant de différence entre elle et moi : avoir été élevée comme moi, avec tant de personnes pour m'aimer, et avoir été élevée comme elle jusqu'au jour où elle est entrée chez nous !

— Vraisemblablement, dit Marie en bâillant... Dieu ! qu'il fait chaud !

— Maman, dit Eva, je voudrais faire couper de mes cheveux...

— Pourquoi ?

— Maman, c'est pour en donner à mes amis, pendant que je puis les offrir moi-même : voulez-vous bien prier la cousine de venir et de les couper ? »

Marie appela miss Ophelia, qui se trouvait dans l'autre pièce. Elle lui dit d'un ton enjoué :

« Venez, cousine, et tondez la brebis !

— Qu'est-ce ? dit Saint-Clare, qui entra tenant à la main des fruits qu'il était allé chercher pour elle.

— Papa, je priais ma cousine de couper un peu de mes cheveux... j'en ai trop, cela me fait mal à la tête... et puis je veux en donner... »

Miss Ophelia entra avec des ciseaux.

« Prenez garde ! dit Saint-Clare, ne les gâtez pas... coupez en dessous, où cela ne paraîtra pas : les boucles d'Eva sont mon orgueil.

— Oh, papa ! dit Eva d'une voix triste.

— Oui, sans doute, reprit Saint-Clare... je veux qu'elles soient très belles pour l'époque où je vous conduirai à la plantation de votre oncle, voir le cousin Henrique...

— Je n'irai jamais, papa... je vais dans un meilleur pays... »

Saint-Clare regarda tristement ces belles et longues boucles, qui, séparées de la tête de l'enfant, reposaient sur ses genoux : elle les prenait, les regardait avec émotion, les enroulait autour de ses doigts amaigris... puis regardait son père...

« Voilà bien ce que j'avais prédit, dit Marie... C'est là ce qui minait ma santé... ce qui me conduisait lentement au tombeau... quoique personne n'y prît garde... Oui, je le voyais ! Saint-Clare... vous saurez bientôt si j'avais raison...

— Et cela vous consolera sans doute », dit Saint-Clare d'un ton plein de sécheresse et d'amertume...

Marie se renversa sur son sofa et se couvrit le visage avec son mouchoir de batiste...

L'œil limpide et bleu d'Evangéline allait de l'un à l'autre avec tristesse. Il était bien évident qu'elle voyait, sentait, qu'elle appréciait toute la différence qu'il y avait entre les deux.

Elle fit un signe de la main à son père. Il vint s'asseoir auprès d'elle.

« Père, mes forces s'en vont de jour en jour. Je sais que je vais m'en aller aussi... Il y a des choses que je dois dire.

— Mon enfant, je veux bien, dit Saint-Clare, cachant ses yeux d'une main et de l'autre prenant la main d'Eva.

— Je veux voir tout notre monde ensemble... J'ai quelque chose qu'il faut que je leur dise !

— Bien ! » dit Saint-Clare d'une voix sourde.

Miss Ophelia fit prévenir, et bientôt tous les esclaves arrivèrent.

« Je vous ai fait venir, mes amis, parce que je vous aime, dit Eva ; oui, je vous aime tous, et j'ai quelque chose à vous dire dont il faudra vous souvenir... Je vais vous quitter ; dans quelques jours, vous ne me verrez plus. Je sais, dit Eva, je sais que vous m'aimez tous ! Il n'y en a pas un seul parmi vous qui n'ait toujours été bon pour moi. Je vais vous donner à tous une boucle de mes cheveux. Oui, quand vous la regarderez, pensez que je vous aimais tous... que je suis partie au ciel... et que j'espère vous y revoir !... »

Les esclaves s'agenouillaient, pleuraient.

Miss Ophelia, qui connaissait l'effet de cette scène sur la petite malade, les faisait successivement sortir dès qu'ils avaient reçu leur présent.

Il ne resta bientôt plus que Tom et Mammy.

« Tenez, père Tom, dit Eva, en voici une belle pour

vous ! Oh ! je suis bien heureuse, père Tom, de penser que je vous reverrai dans le ciel... Et vous, Mammy, chère, bonne et tendre Mammy, lui dit-elle en jetant affectueusement ses bras autour du cou de la vieille nourrice, je sais bien que vous aussi vous irez au ciel !

— Oh ! miss Eva, comment pourrai-je vivre sans vous ? » dit la fidèle créature.

Miss Ophelia poussa doucement dehors Tom et Mammy. Elle crut qu'ils étaient tous partis... Elle se retourna et aperçut Topsy.

« D'où sortez-vous ? lui dit-elle brusquement.

— J'étais là, dit Topsy en essuyant ses yeux. Oh ! Miss Eva, j'ai été une bien méchante fille... Mais n'allez-vous rien me donner, à moi ?

— Oui, oui, ma pauvre Topsy... je vais vous donner une boucle aussi. Tenez ! Chaque fois que vous la regarderez, pensez que je vous ai aimée. »

Topsy couvrit sa tête de son tablier. Miss Ophelia la fit silencieusement sortir de l'appartement... Topsy cacha la précieuse boucle dans sa poitrine.

Tout le monde était parti. Miss Ophelia ferma la porte. Pendant toute cette scène, la respectable demoiselle avait essuyé plus d'une larme. Elle redoutait vivement l'effet qu'elle pourrait avoir sur Eva.

Saint-Clare restait encore immobile.

« Papa ! » dit Eva en posant doucement sa main sur une des mains de son père.

Saint-Clare frissonna, ne trouva pas une parole et se leva.

Eva descendait la pente rapide. Le doute n'était plus permis, et les plus tendres espérances ne pouvaient s'aveugler davantage. Sa belle chambre n'était plus qu'une chambre de malade. Jour et nuit, miss Ophelia remplissait assidûment son office de garde attentive. Jamais les Saint-Clare n'avaient été plus à portée d'apprécier tout son mérite. Elle n'oubliait rien, ne négligeait rien, ne se trompait en rien. On avait bien parfois haussé les épaules à ses manies et à ses étrangetés, si différentes de cet insouciant abandon des gens du Sud ; mais il fallut bien reconnaître que, dans les circonstances présentes, la personne indispensable, c'était elle.

Tom était souvent dans la chambre d'Eva. C'était le bonheur de Tom de la poser sur un oreiller et de la promener dans ses bras, sous la galerie, et de lui chanter quelques-uns de ses vieux cantiques favoris...

Le cœur de la pauvre Mammy volait toujours vers sa chère petite maîtresse... mais c'était l'occasion qui lui manquait toujours... Mme Saint-Clare avait déclaré que, dans l'état où elle était, il lui était impossible de dormir. Vingt fois par nuit elle faisait lever Mammy pour lui frotter les pieds ou lui baigner la tête, pour lui trouver son mouchoir de poche, pour voir quel était ce bruit que l'on faisait dans la chambre d'Eva, pour abaisser un rideau parce qu'elle avait trop de lumière, ou pour le relever parce qu'elle n'en avait pas assez... Le jour, au contraire, si la bonne négresse voulait aller soigner sa favorite, Marie était mille fois ingénieuse à l'occuper ici et là, et même autour de sa personne... Des minutes volées, un coup d'œil furtif, voilà tout ce qu'elle pouvait obtenir...

« Mon devoir, disait Marie, c'est de me soigner maintenant le mieux que je puis, faible comme je suis, et avec toute la fatigue que me cause cette chère enfant...

— Ah ! ma chère, répondait Saint-Clare, je croyais que de ce côté la cousine Ophelia vous avait beaucoup soulagée.

— Vous parlez comme un homme, Saint-Clare... Une mère peut-elle être soulagée de ses inquiétudes, quand un enfant, son enfant, est dans un pareil état ? C'est égal ! personne ne sait ce que j'éprouve. Je n'ai pas votre heureuse indifférence, moi ! »

Saint-Clare souriait ; il ne pouvait s'en empêcher... et allait retrouver Eva.

Tom ne voulait plus coucher dans sa chambre ; il passait la nuit sous la galerie de la porte d'Eva, pour être debout au moindre appel.

« Père Tom, lui dit un jour miss Ophelia, quelle singulière habitude de vous coucher partout comme un chien ! Je croyais que vous étiez rangé et que vous vouliez dormir dans un lit comme un chrétien ?

— Oui, miss Ophelia, dit Tom d'un air mystérieux ; oui, sans doute, mais à présent...

— Eh bien ! quoi, à présent ?

— Plus bas, il ne faut pas que m'sieu Saint-Clare

entende... Vous savez, miss Ophelia, il faut que quelqu'un veille pour le fiancé.

— Que voulez-vous dire, Tom ?

— Vous savez ce que dit l'Écriture : "À minuit, un grand cri fut poussé... Voyez ! le fiancé arrive !" C'est ce que j'attends chaque nuit... et je ne pourrais dormir si je n'étais à portée de la voix... »

Miss Ophelia n'était ni impressionnable ni nerveuse ; mais les manières solennelles et émues du nègre la touchèrent vivement. Eva, tout l'après-midi, avait été d'une animation et d'une gaieté peu ordinaires ; elle était longtemps restée assise dans son lit, regardant ses petits bijoux et toutes ses choses précieuses, désignant celles de ses amies à qui l'on devait les offrir : elle avait eu plus d'entrain, elle avait parlé d'une voix plus naturelle... Le père avait dit, dans la soirée, qu'elle ne s'était pas encore trouvée si bien depuis sa maladie, et quand il l'embrassa, au moment de se retirer, il dit à miss Ophelia :

« Cousine ! nous la sauverons peut-être... elle est mieux ! »

Et il sortit ce soir-là le cœur plus léger.

Mais à minuit, il se fit un bruit dans la chambre ; c'était le pas de miss Ophelia : elle avait résolu de veiller toute la nuit. Elle venait d'observer ce que les gardes expérimentées appellent un changement. La porte de la galerie s'ouvrit, et Tom, qui était toujours sur le qui-vive, fut bien vite debout.

« Le médecin, Tom ! ne perdez pas une minute ! »

Puis elle traversa l'appartement et frappa à la porte de Saint-Clare :

« Cousin ! venez, je vous prie ! »

Tom revint bientôt avec le docteur. Il entra, jeta un regard sur le lit, et, comme tout le monde, garda le silence.

« Quand ce changement ? dit le docteur à l'oreille de miss Ophelia.

— Vers minuit. »

Marie, réveillée par l'arrivée du médecin, apparut tout effarée dans la chambre voisine.

« Augustin !... cousine !... Oh ! quoi ? quoi ?

— Silence ! fit Saint-Clare d'une voix rauque, la voilà qui meurt. »

Mammy entendit ces paroles ; elle courut éveiller les esclaves. Toute la maison fut bientôt sur pied ; on aperçut des lumières, on entendit le bruit des pas ; des figures inquiètes passaient et repassaient sous les longues galeries. Saint-Clare n'entendait et ne voyait rien... il ne voyait plus que le visage de son enfant.

« Oh ! disait-il, si seulement elle s'éveillait et parlait encore une fois !... (Et, se penchant vers elle :) Eva !... chère !... »

Ses grands yeux bleus se rouvrirent, un sourire passa sur ses lèvres, elle essaya de soulever sa tête et de parler.

« Me reconnais-tu, Eva ?

— Cher père... »

Et par un suprême effort elle lui jeta ses bras autour du cou.

Puis ses bras se dénouèrent et retombèrent. Saint-Clare releva la tête, il vit courir le spasme[1] mortel de l'agonie. Elle essaya de respirer, et tendit ses petites mains en avant.

« Oh ! Dieu ! que c'est terrible ! » dit l'infortuné ; et il se retourna tout égaré... et saisissant la main de Tom : « Ah !... mon ami, cela me tue ! »

Tom garda la main de son maître entre les siennes... les larmes coulaient sur son noir visage.

« Priez pour la fin de cette épreuve..., dit Saint-Clare... elle me déchire le cœur... »

L'enfant était tombée, sur l'oreiller, haletante... épuisée.

« Eva ! » dit Saint-Clare d'une voix douce.

Elle n'entendit pas.

Un radieux sourire passa sur son visage, et d'une voix entrecoupée elle murmura :

« Oh ! amour... paix ! » Puis elle poussa un soupir... et elle passa de la mort à la vraie vie.

---

1. Contraction des muscles.

22

La fin de tout ce qui est terrestre

Les statuettes et les peintures de la chambre d'Eva furent recouvertes de voiles blancs ; on n'entendait que des murmures, des soupirs et des pas furtifs...

Le petit lit était drapé de blanc, et, sous la protection de l'ange incliné, la jeune fille reposait, vêtue d'une simple robe blanche. La jeune Rosa entra doucement dans la chambre avec un panier de roses blanches. Elle s'arrêta respectueusement en apercevant Saint-Clare ; mais voyant qu'il ne prenait pas garde à elle, elle s'approcha du lit pour déposer ses fleurs autour.

La porte s'ouvrit, et Topsy, les yeux gonflés à force d'avoir pleuré, parut sur le seuil : elle tenait quelque chose sous son tablier. Rosa fit un geste de menace... Topsy entra pourtant.

« Sortez ! dit Rosa à voix basse, mais d'un ton impérieux, sortez ! vous n'avez rien à faire ici !

— Oh ! laissez-moi ! j'ai apporté une fleur si belle !... (Et elle montra un bouton de rose thé à peine entrouverte.) Laissez-moi mettre une seule fleur.

— Sortez ! dit Rosa avec plus d'énergie encore.

— Non ! qu'elle reste, dit Saint-Clare en frappant du pied ; qu'elle entre ! »

Rosa battit en retraite. Topsy s'avança et déposa son offrande aux pieds du corps... puis tout à coup, poussant un cri sauvage, elle se jeta sur le parquet le long du lit, et elle sanglota bruyamment.

Miss Ophelia accourut. Elle essaya de la relever et de lui imposer silence : ce fut en vain.

« Oh ! miss Eva, miss Eva ! Je voudrais être morte aussi... oui, je le voudrais ! »

Il y avait dans ce cri quelque chose de si poignant et de si ému, que le sang remonta au visage pâle et marbré de Saint-Clare, et pour la première fois, depuis la mort d'Eva, il sentit des larmes dans ses yeux.

« Relevez-vous, mon enfant, disait miss Ophelia d'une voix douce, miss Eva est au ciel ; c'est un ange !

— Mais je ne puis la voir, dit Topsy... je ne la reverrai jamais ! » Et elle sanglotait de nouveau.

Il y eut un moment de silence.

« Elle disait qu'elle m'aimait, reprit Topsy. Oui, elle

m'aimait ! Hélas ! hélas ! je n'ai plus personne maintenant... personne !

— C'est assez vrai, dit Saint-Clare. Mais voyons, ajouta-t-il en se tournant vers miss Ophelia, tâchez de consoler cette pauvre créature ! »

Miss Ophelia la releva avec bonté, mais avec fermeté, et la fit sortir de la chambre... et, tout en la reconduisant, elle-même pleurait.

Elle la mena dans son appartement.

« Topsy, pauvre enfant... lui disait-elle, ne vous affligez pas... je puis aussi vous aimer, moi, quoique je ne sois pas bonne comme cette chère petite enfant. Je puis vous aimer... je vous aime... et je vous aiderai à devenir une bonne fille et une chrétienne. »

Le ton de miss Ophelia disait plus que ses paroles ; ce qui disait plus encore, c'étaient ses honnêtes et vertueuses larmes, ruisselant sur son visage. Depuis ce moment, elle acquit sur l'âme de cette enfant abandonnée une influence qu'elle ne perdit jamais.

Il n'y eut plus dans la chambre que des paroles murmurées à voix basse et des pas qui glissaient silencieusement.

Ce fut le commencement des funérailles... On lut la Bible et les prières furent offertes au ciel... et Saint-Clare marcha au milieu des autres... On arriva au bout du jardin, auprès du siège de mousse, où elle venait souvent avec Tom causer, chanter et lire. C'est là qu'était creusée la petite fosse. Saint-Clare se tenait tout près, le regard perdu. Il vit descendre le cercueil.

Il entendit les paroles solennelles : « Je suis la résurrection et la vie ! Celui qui a cru en moi, fût-il mort, vivra ! » Et la terre fut rejetée et la tombe remplie... Et il ne pouvait croire que ce fût là son Eva, qui était ainsi et pour toujours ravie à ses yeux.

Tous se retirèrent, et, le cœur désolé, revinrent à cette demeure qui ne devait plus la revoir.

La chambre de Marie fut hermétiquement close. Elle s'étendit sur un lit, sanglotant et gémissant avec toutes les marques d'une invincible douleur, réclamant à chaque minute les soins de tous ses serviteurs... Elle ne leur laissait pas le temps de pleurer... Pourquoi eussent-ils pleuré ? Cette douleur était sa douleur, et elle était bien fermement convaincue que personne au monde ne savait, ne voulait et ne pouvait la ressentir comme elle.

« Saint-Clare n'a pas versé une larme ! » disait-elle. C'était vraiment étrange à quel point il avait le cœur sec et dur... Il savait pourtant combien elle souffrait !

Tom avait au fond du cœur un sentiment ému qui l'attirait toujours vers son maître. Partout où il allait, silencieux et triste, Tom le suivait. Quand il le voyait s'asseoir si pâle et si tranquille dans la chambre d'Eva, tenant ouverte devant ses yeux la petite Bible de l'enfant, sans voir une parole, une lettre du texte... il y avait pour Tom, dans ses yeux calmes, immobiles et sans larmes, plus de douleur que dans les gémissements et les lamentations de Marie.

La famille Saint-Clare retourna bientôt à la ville. À

l'âme inquiète et tourmentée d'Augustin, il fallait un de ces changements de scène qui détournent le cours des pensées... Ils quittèrent donc l'habitation... et le jardin... et le petit tombeau... et revinrent à La Nouvelle-Orléans. Saint-Clare parcourait les rues d'un air affairé... il lui fallait le bruit, le tumulte, l'agitation. Les gens qui le voyaient dans la rue, ou qui le rencontraient au café, ne s'apercevaient de la perte qu'il avait faite qu'en voyant le crêpe de son chapeau. Il était là, souriant, causant, lisant les journaux, discutant la politique ou s'intéressant au commerce... Qui donc eût pu deviner que ces dehors souriants cachaient un cœur silencieux et sombre comme un tombeau ?

23

Réunion

L'une après l'autre, les semaines s'écoulaient dans la maison de Saint-Clare, et les flots de la vie reprenaient leur cours, se refermant sur le frêle esquif[1] disparu.

Les espérances de Saint-Clare, ses intérêts, sans qu'il en eût conscience, s'étaient enlacés autour de cette enfant... C'était pour Eva qu'il soignait, qu'il embellissait sa propriété. Son temps, c'était à elle qu'il le donnait... Tout chez lui était à Eva, pour Eva ! Il ne faisait rien qui ne fût pour elle... Elle absente... il perdait à la fois et l'action et la pensée !

Saint-Clare n'avait jamais prétendu se gouverner d'après des principes religieux. Et pourtant Saint-

1. Petit bateau. Ici, image pour parler d'Eva.

Clare était devenu un autre homme... il lisait sérieusement, honnêtement, la Bible de sa petite Eva. Il avait des idées plus saines et plus pratiques sur toutes ses relations avec les esclaves... Aussitôt après son retour à Orléans, il commença, pour arriver à l'émancipation de Tom, les démarches légales qu'il devait compléter dès que les indispensables formalités seraient accomplies. De jour en jour il s'attachait davantage à l'esclave... C'est que, dans ce monde vide pour lui, rien ne semblait lui rappeler davantage la chère image d'Eva ; il voulait l'avoir constamment auprès de lui... Dédaigneux et inabordable pour tous les autres, il pensait tout haut devant Tom ! On ne s'en fût pas étonné, si l'on eût vu avec quelle affection et quel dévouement Tom suivait constamment son jeune maître.

« Eh bien ! Tom, lui dit-il, je suis en train de faire de vous un homme libre... Faites votre paquet, et préparez-vous à retourner dans le Kentucky. »

Un éclair de joie brilla sur le visage de Tom... il éleva sa main vers le ciel et s'écria : « Dieu soit béni ! » avec une sorte d'enthousiasme. Saint-Clare fut déconcerté... il ne lui plaisait pas que Tom fût si disposé à le quitter !

« Vous n'étiez pas trop malheureux ici... je ne vois pas pourquoi vous êtes si heureux de partir, dit-il d'un ton sec.

— Oh non ! maître... ce n'est pas cela ! c'est d'être un homme libre, qui fait ma joie !

— Voyons, Tom, ne pensez-vous pas que vous êtes plus heureux comme cela que si vous étiez libre ?...

— Non certainement ! m'sieu Saint-Clare, dit Tom avec une soudaine énergie, non certainement !

— Avec votre travail vous ne seriez jamais parvenu à être vêtu et nourri comme vous l'êtes chez moi...

— Je le sais bien, monsieur. Monsieur a été bien trop bon... Mais, monsieur, j'aimerais mieux une pauvre maison, de pauvres vêtements... tout pauvre ! voyez-vous... et à moi, que d'avoir bien meilleur... et à un autre. Oui, monsieur ! Est-ce que ce n'est pas naturel, m'sieu ?

— Je le pense, Tom... Aussi vous vous en irez, vous me quitterez, dans un mois, à peu près. »

Et il se leva et parcourut le salon.

« Je ne partirai pas, dit Tom, tant que mon maître sera dans la peine. Je resterai avec lui tant qu'il aura besoin de moi, tant que je pourrai lui être utile !

— Tant que je serai dans la peine, Tom ! dit Saint-Clare en regardant lentement par la fenêtre. Et quand ma peine sera-t-elle finie, comme cela ?

— Quand M. Saint-Clare sera chrétien !

— Et vous avez vraiment l'intention de rester avec moi jusqu'à ce moment-là ? dit Saint-Clare avec un demi-sourire. (Et, quittant la fenêtre, il posa sa main sur l'épaule de Tom.) Ah ! Tom ! brave et digne garçon, je ne veux pas vous garder si longtemps ; allez retrouver votre femme et vos enfants... et dites-leur que je les aime bien...

— Eh bien ! moi, je crois que ce jour-là viendra bientôt..., dit Tom avec émotion et les yeux pleins de larmes : le Seigneur a besoin de mon maître !

— Tom, vous croyez que Dieu a besoin qu'on travaille pour lui ? dit Saint-Clare en souriant.

— Quand nous travaillons pour ses créatures, nous travaillons pour Dieu », dit Tom.

Ici la conversation fut interrompue par l'arrivée de quelques visites.

Marie Saint-Clare ressentait la perte d'Eva autant qu'il lui était possible de ressentir quelque chose, et, comme elle était femme à rendre malheureux de son malheur tous ceux qui l'approchaient, les esclaves attachés à son service n'avaient que trop de raisons de regretter la jeune maîtresse dont les douces façons les avaient si souvent protégés contre la tyrannie et les égoïstes exigences de sa mère. Mammy surtout, la pauvre Mammy, dont l'âme, sevrée de toutes les tendresses de la famille, s'était consolée par l'affection de cet être charmant, Mammy n'était plus qu'un cœur brisé... Nuit et jour elle pleurait... et l'excès même de son chagrin la rendait moins habile et moins prompte... ce qui attirait une tempête d'invectives[1] sur sa tête.

Miss Ophelia ressentait aussi cette perte ; mais dans ce cœur honnête et bon la douleur portait ses fruits :

1. Paroles violentes, insultes.

elle était plus facile et plus douce, s'occupait plus activement de l'éducation de Topsy.

Un jour miss Ophelia fit appeler Topsy... Elle sortit en toute hâte, cachant quelque chose dans sa poitrine.

« Que faites-vous là, petite coquine ? Vous venez de voler quelque chose, je gage ? » dit l'impérieuse petite Rosa, qu'on avait envoyée chercher l'enfant ; et, au même instant, elle la saisit brusquement par le bras.

« Laissez-moi, miss Rosa, dit Topsy en se débarrassant d'elle, cela ne vous regarde pas !...

— Encore un de vos tours... Je vous connais ! je vous ai vue cacher quelque chose... »

Rosa la prit par le bras et voulut la fouiller.

Topsy, furieuse, frappait des mains et des pieds et combattait violemment pour ce qu'elle regardait comme son droit.

Les clameurs et le bruit de la bataille attirèrent miss Ophelia et Saint-Clare.

« Elle a volé ! disait Rosa.

— Non ! non ! vociférait Topsy avec des sanglots pleins de colère.

— N'importe ! donnez-moi cela », dit miss Ophelia d'une voix ferme.

Topsy eut un moment d'hésitation ; mais, sur une nouvelle injonction, elle tira de son sein un petit paquet enveloppé dans un de ses bas.

Miss Ophelia développa.

C'était un petit livre donné à Topsy par Eva : il contenait un verset de l'Écriture pour chaque jour de l'année ; il y avait aussi dans une feuille de papier la boucle blonde d'Eva, donnée le jour de ses mémorables adieux.

Cette vue causa une profonde émotion à Saint-Clare. Le livre était entouré d'un crêpe noir.

« Pourquoi avez-vous mis cela autour du livre ? dit-il en retirant le crêpe.

— Parce que... parce que... parce que c'était à miss Eva !... Oh ! ne le retirez pas, s'il vous plaît ! » Et s'asseyant sur le plancher et mettant son tablier sur sa tête, elle commença à sangloter violemment.

C'était quelque chose de comique et de pathétique tout à la fois. Ce vieux bas, ce livre, ce crêpe noir, cette soyeuse boucle blonde, et le fougueux désespoir de Topsy.

Saint-Clare sourit, mais dans ce sourire il y avait des larmes.

« Voyons, voyons ! ne pleurez pas ! On va tout vous rendre... (Et remettant tout ensemble, il jeta le petit paquet sur ses genoux, puis il emmena miss Ophelia dans le salon.)

— Je crois que vous finirez par en faire quelque chose, dit-il en faisant un geste avec son pouce par-dessus l'épaule. Toute âme susceptible de chagrin est capable de bien ; il ne faut pas l'abandonner...

— Elle a fait de grands progrès, dit miss Ophelia, et j'ai beaucoup d'espoir... Mais, Augustin (et elle posa sa main sur le bras de Saint-Clare), il faut que je vous demande une chose... À qui est-elle ? À vous ou à moi ?

— Eh mais, je vous l'ai donnée !

— Pas légalement... Je veux qu'elle soit à moi légalement... pour avoir le droit de l'emmener dans les États libres, afin de l'affranchir, pour que tout ce que j'ai tenté de faire ne soit pas inutile...

— Ah ! cousine ! vous avez là des projets bien subversifs. Je ne puis les encourager...

— Ne plaisantons pas... causons raison ! Tous mes efforts pour la rendre chrétienne sont bien inutiles, si je ne la sauve de l'esclavage... Si vous voulez qu'elle soit à moi, faites un bout de donation... un écrit en forme...

— Bien ! bien ! dit Saint-Clare, je le ferai... »

Et il s'assit et déplia un journal.

« Il faut le faire maintenant, dit Ophelia...

— Quelle hâte !

— Maintenant est le seul moment dont on soit maître de faire ce que l'on veut. Tenez !... voici tout ce qu'il faut... encre, plume, papier... Écrivez !... »

Saint-Clare, comme la plupart des hommes de cette nature d'esprit, ne voulait pas être poussé à bout... Il était excédé de cette rigoureuse et ponctuelle exigence de miss Ophelia...

« Mais, mon Dieu ! qu'est-ce donc ? lui dit-il ; ne vous suffit-il pas de ma parole ?...

— Eh ! je veux être sûre, dit miss Ophelia... Vous

pouvez mourir... être ruiné... et, malgré tout ce que je pourrais faire, Topsy serait vendue aux enchères...

— Allons ! vous pensez à tout... puisque je suis dans la main d'une Yankee[1], ce que j'ai de mieux à faire, c'est de m'exécuter. »

Saint-Clare écrivit l'acte rapidement ; il signa son nom en majuscules largement étalées, et termina le tout par un parafe[2] flamboyant...

« Voilà, miss Vermont ! tout y est... »

Et il lui tendit le papier.

« Brave garçon ! dit-elle en souriant ; mais ne faut-il point un témoin ?

— En effet !... mais voici... Marie ! dit-il en ouvrant la porte de la chambre de sa femme, notre cousine voudrait un autographe de vous... Mettez votre nom au bas de ceci.

— Qu'est-ce ? dit Marie en parcourant l'écrit... Oh ! ridicule ! Je croyais ma cousine trop pieuse pour se permettre ces choses-là... Mais... (et elle signa négligemment) si elle a un caprice pour cet objet, nous le lui cédons de grand cœur.

— Elle est maintenant à vous corps et âme », dit Saint-Clare en tendant le papier à sa cousine. Il retourna dans le salon et prit son journal.

Mais Ophelia, qui ne recherchait pas précisément

1. Ici, habitante de la Nouvelle-Angleterre.
2. Ici, trait de plume qui finit la signature.

la société de Marie, l'y suivit bientôt, après avoir serré son papier.

Elle s'assit et se mit à tricoter... puis tout à coup :

« Augustin, avez-vous songé à vos esclaves... en cas de mort ?

— Non !

— Alors votre indulgence à leur égard pourra bien se trouver un jour une grande cruauté... »

C'est une réflexion que Saint-Clare s'était bien souvent faite à lui-même : il répondit négligemment :

« Je compte m'en occuper un de ces jours...

— Quand ?

— Plus tard...

— Et si vous mouriez auparavant ?...

— Eh bien ! cousine, qu'est-ce à dire ?... »

Il quitta son journal et la regarda fixement.

« Me trouvez-vous des symptômes de fièvre jaune ou de choléra ?... Pourquoi me poussez-vous, avec tant de persévérance, à faire des arrangements en cas de mort ?

— En pleine vie, nous sommes dans la mort ! »

Saint-Clare se leva, rejeta le journal et marcha avec assez d'insouciance jusqu'à la porte qui s'ouvrait sur la véranda. Il voulait mettre fin à cette conversation qui lui était désagréable ; mais tout seul et machinalement il répétait ce mot, la mort !... Il s'appuya sur le balcon et regarda le jet d'eau étincelant, qui s'élançait et retombait dans le bassin.

« Il est vraiment étrange, se disait-il, qu'il y ait un

tel mot et une telle chose, et que nous l'oubliions toujours !... On vit, on est jeune, plein d'espérances, de désirs, de besoins, et le lendemain on est parti... parti sans retour, pour toujours parti !... »

Saint-Clare marcha tout pensif le long de la véranda. Il était si absorbé, que Tom fut obligé de lui rappeler que l'on avait sonné deux fois pour le thé.

Pendant le thé, Saint-Clare demeura distrait et tout pensif. Le thé fini, Marie, miss Ophelia et lui passèrent au salon sans mot dire.

Saint-Clare s'assit devant le piano ; il joua un air doux et mélancolique. On l'eût dit plongé dans une profonde rêverie... Il se parlait à lui-même avec la musique. Au bout d'un instant, Saint-Clare s'arrêta, se leva et marcha dans le salon.

« Je crois, dit-il, que je vais sortir un peu. »

Il prit son chapeau et quitta le salon.

Tom le suivit jusqu'à la porte de la cour et lui demanda s'il devait l'accompagner.

« Non, mon garçon, je serai ici dans une heure... »

Tom s'assit sous la véranda.

C'était une splendide soirée : Tom regardait le jet d'eau, dont l'écume s'argentait sous les rayons d'un magnifique clair de lune... Il pensait à sa famille et à sa maison... Il se disait que bientôt il serait libre, que bientôt il pourrait les revoir... il se disait qu'à force de travail il rachèterait sa femme et ses enfants... Et bientôt, il s'endormit.

Tom fut réveillé par un violent coup de marteau et un bruit de pas et de voix à la porte.

Il courut ouvrir... Des hommes entrèrent... Ils portaient sur une civière un corps enveloppé dans un manteau : la lumière de la lampe tombait en plein sur le visage. Tom poussa un cri perçant... Ce cri retentit dans toute la maison... Les hommes s'avancèrent, avec leur fardeau, jusqu'à la porte du salon, où miss Ophelia tricotait.

Saint-Clare était entré dans un café, pour lire un journal du soir. Une querelle s'était élevée entre deux hommes, un peu excités par la boisson. Saint-Clare et quelques autres personnes avaient voulu les séparer. Saint-Clare, en s'efforçant de désarmer un des deux hommes, avait reçu un coup de couteau dans le côté.

La maison se remplit bientôt de gémissements, de pleurs, de cris et de lamentations. Miss Ophelia fit disposer un des sofas du salon ; on étendit dessus le blessé. Saint-Clare s'était évanoui de douleur et de faiblesse, à bout de sang. Miss Ophelia lui fit respirer des sels. Il revint à lui, ouvrit les yeux.

Le médecin arriva et fit son examen. On vit bientôt, à son air, qu'il n'y avait pas d'espoir. Il n'en mit pas moins de soin à panser la blessure, assisté de miss Ophelia et de Tom. Les esclaves, désolés, se pressaient autour des portes.

« Il faut les écarter, dit le médecin. Tout dépend maintenant du repos où on le laissera. »

Saint-Clare ouvrit les yeux et regarda fixement les

malheureux êtres que miss Ophelia et le docteur s'efforçaient de faire sortir du salon. « Pauvres gens ! » dit-il, et l'on vit sur son visage l'ombre d'un remords. Adolphe refusa de sortir. La terreur l'avait complètement égaré ; il se coucha sur le parquet, et rien ne put le faire se relever. Les autres cédèrent aux instantes recommandations de miss Ophelia et se retirèrent, pensant que le salut de leur maître dépendait de leur obéissance et de leur calme.

Saint-Clare pouvait à peine parler... il avait les yeux fermés ; mais on ne devinait que trop l'amertume de ses pensées. Au bout d'un instant, il posa sa main sur la main de Tom, agenouillé auprès de lui.

« Tom ! pauvre Tom !

— Eh bien, maître ?

— Je meurs, dit Saint-Clare en lui prenant la main, priez ! »

La pâleur de la mort s'étendit sur ses traits, et avec elle, une expression de paix et de calme.

Il resta quelques instants immobile.

Il ouvrit encore les yeux. Il y eut comme une lueur de joie, de cette joie qu'on éprouve à reconnaître ceux qu'on aime... Il murmura : « Ma mère ! » Tout était fini.

24

Les abandonnés

Quand Saint-Clare eut rendu le dernier soupir, la terreur et la consternation s'emparèrent de toute la maison. Toute l'habitation retentissait de sanglots et de cris désespérés. Marie, dont les nerfs étaient affaiblis par la constante mollesse de sa vie, était bien incapable de supporter un pareil choc... Pendant l'agonie de son mari, elle sortait d'un évanouissement pour retomber dans un autre... Et celui auquel elle avait été unie par le lien mystérieux du mariage la quitta pour toujours, sans qu'ils eussent même échangé une parole d'adieu !

Miss Ophelia, avec la force et l'empire sur elle-même qui la caractérisaient, n'avait point quitté son cousin un seul instant. Elle faisait tout ce qu'il fallait faire, et, du fond de son cœur, s'unissait à ces prières tendres et passionnées, que le pauvre Tom répandait devant Dieu pour l'âme de son maître.

Les funérailles furent célébrées avec tout leur attirail de crêpes et de tentures noires... Puis reprit la vie quotidienne et revint la triste et monotone question : que faire ?

C'est à quoi songeait Marie, vêtue de longs habits de deuil, entourée d'esclaves inquiets, assise dans son moelleux fauteuil.

C'est à quoi songeait aussi miss Ophelia, dont les pensées se tournaient déjà vers sa maison du Nord.

C'est à quoi songeaient également, pleins de terreur, ces esclaves qui connaissaient le caractère tyrannique et impitoyable de la maîtresse aux mains de laquelle ils étaient tombés... ils savaient tous que l'indulgence ne venait pas de la maîtresse, mais du maître, et que, lui absent, il n'y avait plus d'obstacles protecteurs entre eux et les exigences d'une femme aigrie par la douleur.

Environ quinze jours après les funérailles, Tom, rêveur, se tenait sur le balcon ; il fut rejoint par Adolphe, abattu et désolé depuis la mort de son maître... Adolphe savait bien qu'il avait toujours déplu à Marie ; pendant que son maître vivait, il n'y prenait pas garde ; maintenant il vivait « dans la crainte et le tremblement », ne sachant pas trop ce qu'il adviendrait de lui.

Marie avait eu plusieurs conférences avec ses hommes d'affaires. Après avoir pris l'avis de son beau-frère, elle se résolut à vendre l'habitation ainsi que tous les esclaves, ne se réservant que ceux qui lui appartenaient en propre : quant à ceux-ci, elle les ramènerait avec elle chez son père.

« Savez-vous, Tom, fit Adolphe, que nous allons être tous vendus ?

— Qui vous a appris cela ?

— Je m'étais caché derrière les rideaux, quand madame a parlé avec l'homme de loi... Dans quelques jours nous allons tous passer aux enchères, Tom !

— Que la volonté de Dieu soit faite ! dit Tom en se croisant les bras et en poussant un profond soupir...

— Nous ne retrouverons jamais un pareil maître, dit Adolphe d'un ton craintif... Mais j'aime encore mieux être vendu que de rester avec madame. »

Tom se détourna : son cœur était plein... L'espérance et la liberté, la pensée lointaine de sa femme et de ses enfants s'étaient tout à coup levées devant son âme patiente, Tom serra plus étroitement ses bras contre sa poitrine... Il refoula ses larmes amères et il essaya de prier... Le pauvre esclave éprouvait maintenant un désir de liberté tellement irrésistible que plus il répétait : « Seigneur, que ta volonté soit faite ! », plus il était désespéré.

Il alla trouver miss Ophelia, qui, depuis la mort d'Eva, lui avait témoigné une bonté pleine d'égards...

« Miss Phélia, lui dit-il, M. Saint-Clare m'avait promis ma liberté... Il avait même commencé les démarches... et maintenant, si miss Phélia voulait être assez bonne pour en parler à madame... peut-être madame voudrait achever... pour se conformer au désir de M. Saint-Clare.

— Je parlerai pour vous, Tom, et de mon mieux... mais, si cela dépend de Mme Saint-Clare, je n'espère pas beaucoup ; mais, enfin, j'essayerai. »

Ceci se passait pendant que miss Ophelia faisait ses préparatifs de départ pour retourner dans le Nord. Elle se recueillit, prit son tricot, et alla dans la chambre de Marie, bien résolue à se montrer très aimable et à négocier l'affaire de Tom avec toute l'habileté de sa diplomatie.

Elle trouva Marie étendue de tout son long sur un sofa, le coude dans les oreillers. Jane, qui était allée faire des emplettes, déployait devant elle des étoffes d'un noir un peu plus clair.

« Voilà qui fera l'affaire... dit Marie en choisissant ; seulement je ne sais pas si c'est bien deuil. Qu'en pensez-vous, miss Ophelia ?

— C'est affaire de mode, j'imagine, et vous êtes meilleur juge que moi.

— Le fait est, dit Marie, que je n'ai pas une robe que je puisse mettre... Je pars la semaine prochaine, il faut bien que je me décide.

— Ah ! vous partez si tôt ?

— Oui, le frère de Saint-Clare a écrit ; il pense, comme l'homme d'affaires, qu'il faut vendre maintenant le mobilier et les esclaves... quant à la maison, on attendra une occasion favorable.

— Il y a une chose, dit miss Ophelia, dont je voulais vous parler... Augustin avait promis la liberté à Tom... il avait même commencé les premières formalités... j'espère que vous voudrez bien les faire terminer...

— C'est certainement ce que je ne ferai pas, dit aigrement Mme Saint-Clare. Tom est un des meilleurs et des plus chers de nos esclaves... Non ! non ! et puis, qu'a-t-il besoin de sa liberté ?...

— Il la désire vivement, et son maître la lui a promise...

— Eh mon Dieu ! oui, il la désire, ils la désirent tous... une race de mécontents qui veut toujours ce qu'elle n'a pas... Moi, je suis, en principe, contre l'émancipation, dans tous les cas. Gardez un nègre, il ira bien, et se conduira bien ; renvoyez-le, il sera paresseux, ne travaillera pas, s'enivrera... il deviendra très mauvais sujet : j'ai eu cent exemples de cela sous les yeux... Il n'y a pas de raison pour les affranchir !...

— Mais Tom ! il est si rangé, si pieux... si capable...

— Je n'ai pas besoin qu'on me le dise... J'en ai vu cent comme lui ; il ira bien tant qu'on le gardera... mais c'est tout.

— Eh !... quand vous le vendrez... s'il tombe entre les mains d'un mauvais maître ?

— Folies que tout cela ! Il n'y a pas un mauvais maître sur cent. Les maîtres sont bien meilleurs qu'on ne le dit... Je suis née... j'ai été élevée dans le Sud... je n'ai jamais vu un maître qui ne traitât très convenablement ses esclaves... Je ne crains rien de ce côté-là.

— Soit ! reprit avec fermeté miss Ophelia ; mais je sais qu'un des derniers désirs de votre mari, c'était de rendre la liberté à Tom ; c'était une des promesses qu'il avait faites au lit de mort de notre chère petite Eva... et je ne croyais pas que vous puissiez la violer... »

Marie, à cet appel, cacha son visage dans son mouchoir, sanglota et aspira très fortement les sels de son flacon.

« Tout le monde est contre moi, fit-elle ; on n'a d'égards pour rien... Je n'aurais pas cru que vous m'eussiez rappelé ainsi le souvenir de mes infortunes... c'est un manque d'égards... Ah ! J'ai bien du malheur ! Je n'avais qu'une fille unique... je l'ai perdue ! J'avais le mari qui me convenait... et tout le monde ne pouvait me convenir, à moi ! Mon mari m'est enlevé aussi, et vous avez assez peu de tendresse pour me rappeler ces souvenirs... quand vous voyez si bien qu'ils m'accablent ! »

Et Marie sanglota à perdre haleine et appela Mammy pour ouvrir la fenêtre, lui donner son flacon de camphre, baigner sa tête, ouvrir sa robe... Ce fut un moment de confusion dont miss Ophelia profita pour regagner son appartement.

Miss Ophelia vit bien que tout était inutile ; Mme Saint-Clare trouvait des ressources inépuisables d'arguments dans ses attaques de nerfs. Miss Ophelia prit le meilleur parti qui lui restât : elle écrivit à Mme Shelby, exposant les malheurs de Tom et réclamant une prompte assistance.

Le lendemain, Tom, Adolphe, et une demi-douzaine d'autres furent conduits au magasin des esclaves de M. Skeggs, pour y attendre le bon plaisir du marchand, qui devait en faire un lot.

25

Un magasin d'esclaves

Les esclaves furent mis, pour la nuit, dans une longue pièce où se trouvaient rassemblés beaucoup d'autres hommes de tout âge, de toute taille et de toute couleur, et d'où partaient les éclats de rire d'une gaieté hébétée.

« Ah, ah ! très bien ! continuez, garçons, continuez ! fit M. Skeggs. Mes gens sont toujours si gais !... Ah ! ciel ! Sambo, qui fait tout ce bruit ? »

Sambo était un grand nègre, qui se livrait à toutes sortes de bouffonneries qui réjouissaient fort ses compagnons.

Tom, on se l'imagine aisément, n'était pas d'humeur à partager cette gaieté ; il plaça sa malle aussi loin que possible du groupe turbulent, s'assit dessus et appuya son visage contre le mur.

Ceux qui trafiquent de la marchandise humaine s'efforcent, avec une persévérance systématique, d'entretenir parmi les esclaves une gaieté bruyante ; c'est le moyen de noyer chez eux la réflexion et de les rendre insensibles à leurs maux. Le but du commerçant, depuis le premier moment où il a pris le nègre dans les marchés du Nord pour le vendre dans les marchés du Sud, c'est de le rendre indifférent, brutal. Le trafiquant complète sa cargaison en Virginie et dans le Kentucky ; il la conduit ensuite dans quelque endroit convenable et sain, dans le but de l'engraisser. On les fait manger à discrétion, et le marchand a soin de se procurer un violon, et on les fait danser... Et celui qui ne veut pas s'amuser, celui dont les pensées se reportent trop vivement sur sa femme, sur ses enfants, sur sa maison... et qui ne peut pas être gai... on le regarde comme un sournois dangereux, et l'on fait retomber sur lui toutes les vexations que peut inventer le mauvais vouloir d'un maître cruel et sans contrôle. L'insouciance, la pétulance, la gaieté... surtout quand il y a des témoins, voilà ce que l'on veut des esclaves... On espère ainsi trouver un bon acheteur, et l'on ne craint pas d'éprouver des pertes sérieuses.

« Qu'est-ce que ce nègre fait donc là ? » dit Sambo, marchant à Tom, quand M. Skeggs eut quitté la chambre.

Sambo était noir comme l'ébène, grand, gai, parlait avec volubilité, et faisait force tours et grimaces.

« Que fais-tu là ? dit-il en s'adressant à Tom et lui donnant un coup de poing dans le côté, en manière de plaisanterie... Tu médites ?... hein !

— Je serai vendu demain aux enchères ! dit Tom tranquillement.

— Vendu aux enchères !... Ah ! ah ! garçons... en voilà une plaisanterie !... Je voudrais bien être de la partie... Eh bien, vous autres, n'est-il pas risible, celui-là ?... Eh mais, votre compagnon, celui-ci, doit-il être vendu aussi demain ? dit Sambo en posant familièrement sa main sur l'épaule d'Adolphe.

— Laissez-moi, je vous prie, dit Adolphe fièrement, et en se reculant avec un extrême dégoût.

— Ah ! comme vous êtes délicats, vous autres, nègres blancs ! On ne peut pas vous toucher, voyez-vous ça ! »

Et Sambo parodia grotesquement les façons d'Adolphe.

« En voilà, fit-il, des airs et des grâces ! On voit bien que nous avons été dans une bonne maison.

— Oui ! oui ! j'avais un maître qui vous aurait bien achetés... tout ce que vous êtes là !

— Voyez-vous ça ! Quel gentleman ça devait être !

— J'appartenais à la famille Saint-Clare, dit Adolphe d'un ton fier.

— En vérité !... eh bien ! il doit être fort heureux de se débarrasser de toi, ton maître... Il va sans doute te vendre avec un lot de porcelaines fêlées », dit Sambo ajoutant à ses paroles une grimace narquoise...

Adolphe, exaspéré de cette insulte, s'élança sur son adversaire, jurant et frappant à droite et à gauche... La troupe riait et applaudissait. Le bruit fit venir le maître.

« Qu'est-ce donc, garçons ? la paix, la paix ! » dit-il en brandissant un long fouet.

Les esclaves s'enfuirent dans toutes les directions, à l'exception de Sambo qui, comptant sur ses privilèges de bouffon reconnu, resta ferme, enfonçant sa tête dans ses épaules.

« C'est pas nous, maître, c'est pas nous !... Nous sommes bien tranquilles ! C'est les nouveaux. Ils nous tracassent. »

Le maître se tourna du côté de Tom et d'Adolphe, distribua, sans plus ample information, quelques coups de pied et quelques gourmades[1] et, après avoir ordonné à tout le monde de s'aller coucher, lui-même se retira.

Sous un dôme splendide, sur un pavé de marbre, se promènent des hommes de toutes les nations ; de tous les côtés de l'enceinte circulaire on a placé des tribunes pour les crieurs[2] et les commissaires-priseurs. Deux de ces tribunes, aux extrémités opposées de

1. Réprimandes, reproches.
2. Adjoints du commissaire-priseur, chargés de présenter les lots à vendre à la foule des acheteurs.

l'enceinte, sont occupées par de beaux et brillants parleurs qui, avec une éloquence mélangée de français[1] et d'anglais, s'efforcent de faire monter les enchères des connaisseurs ; un troisième, encore inoccupé, était au milieu d'un groupe qui attendait l'ouverture de la vente. Nous reconnaissons là les esclaves de Saint-Clare, Tom, Adolphe, et les autres. Différents spectateurs, qui vont acheter, ou ne pas acheter... se pressent autour du groupe.

« Holà ! Alfred, qui vous amène ici ? dit un élégant en frappant sur l'épaule d'un jeune homme mis avec une extrême recherche, et qui examinait Adolphe à travers un lorgnon.

— Ma foi ! j'ai besoin d'un valet... J'ai appris qu'on allait vendre les gens de Saint-Clare ; j'ai pensé que cela pourrait faire mon affaire...

— Qu'on m'y prenne, à acheter les gens de Saint-Clare... ils sont gâtés à fond, impudents comme des démons.

— Oh ! soyez tranquille !... si je les achète, ils seront bientôt corrigés, ils verront bien qu'ils ont affaire à un autre maître que Monsieur[2] Saint-Clare... Ma parole ! je vais acheter celui-ci. Sa tournure me plaît.

— Lui ! c'est un fou ! Il prendra tout ce que vous avez pour s'habiller... vous verrez !

---

1. La Louisiane fut d'abord une colonie de la France, vendue par Bonaparte à la toute nouvelle Union américaine.
2. Le mot est en français dans l'original.

— Soit ! mais monsieur verra qu'il ne peut pas être extravagant avec moi ; et il sera bientôt corrigé... je vous en donnerai des nouvelles... Je le redresserai du haut au bas !... tenez, je l'achète... c'est dit ! »

Cependant Tom était là, tout pensif, regardant tous ces visages qui se pressaient autour de lui, et se demandant lequel il voudrait appeler son maître. Tom vit bien des gens, grands, petits, gras, maigres, ronds, efflanqués, carrés, de toute sorte et de toute espèce... il vit surtout des hommes communs et grossiers, de ces hommes qui ramassent leurs semblables comme on ramasse des copeaux pour les mettre dans un panier ou les jeter au feu... sans y prendre garde ! Il ne vit pas un second Saint-Clare.

Quelques instants avant la vente, un homme court, large et trapu, dont la chemise déchiquetée bâillait sur sa poitrine, portant des pantalons sales et usés, se fraya un passage à travers la foule, en jouant des coudes, comme un homme qui va vite en besogne. Il approcha du groupe et se livra à un minutieux examen.

Tom ne l'eut pas plutôt aperçu, qu'il éprouva pour lui une invincible horreur. Ce sentiment augmentait à mesure que l'homme s'approchait de lui... Quoiqu'il fût petit, on devinait en lui une force d'athlète. Il avait la tête ronde comme une boule, de grands yeux gris-vert, ombragés de sourcils jaunâtres et touffus, des cheveux roides et rouges.

Cet homme examina notre lot d'esclaves avec beaucoup de sans-façon[1]. Il prit Tom par le menton, lui fit ouvrir la bouche pour regarder ses dents, étendre les bras pour montrer ses muscles... Il tourna autour de lui, et le fit sauter en hauteur et en largeur, pour connaître la force de ses jambes.

« Où avez-vous été élevé ? demanda-t-il d'un ton bref.

— Dans le Kentucky, répondit Tom, qui regardait autour de lui comme pour implorer du secours.

— Que faisiez-vous ?

— Je soignais la ferme.

— En voilà une histoire ! » Et il passa outre.

La vente commença.

Adolphe fut adjugé, pour une somme assez ronde, au jeune homme qui avait manifesté tout d'abord l'intention de l'acheter. Les autres esclaves de Saint-Clare passèrent à différents acquéreurs.

« À vous, garçon ! dit le vendeur à Tom. Allons ! entendez-vous ?... »

Tom monta sur le tréteau, jetant autour de lui des regards inquiets. On entendait un bruit confus, sourd, où l'on ne pouvait plus rien distinguer. Le glapissement du crieur, qui hurlait ses qualités en anglais et en français, se mêlait au tumulte des enchères des deux nations. Enfin, le marteau retentit ; on entendit sonner nette et claire la dernière syllabe du mot dollar ! C'en était fait, Tom était adjugé, il avait un maître.

---

1. Avec le plus grand mépris de la correction, des convenances.

On le vit descendre de dessus le tréteau. Le petit homme à tête ronde le saisit brutalement par une épaule, le poussa dans un coin, en lui disant d'une voix rude :

« Restez-là, vous ! »

26

La traversée

Au fond d'un bateau qui remontait la rivière Rouge, Tom était assis, les chaînes aux mains, les chaînes aux pieds... et sur le cœur un froid plus pesant que ses chaînes ! Devant ses yeux, pareils aux arbres de la rive, tous ses rêves s'étaient enfuis à jamais... et la ferme du Kentucky, et sa femme et ses enfants, et ses bons maîtres, et la maison Saint-Clare, avec ses splendeurs et son opulence, et la blonde tête d'Eva, et son regard angélique, et Saint-Clare, fier, superbe, triomphant, insouciant parfois, mais toujours bon, tout cela était parti, parti pour toujours ; et à la place, que restait-il ?

C'est là une des plus grandes misères de l'esclavage. Un nègre, au caractère sympathique, rencontre une famille distinguée ; puis il tombe brusquement entre des mains grossières et brutales.

Quand M. Simon Legree, le nouveau maître de Tom, eut acheté çà et là, à La Nouvelle-Orléans, huit esclaves, il les conduisit, les menottes aux mains, et enchaînés deux à deux, à bord du steamer *Le Pirate,* qui stationnait dans le port, tout prêt à remonter la rivière Rouge.

Legree les embarqua, le navire partit.

Alors, maître Legree, avec l'air que nous lui connaissons, voulut les passer en revue. Il s'arrêta en face de Tom. On avait fait prendre à Tom son meilleur vêtement pour la vente publique. Il avait une belle chemise empesée et des bottes cirées. Legree lui adressa la parole en ces termes :

« Levez-vous ! »

Tom se leva.

« Ôtez cela ! »

Et comme le père Tom, embarrassé par les menottes, n'allait pas assez vite à son gré, il l'aida, en arrachant brutalement le col, qu'il mit dans sa poche.

Il se dirigea ensuite vers la malle de Tom, qu'il avait d'abord eu soin de visiter ; il en tira une paire de vieux pantalons et une veste délabrée, que Tom ne mettait que quand il descendait aux écuries...

Le maître débarrassa l'esclave de ses fers, et lui montrant une sorte de niche entre les colis :

« Allez là, et mettez cela ! »

Tom obéit et revint au bout d'un instant.

« Tirez vos bottes ! »

Tom les tira.

« Tenez ! fit Legree en lui jetant une grosse paire de mauvais souliers... mettez cela ! »

Tom, malgré la rapidité de ce changement d'habit, avait pourtant fait passer sa chère Bible d'une poche à l'autre ; bien lui en prit, car M. Legree, après lui avoir remis les menottes, commença l'inspection du contenu des poches. Il en retira un mouchoir de soie qu'il prit pour lui, différentes bagatelles, trésor recueilli par Tom parce qu'il avait fait la joie d'Eva, devinrent l'objet des dédains du marchand, qui les jeta à l'eau par-dessus son épaule.

Tom, dans sa précipitation, avait oublié son livre de cantiques méthodistes ; Legree tomba dessus et le feuilleta.

« Ah ! ah ! nous sommes pieux, je crois !... Comment vous appelle-t-on ? Vous êtes de l'Église[1] hein ?

— Oui, maître, répondit Tom avec fermeté.

— Eh bien ! vous n'en serez bientôt plus... Je n'entends pas avoir chez moi de ces nègres qui chantent, qui prient et qui braillent... souvenez-vous-en et prenez-y garde ! (Et, en disant cela, il frappa violemment du pied, et darda sur Tom le regard farouche de ses yeux gris.) Je suis maintenant votre Église ! Vous entendez ? Faites comme je dis ! »

Le nègre se tut, mais il y avait en lui comme une voix

1. Vous appartenez à l'Église méthodiste.

qui répondait : « Non ! » et, comme répétés par un invisible écho, ces mots d'une vieille prophétie, que si souvent Evangéline lui avait lue, revenaient sans cesse à ses oreilles : « Ne crains rien, car je t'ai racheté, je t'ai appelé de mon nom, tu es à moi ! »

Simon Legree regarda un instant la physionomie attristée de Tom et s'éloigna. Il prit la malle de Tom, qui contenait une provision abondante de vêtements propres, et alla sur l'avant du bateau, où il fut bientôt entouré des ouvriers et employés du bord. Il vendit tout ce qu'il y avait dans la malle, et la malle elle-même.

Quand ce fut une affaire terminée, Simon revint à sa marchandise.

« Maintenant, Tom, vous voyez que je vous ai délivré de tout bagage inutile. Prenez soin de ces habits-là, vous n'êtes pas près d'en avoir d'autres. J'aime que les nègres fassent attention à leurs effets. Chez moi l'habillement dure une année. Allons ! vous tous, fit-il en se reculant d'un pas ou deux en arrière, regardez-moi ! regardez-moi dans l'œil !... bien droit !... là ! »

Et il frappait du pied à chaque mot.

Comme s'il les eût fascinés, tous les yeux se fixèrent sur son œil gris étincelant.

« Maintenant, dit-il en grossissant son énorme poing pesant, qui ressemblait assez au marteau d'un forgeron, vous voyez ce poing !... pesez-le !... »

Et il l'abattit sur la main de Tom.

« Moi, reprit-il, je n'ai aucun de ces maudits surveillants... je suis mon propre surveillant... et je vous préviens que je vois tout... Il faut emboîter le pas... droit et prompt... du moment que je parle. Avec moi, il n'y a que ce moyen-là ! Vous ne trouverez jamais chez moi la moindre douceur... je suis sans pitié. »

Le maître tourna sur ses talons... et alla boire un petit verre !

« Voilà comment je m'y prends avec mes nègres, dit-il à un homme d'une tournure distinguée, qui s'était tenu à côté de lui pendant tout ce discours. C'est mon système... mes commencements sont énergiques... il faut qu'ils sachent ce qui les attend...

— En vérité ! dit l'étranger, qui le regardait avec la curiosité d'un naturaliste[1] examinant quelque phénomène étrange.

— Oui, en vérité, reprit Simon. Je ne suis pas, moi, un de vos gentilshommes planteurs aux doigts blancs comme le lis, qui se laissent duper et voler par les damnés gérants. Voyez mes articulations ! hein ? Voyez mon poing ! Voyez-vous ça ? Là-dessus la chair est devenue dure comme la pierre, elle a durci sur les nègres... tâtez ! »

L'étranger mit son doigt à la place indiquée et dit simplement :

« C'est assez dur !... (Puis il ajouta :) L'exercice vous a sans doute fait le cœur aussi dur...

— Mon Dieu ! oui... je puis m'en vanter, dit Simon

1. Spécialiste de l'étude des sciences naturelles.

en riant aux éclats... personne ne me fait aller ni avec des cris, ni avec du savon doux, c'est un fait.

— Vous avez là un très joli assortiment !

— C'est vrai ! dit Simon. Il y a ce Tom, là-bas, il paraît que c'est un sujet rare, je l'ai payé un peu cher, pour en faire un cocher ou un directeur de travaux. Son défaut, c'est de ne pas vouloir être traité comme il faut que les nègres soient traités... mais ça lui passera... La femme jaune... dame ! elle est un peu malade, je l'ai prise pour ce qu'elle vaut... elle peut durer un an ou deux, je ne m'attache pas à épargner les nègres... Non, ma foi ! Je les use et j'en achète d'autres, c'est moins de soin et moins de dépense.

— En général, combien de temps durent-ils ? demanda l'étranger.

— Mon Dieu ! je ne sais pas trop... ça dépend de leur constitution ! Les individus robustes durent six ou sept ans, les faibles sont ruinés en deux ou trois. Dans les premiers temps, je me donnais toutes les peines du monde pour les conserver. Quand ils étaient malades, je les soignais, je leur donnais des vêtements, des couvertures, enfin tout ! Maintenant, malades ou bien portants, c'est toujours le même régime... Ça ne servait à rien... Je me donnais bien du mal et je perdais de l'argent. Maintenant, quand un nègre meurt, j'en achète un autre... Je trouve que c'est meilleur marché... et, en tout cas, bien plus commode ! »

L'étranger s'éloigna et alla s'asseoir à côté d'un autre

voyageur qui avait écouté toute cette conversation avec une indignation mal contenue.

Le bateau s'avançait, portant son fret[1] de douleurs ! Il remontait le courant fangeux[2] et agité, à travers les sinuosités abruptes et capricieuses de la rivière Rouge.

Enfin le steamer s'arrêta devant une petite ville, et Legree descendit avec sa troupe.

1. Sa cargaison, son chargement de douleurs (de peines).
2. Boueux.

27

Lieux sombres

Tom et ses compagnons se rangèrent derrière une lourde voiture, et s'avancèrent péniblement par une route malaisée.

Dans le wagon se trouvait Simon Legree.

C'était une affreuse route vraiment ; triste même pour l'homme qui, monté sur un bon cheval et le gousset[1] garni, la suivait pour aller à ses affaires. Combien plus terrible et plus triste pour ces infortunés que chacun de leurs pas éloigne pour toujours de tout ce que l'homme regrette, de tout ce que l'homme désire !

Seul Legree semblait enchanté ; de temps en temps il tirait de sa poche un flacon d'eau-de-vie.

1. Ici, petite bourse dans laquelle on met son argent.

On arrivait en vue de la plantation.

Elle avait appartenu d'abord à un gentleman riche et plein de goût, qui l'avait singulièrement embellie... Il était mort insolvable[1]. Legree s'était rendu acquéreur, et il se servait de cette propriété, comme il se servait de tout, pour gagner de l'argent. La plantation avait donc cet air dévasté et désolé que prend si vite la terre qui passe des mains soigneuses aux mains négligentes.

Devant la maison, ce qui jadis avait été une pelouse au gazon ras, toute pleine d'arbres d'agrément, n'était plus maintenant qu'une pièce d'herbe touffue, *émaillée* de paille, de tessons de bouteilles et de toutes sortes d'immondices. Les serres n'avaient plus de vitres à leurs châssis ; sur leurs tablettes moisies on voyait encore quelques pots à fleurs desséchées.

La voiture roula sur une allée, sablée autrefois, envahie maintenant par toutes sortes d'herbes, entre deux superbes rangées d'arbres.

La maison avait été grande et belle. Elle était bâtie dans un style que l'on rencontre assez souvent dans cette partie de l'Amérique. Elle était, de toutes parts, entourée d'une véranda de deux étages, sur laquelle s'ouvraient toutes les portes de la maison. La partie inférieure s'appuyait sur des assises de briques.

Cette maison n'en avait pas moins un air de profonde désolation. Les fenêtres étaient bouchées avec

1. État d'une personne qui ne peut plus payer ses dettes.

des planches ; quelques-unes n'avaient plus qu'un volet.

Le sol était jonché de pailles, de morceaux de bois, de débris de caisses et de barils. Trois ou quatre chiens à l'air féroce, réveillés par le bruit des roues, accouraient tout prêts à déchirer... Il fallut tout l'effort des esclaves du logis pour les empêcher de mettre en pièces Tom et ses compagnons.

« Vous voyez ce qui vous attend, dit Legree en caressant les chiens avec une satisfaction qui faisait mal à voir, et se retournant vers les esclaves... Vous voyez ce qui vous attend, si vous voulez vous enfuir... Ces chiens ont été dressés à la chasse des nègres ; ils vous avaleraient aussi aisément que leur souper... Prenez donc garde à vous ! Eh bien ! Sambo, dit-il à un individu en haillons, dont le chapeau n'avait plus de bords, et qui s'empressait autour de lui. Comment les choses ont-elles été ?

— Très bien, maître.

— Quimbo ! fit-il à un autre nègre, qui s'efforçait d'attirer son attention, vous vous êtes rappelé ce que je vous avais dit ?

— Je crois bien ! »

Ces deux Noirs étaient les principaux personnages de l'habitation ; ils avaient été *entraînés* systématiquement par Legree... Il avait voulu les rendre aussi cruels et aussi sauvages que ses bouledogues. À force de soins et d'exercices, il y était parvenu. C'était la férocité même.

Sambo et Quimbo se détestaient cordialement, et, dans la plantation, on les détestait également tous les deux... Ainsi, celui-ci par celui-là, et tous les autres par eux deux, et ces deux-là par tous les autres ! c'était une surveillance générale et complète, établie au profit de Legree. Rien ne lui échappait.

« Tenez, vous, Sambo, fit Legree, conduisez ces garçons au quartier. Voilà une femme, que j'ai achetée pour vous, ajouta-t-il, en poussant une mulâtresse vers lui. Je vous avais promis de vous en rapporter une, vous savez. »

La femme bondit et se rejeta vivement en arrière.

« Oh ! maître, j'ai laissé mon pauvre mari à La Nouvelle-Orléans.

— Eh bien, quoi ? Ne vous en faut-il pas un autre, maintenant ? Taisez-vous et filez ! »

Legree prit son fouet.

Tom ne put en entendre davantage ; il dut suivre Sambo.

Les quartiers[1] formaient une sorte de rue bordée de huttes grossières, à une certaine distance de l'habitation. C'était d'un aspect sombre, triste et dégoûtant. Tom se sentait défaillir. Il se réjouissait déjà à la pensée d'une petite case, bien simple sans doute, mais qu'il aurait pu rendre tranquille et calme, où il aurait eu une planchette enfin pour mettre sa Bible, une

1. Les bâtiments affectés aux esclaves pour y vivre.

petite retraite où venir penser, après les rudes heures du travail ; il entra dans plusieurs huttes. Ce n'était que des abris... Pour tout meuble, un monceau de paille, pleine d'ordures, jetée sur l'aire ; l'aire, c'était la terre nue, battue par mille pieds !

« Laquelle de ces cases sera à moi ? dit-il à Sambo d'un ton soumis.

— Je ne sais pas... peut-être celle-ci... je crois qu'il y a encore de la place pour un. Il y a des tas de nègres dans toutes, je ne sais comment faire pour y en fourrer d'autres. »

Il était déjà tard quand le troupeau des travailleurs regagna ses misérables huttes, hommes et femmes, vêtus de haillons souillés et misérables, fort peu disposés sans doute à voir d'un bon œil les nouveaux arrivants. Les bruits qui partaient du hameau n'avaient rien de bien attrayant ; des voix gutturales et rauques se disputaient autour des moulins à main, où il fallait moudre le mauvais grain destiné au gâteau[1] du soir, triste et maigre souper ! Ils étaient dans les champs depuis l'aube, courbés vers la rude tâche sous le fouet vigilant du gardien. C'était le moment le plus terrible de la saison... l'ouvrage pressait... et on voulait tirer de chacun tout ce que chacun pouvait donner...

Pendant que la troupe défilait, Tom cherchait des yeux s'il n'apercevait pas quelque visage sociable. Les hommes étaient sombres, misérables, abrutis ; les

1. Il ne s'agit pas du tout d'un gâteau mais plutôt d'une infâme bouillie.

femmes faibles, tristes, découragées... Les forts tyrannisaient les faibles. C'était l'égoïsme brutal et grossier, dont on ne peut plus rien attendre de bon. Traités comme des bêtes, ces malheureux étaient descendus aussi bas que la nature humaine puisse tomber ! Le grincement de la roue se prolongea fort avant dans la nuit. Il y avait peu de moulins, et, comme les grands chassaient les petits, le tour de ceux-ci ne vint que bien tard.

« Or çà ! dit Sambo allant vers la mulâtresse et jetant devant elle un sac de maïs, quel diable de nom avez-vous ?

— Lucy.

— Eh bien ! Lucy, vous voilà maintenant ma femme ; faut moudre ce grain-là et me faire mon souper : vous entendez ?

— Je ne suis pas votre femme et ne veux pas l'être, dit Lucy avec le soudain et brûlant courage du désespoir. Allez-vous-en !

— Des coups de pied, alors ! fit Sambo avec un geste de menace.

— Tuez-moi, si vous voulez... le plus tôt sera le mieux... Je voudrais être morte.

— Eh bien ! Sambo, voilà comme vous tourmentez les gens !... je le dirai à votre maître, fit Quimbo, occupé autour d'un moulin, d'où il avait chassé deux ou trois malheureuses femmes qui attendaient leur tour.

— Et moi, vieux nègre, répliqua Sambo, je vais lui

dire que vous ne voulez pas laisser approcher les femmes du moulin. Vous devez garder votre rang. »

Tom mourait de fatigue et de faim, et tombait d'épuisement.

« Tenez ! vous, dit Quimbo en lui jetant un mauvais sac de maïs ; prenez ça, nègre, et tâchez d'en avoir soin, car on ne vous en donnera pas d'autre cette semaine. »

Tom attendit longtemps avant d'avoir sa place au moulin. Touché de la faiblesse de deux pauvres femmes qui essayaient en vain de faire tourner la roue, il se mit à moudre pour elles... Il raviva le feu, où tant de gâteaux avaient déjà cuit, et il prépara son maigre souper. Tom avait fait bien peu pour ces femmes ; mais si peu que ce fût... c'était chose nouvelle pour elles ; une expression de tendresse rayonna sur leur visage. Elles-mêmes, elles voulurent préparer son gâteau et le faire cuire. Tom s'assit alors auprès du foyer et tira sa Bible... il avait besoin de consolations.

« Qu'est-ce que cela ?

— Une Bible !

— Dieu ! je n'en avais pas revue depuis le Kentucky. Lisez-m'en un peu pour voir », dit la femme en remarquant l'attention de Tom.

Tom lut :

« Venez à moi, vous tous qui souffrez et qui êtes surchargés, et je vous soulagerai.

— Voilà de bonnes paroles, dit la femme ; qui est-ce donc qui les a dites ?

— Le Seigneur », répondit Tom.

28

Cassy

Il ne fallut pas beaucoup de temps à Tom pour savoir ce qu'il avait à craindre ou à espérer de son genre de vie ; dans tout ce qu'il entreprenait, c'était un homme habile et capable. Par principe et par habitude, il était laborieux et fidèle. Tranquille et rangé, il comptait, à force de diligence[1], éloigner de lui, du moins en partie, les maux ordinaires de sa position. Il voyait assez de vexations et d'injustices pour être triste et malheureux, mais il avait pris la résolution de tout supporter avec une religieuse patience, s'en remettant à Celui dont les jugements sont conformes à la justice. Il se disait aussi que peut-être une chance de salut s'offrirait à lui.

1. Zèle, empressement, dévouement.

Legree prit note des bonnes qualités de Tom ; il le rangea tout de suite parmi les esclaves de premier choix, et pourtant il ressentait une sorte d'aversion contre lui : l'antipathie naturelle des méchants contre les bons ; il s'irrita de voir que sa violence et sa brutalité ne tombaient jamais sur le faible et le malheureux sans que Tom le remarquât. L'opinion des autres nous pénètre sans paroles, subtile comme l'atmosphère, et l'opinion d'un esclave peut gêner son maître. Legree, de son côté, était jaloux de cette tendresse d'âme et de cette commisération[1] pour le malheur, si inconnue aux esclaves, et que ceux-ci devinaient dans Tom. En achetant Tom, il avait songé que plus tard il pourrait en faire une sorte de surveillant, auquel, pendant ses absences, il confierait ses affaires. Mais, selon lui, pour ce poste, la première, la seconde et la troisième condition, c'était la dureté. Tom n'était pas dur : Legree se mit dans la tête de l'endurcir. Au bout de quelques semaines, il voulut commencer son éducation.

Un matin, comme on allait partir pour les champs, l'attention de Tom fut attirée par une nouvelle venue, dont la tournure et les façons le frappèrent.

C'était une grande femme élancée : ses mains et ses pieds étaient d'une beauté remarquable ; ses vêtements propres et décents. On pouvait lui donner de trente-cinq à quarante ans. Son visage était un de ceux qu'on n'oubliait pas dès qu'on l'avait vu.

---

1. Attendrissement, compassion pour les malheurs d'autrui.

D'où venait-elle ? Qui était-elle ? Tom l'ignorait. C'était la première fois qu'il la voyait. Elle marchait à côté de lui, fière et superbe, aux lueurs blanchissantes de l'aube.

Tom avait toujours vécu dans la bonne compagnie ; il comprit instinctivement que c'était à cette classe de la société que l'esclave devait appartenir. La femme ne lui adressa ni un regard ni une parole, bien qu'elle fît à côté de lui toute la route du village aux champs.

Tom se mit activement à l'œuvre ; mais, comme la femme ne s'était pas fort éloignée, il put la regarder de temps en temps à la dérobée. Il vit que son habileté et sa dextérité naturelles lui rendaient la tâche plus aisée qu'à beaucoup d'autres. Elle faisait vite et bien, mais dédaigneusement, et comme si elle eût également méprisé et son travail et sa condition présente.

Tom, ce jour-là, travailla à côté de la mulâtresse achetée avec lui. On voyait qu'elle souffrait beaucoup : elle tremblait et semblait à chaque instant prête à défaillir. Tom l'entendit prier. Il s'approcha d'elle sans dire une parole, et tirant de son propre sac quelques poignées de coton, il les fit passer dans le sac de la pauvre femme.

« Non ! non ! ne faites pas cela, disait la femme... cela vous attirera quelque désagrément. »

Au même moment Sambo arrivait.

Il détestait cette femme. Il brandit son fouet, et d'une voix rauque :

« Eh bien ! Lucy, je vous y prends... vous fraudez ! »

Et il lui donna un coup de pied ; il avait de grosses chaussures de cuir de vache. Quant au pauvre Tom, il lui sangla le visage d'un coup de fouet.

Tom reprit sa tâche sans rien dire ; mais la femme, épuisée, s'évanouit.

« Je vais bien la faire revenir, dit brutalement Sambo, j'ai quelque chose qui vaut mieux pour cela que le camphre... » Et prenant une épingle sur la manche de sa veste, il l'enfonça dans la chair de cette malheureuse... Elle poussa un gémissement et se leva à moitié... « Debout ! sotte bête, et travaillez !... entendez-vous ?... ou je recommence ! »

La femme parut un instant aiguillonnée par une énergie nouvelle... elle avait une force surnaturelle... elle travaillait avec l'ardeur du désespoir...

Tom brava encore une fois le danger, et mit tout son coton dans le sac de la femme.

« Non, non ! il ne faut pas, disait celle-ci ; vous ne savez pas ce qu'ils vont vous faire.

— Je suis plus capable que vous de le supporter. »

Tom retourna à sa place. Ceci fut l'affaire d'un instant.

Tout à coup l'étrangère, que son travail avait rapprochée de Tom, et qui avait entendu les derniers mots, leva sur lui ses grands yeux noirs, et, pendant une seconde, les tint fixés sur Tom ; et elle-même passa à Tom quelques poignées de son coton.

« Vous ne savez pas où vous êtes, lui dit-elle, ou vous ne feriez pas cela. Quand vous aurez été un mois ici, vous ne songerez plus à soulager personne ; ce sera assez pour vous que de prendre soin de votre peau. »

Elle s'éloigna rapidement, et le même sourire dédaigneux revint plisser ses lèvres.

Le surveillant l'avait aperçue ; il courut à elle en brandissant son fouet.

« Eh bien, eh bien ! dit-il à la femme d'un air de triomphe, vous aussi, vous fraudez !... Allons !... vous voilà en mon pouvoir maintenant... Prenez garde, ou vous verrez beau jeu[1] ! »

Un regard, un éclair, jaillit des yeux noirs de l'étrangère ; la lèvre frémissante, les narines dilatées, elle se retourna, s'approcha de Sambo, darda sur lui des regards tout brûlants de colère et de mépris.

« Chien, dit-elle, touche-moi, si tu l'oses !... J'ai encore assez de pouvoir pour te faire déchirer par les dogues, couper en morceaux et brûler vif ; je n'ai qu'un mot à dire !

— Eh bien ! alors, pourquoi diable êtes-vous ici ? reprit Sambo atterré, en faisant timidement quelques pas en arrière ; je ne veux pas vous faire de mal, miss Cassy !

— Décampez, alors... »

La femme se remit à l'ouvrage ; elle travaillait avec une rapidité prodigieuse. Tom était ébloui ; l'ouvrage se faisait comme par enchantement. Avant la fin du

---

1. « Faire beau jeu à quelqu'un » signifiait autrefois « bien le traiter ». Mais ici, menace sournoise du surveillant qui veut dire le contraire.

jour, elle avait rempli son panier jusqu'au bord. C'était tassé et empilé. Plusieurs fois cependant elle était venue au secours de Tom. Longtemps après le coucher du soleil, les esclaves, fatigués, le panier sur la tête, et marchant à la file, se rendirent aux bâtiments où le coton était pesé et emmagasiné.

Legree se livrait à une conversation fort animée avec ses deux surveillants.

« Tom va mettre le trouble ici. Je l'ai pris mettant du coton dans le panier de Lucy. Un de ces jours il persuadera aux nègres qu'ils sont maltraités, si le maître ne le surveille pas.

— Au diable le maudit Noir ! fit Legree. Il aura sa leçon, n'est-ce pas, garçons ? Le meilleur moyen de lui ôter ses mauvaises idées, c'est de le forcer à donner le fouet lui-même. Amenez-le-moi.

— Ah ! voici maintenant Lucy, la plus scélérate, la plus misérable coquine, poursuivit Sambo.

— Prenez garde, Sambo, je commence à savoir le motif de votre rancune contre Lucy.

— Eh bien ! alors, le maître sait qu'elle n'a pas voulu lui obéir, et me prendre quand il le lui a dit.

— Le fouet la fera obéir, dit Legree en crachant ; mais l'ouvrage est si pressé que ce n'est pas la peine de l'assommer maintenant !... Elle est maigre ; mais ces femmes maigres, ça se fait à moitié tuer pour agir à sa guise...

— Lucy est vraiment une mauvaise coquine, reprit

Sambo, une paresseuse qui ne veut rien faire... C'est Tom qui a travaillé pour elle.

— En vérité !... Eh bien ! il va donc aussi avoir le plaisir de la fouetter. Ce sera une bonne leçon pour lui, et puis il la ménagera plus que vous ne feriez, vous autres, maudits démons ! »

Les misérables firent entendre un rire vraiment diabolique.

« Le poids peut bien y être, dit Sambo ; Tom et miss Cassy ont rempli son panier.

— C'est moi qui pèse ! » dit Legree avec emphase.

Lentement, un à un, accablés de fatigue, les travailleurs arrivaient, et, avec une hésitation craintive, présentaient leurs paniers.

Legree tenait une ardoise sur laquelle était collée une liste de noms ; après chaque nom il ajoutait le poids.

Le panier de Tom avait le poids ; Tom jeta un regard inquiet sur la pauvre femme qu'il avait assistée.

Faible et chancelante, Lucy s'approcha et présenta son panier. Le poids y était ; Legree le vit bien, mais feignant la colère :

« Eh bien ! dit-il, paresseuse bête ! pas encore le poids !... Mettez-vous là, on s'occupera de vous tout à l'heure. »

La femme poussa un long gémissement et se laissa tomber sur un banc.

« Maintenant, Tom, venez ici », fit Legree.

Tom s'approcha.

« Vous savez, Tom, que je ne vous ai pas acheté pour faire un travail grossier : je vous l'ai dit. Je vais vous donner de l'avancement, vous conduirez les travaux ; ce soir vous commencerez à vous faire la main. Prenez cette femme et donnez-lui le fouet ; vous savez ce que c'est ; vous en avez assez vu !

— Pardon, maître. J'espère que mon maître ne va pas me mettre à cette besogne-là. Je n'ai jamais fait cela... jamais... jamais... Je ne le ferai pas... C'est impossible... tout à fait !

— Vous apprendrez bien des choses que vous ne savez pas, avant d'en avoir fini avec moi », dit Legree, en prenant un nerf de bœuf dont il frappa violemment Tom en plein visage.

Ce fut une grêle de coups.

« Eh bien ! fit-il quand il fut las de frapper, me direz-vous encore que vous ne pouvez pas ?

— Oui, maître, dit Tom en essuyant avec sa main le sang qui ruisselait sur son visage. Oui, je travaillerai jour et nuit, tant qu'il y aura en moi un souffle de vie ; mais cela jamais je ne le ferai, non... jamais ! »

Legree parut tout d'abord stupéfait, confondu ; enfin il éclata.

« Comment ! misérable bête noire ! Vous ne trouvez pas juste de faire ce que je dis ! Est-ce qu'un misérable troupeau d'animaux comme vous sait ce qui est juste ou non ?... Je mettrai bien un terme à tout cela !... Que croyez-vous donc être ?... Vous vous prenez, sans doute, pour un gentleman, monsieur Tom... Ah ! vous dites à votre maître ce qui est juste et ce qui ne l'est pas... Vous prétendez donc qu'on ne doit pas fouetter cette femme !

— Oui, maître. La pauvre créature est faible et malade... il serait cruel de la fouetter... et c'est ce que je ne ferai jamais... Si vous voulez me tuer, tuez-moi ; mais, quant à ce qui est de lever la main sur personne ici... non !... on me tuera plutôt ! »

Tom parlait toujours de sa bonne et douce voix ; mais il était facile de voir à quel point sa résolution était inébranlable. Legree tremblait de colère ; ses yeux verts étincelaient. Il contint d'abord sa violence et railla Tom avec amertume.

« Enfin, disait-il, voilà un chien dévot[1] qui tombe parmi nous autres pécheurs... Un saint... un gentleman ! qui va vouloir nous convertir... Ici, misérable ! Ah ! vous voulez vous faire passer pour un homme pieux... Vous ne connaissez donc pas la Bible, qui dit : "Serviteurs, obéissez à vos maîtres !" Ne suis-je pas votre maître ? N'ai-je pas payé douze cents dollars pour tout ce qu'il y a dans ta maudite carcasse noire ?... N'es-tu pas mien à présent, corps et âme ?... »

Et de sa botte pesante, il donna à Tom un grand coup de pied.

« Réponds-moi ! »

---

1. Pour bien marquer son mépris, Legree fait précéder le mot « dévot » (pieux, religieux) du mot « chien », injure signifiant crapule, misérable...

Tom était brisé par la souffrance physique : et pourtant cette question fit passer dans son âme comme un rayon de joie. Il se redressa de toute sa hauteur, il regarda le ciel avec un noble enthousiasme, et, pendant que sur son visage coulaient et le sang et les larmes :

« Non ! non ! mon âme n'est pas à vous, maître... vous ne l'avez pas achetée... vous ne pourriez pas la payer... Elle a été achetée et payée par quelqu'un qui est bien capable de la garder... Vous ne pouvez me faire de mal.

— Ah ! je ne puis ! dit Legree avec une infernale ironie... Nous allons voir... Sambo, Quimbo, ici !... Donnez à ce chien une telle volée de coups qu'il ne s'en relève d'ici un mois. »

Les deux gigantesques Noirs s'emparèrent de Tom. On voyait sur leur visage le triomphe de la férocité. La pauvre mulâtresse jeta un cri de douleur ; tous les esclaves se levèrent d'un même élan ; Quimbo et Sambo emmenèrent Tom qui ne résistait pas.

La nuit était fort avancée déjà. Tom, sanglant et gémissant, est étendu dans une pièce abandonnée, qui avait fait partie du magasin, au milieu des instruments brisés, du coton gâté, enfin de tout le rebut de la maison.

L'obscurité est profonde ; dans l'atmosphère épaisse bourdonnent par essaims des myriades de moustiques ; une soif brûlante, le plus cruel des supplices, comble la dernière mesure des angoisses de Tom.

« Ô Seigneur Dieu ! murmurait-il, bon Dieu ! abaissez vos regards sur moi, donnez-moi la victoire, la victoire sur tous ! »

Il entendit un bruit de pas derrière lui... une lumière brilla devant ses yeux...

« Qui est là ?... Oh ! pour l'amour de Dieu, à boire ! un peu d'eau... s'il vous plaît ! »

Cassy, c'était elle, posa sa lanterne par terre, versa de l'eau d'une bouteille, souleva la tête de Tom et lui donna à boire. Dans sa fièvre embrasée il épuisa plus d'une coupe.

Quand il eut fini de boire : « Merci ! madame, dit-il.

— Ne m'appelez pas madame ; je ne suis comme vous qu'une misérable esclave... plus misérable encore que vous ne pourrez l'être jamais... (Et sa voix devint amère.) Mais voyons, dit-elle en allant vers la porte et tirant à elle une petite paillasse sur laquelle elle avait étendu des draps imbibés d'eau fraîche, voyons, mon pauvre homme, tâchez de vous mettre là-dessus... »

Couvert de blessures et moulu de coups, Tom eut bien de la peine à exécuter le mouvement. La fraîcheur de l'eau calma ses blessures.

La femme avait souvent donné des soins aux pauvres victimes de l'esclavage. Elle était habile dans l'art de guérir. Elle pansa les blessures de Tom, qui bientôt se trouva soulagé.

Elle posa la tête du malade sur un ballot de coton en guise d'oreiller.

« Maintenant, dit-elle, c'est tout ce que je puis faire pour vous. »

Tom voulut parler, mais elle lui imposa silence par un geste impérieux.

« Ne parlez plus, mon pauvre homme... tâchez de dormir, si vous pouvez... »

Elle mit de l'eau près de lui, fit tous les petits arrangements nécessaires à la nuit d'un malade... et elle sortit.

29

Les gages de tendresse

Le salon de Simon Legree était une longue et large pièce, garnie d'une ample et vaste cheminée ; il avait été jadis tendu d'un riche et splendide papier. Ce papier, moisi, déchiré, décoloré, pendait des murs par lambeaux.

Legree se préparait un grog et versait dans sa tasse l'eau d'une bouilloire ébréchée et fêlée, en murmurant :

« Ce gueux de Sambo !... faire naître cette dispute entre moi et mes nouveaux esclaves !... Voilà maintenant Tom incapable de travailler pendant une semaine... quand l'ouvrage presse ! »

À ce moment la porte s'ouvrit. Sambo entra. Il

s'avança en faisant des saluts et en présentant quelque chose enveloppé dans un papier.

« Qu'est-ce encore, chien ?

— Un sortilège, maître.

— Un quoi ?

— Quelque chose que les nègres se procurent auprès des sorcières. Ça les empêche de sentir les coups quand ils sont fouettés... Tom avait cela attaché autour du cou, avec un ruban noir. »

Legree était superstitieux. Il prit le papier et l'ouvrit avec quelque peine.

Il en sortit un dollar d'argent, et une longue et brillante boucle de cheveux blonds. Ces cheveux, comme une chose vivante, s'enroulèrent d'eux-mêmes aux doigts de Legree.

« Damnation ! s'écria-t-il tout en fureur, frappant le sol du pied, et arrachant les cheveux de ses doigts, comme s'ils l'eussent brûlé... d'où cela vient-il ? Enlevez... emportez... Au feu ! au feu !... (Et il jeta la boucle dans le foyer.) Pourquoi m'avez-vous apporté cela ? »

Sambo restait là, bouche béante, immobile d'étonnement...

« Ne m'apportez plus jamais de ces choses du diable ! » s'écria-t-il, en montrant le poing à Sambo, qui fit une prompte retraite ; il jeta ensuite le dollar par la fenêtre.

Quand Sambo fut parti, Legree parut quelque peu honteux de cet accès de peur ; il s'assit avec une grâce de bouledogue en colère, et commença de humer son punch sans mot dire.

Qu'avait donc eu Legree ? Et qu'y avait-il dans cette simple boucle de cheveux blonds, pour faire ainsi pâlir un homme familiarisé avec toutes les formes de la cruauté ?

Pour répondre à cette question, il nous faut ramener le lecteur en arrière.

Si dur, si réprouvé, si impie que soit maintenant cet homme, il y a eu un temps où il était bercé sur le sein d'une mère... son front brûlant fut humecté des saintes eaux du baptême... Pendant sa première enfance, au son de la cloche du dimanche, une femme aux cheveux blonds le conduisait dans le temple pour prier. Là-bas, bien loin, dans la Nouvelle-Angleterre, cette mère avait élevé son fils unique avec un amour que rien ne put lasser, avec des soins que rien n'avait interrompus ; mais, fils d'un père au cœur dur, sur lequel cette tendre femme avait en vain répandu tous les trésors de son amour, il avait suivi ses traces maudites... Tapageur, déréglé, tyrannique, il méprisa les conseils de sa mère, et ne supporta point ses reproches. Bien jeune encore, il s'éloigna d'elle pour chercher fortune sur mer. Il n'était revenu qu'une fois au logis ; sa mère, avec les aspirations d'un cœur qui veut aimer quelque chose, et qui n'a rien à aimer, s'attacha à lui, et s'efforça, par ses exhortations et ses supplications, de l'arracher à cette vie de péché, mort de son âme !

Pour Legree ce furent là les jours de grâce ! Il fut presque touché... la miséricorde le prit par la main.

Mais son cœur résista... il y eut comme une lutte... le péché fut vainqueur, et il tourna toutes les forces de cette nature violente contre les convictions de sa conscience. Il but, il jura, il devint plus brutal que jamais.

Une nuit, dans la suprême agonie du désespoir, sa mère s'agenouilla à ses pieds ; mais il la repoussa loin de lui, il la rejeta évanouie sur le sol, et, avec des malédictions impies, il s'élança vers son navire.

La dernière fois que Legree entendit parler de sa mère, ce fut dans l'orgie d'une nuit de débauche... Il était au milieu de ses compagnons abrutis ; on lui remit une lettre dans la main... Il l'ouvrit... et il en tomba une longue boucle de cheveux, qui s'enroulèrent, eux aussi, autour de ses doigts.

La lettre disait que sa mère était morte, et qu'en mourant elle lui avait pardonné et l'avait béni. Legree brûla la lettre, il brûla les cheveux ; mais quand il les vit se tordre et pétiller sur la flamme, il frissonna à la pensée des feux éternels[1]... Alors il voulut boire, s'étourdir, et chasser à jamais ce souvenir importun... Mais souvent, dans la nuit profonde, il voyait sa mère se dresser toute pâle au chevet de son lit, et autour de ses doigts il sentait s'enrouler ses cheveux... et la sueur

---

1. On représente souvent l'enfer comme un lieu où des flammes brûlent éternellement.

froide coulait sur son visage... et il bondissait hors de son lit... plein d'horreur !

Ce soir-là, de grosses gouttes de sueur perlaient sur son front, et la crainte faisait battre son cœur à coups pressés... Il crut voir quelque chose de blanc qui se levait et glissait devant lui dans la chambre, et il frissonna en se disant que peut-être l'ombre de sa mère allait paraître devant ses yeux.

« Allons ! je sais bien une chose, dit-il en rentrant dans le salon, où il s'assit ; maintenant, il faut laisser ce garçon tranquille... Qu'avais-je besoin de ce maudit papier ? Je crois que je suis ensorcelé... en vérité ! Où a-t-il eu cette boucle de cheveux ?... Ce ne peut pas être celle... oh ! non... je l'ai brûlée... je suis sûr que je l'ai brûlée... Ce serait trop drôle si les cheveux pouvaient quitter d'eux-mêmes la tête des morts ! Allons ! je vais faire venir Sambo et Quimbo, pour qu'ils chantent, et qu'ils me dansent quelques-unes de leurs danses de l'enfer... cela va chasser ces horribles idées. »

Il mit son chapeau, se rendit sous la véranda, et sonna d'une trompe dont il se servait pour appeler ses noirs acolytes.

Legree, quand il était en belle humeur, admettait assez volontiers ces deux drôles dans son salon, et, quand il les avait échauffés par le whisky, il les faisait danser, chanter ou se battre, suivant le caprice du moment.

Il pouvait être entre une ou deux heures du matin : Cassy, qui revenait de soigner le pauvre Tom, entendit ces cris, ces hurlements, ces trépignements, mêlés à l'aboiement des chiens, en un mot, tous les indices d'un sabbat[1] d'enfer.

Elle s'approcha et regarda.

Legree et les deux surveillants, dans un état d'ivresse furieuse, chantaient, hurlaient, renversaient les chaises et se faisaient les uns aux autres les plus affreuses grimaces.

Cassy appuya sa petite main fine sur le rebord de la fenêtre... On pouvait lire dans ses yeux de l'angoisse, de la colère et du mépris, et elle se dit :

« Serait-ce vraiment un péché que de délivrer le monde de ces misérables ? »

Legree, dompté par l'ivresse, était tombé de sommeil dans le salon. Quand il s'éveilla, il voulut que personne n'assistât à son entrevue avec Tom. Il voulait, s'il ne parvenait pas à le réduire par des menaces, différer du moins sa vengeance et choisir son temps.

La lueur solennelle de l'aube avait pénétré dans l'humble asile de l'esclave. Les avertissements et les conseils de Cassy n'avaient pas abattu son âme ; au contraire, elle s'était relevée comme à un appel qui lui venait d'en haut... Il se disait que peut-être c'était son dernier jour qui se levait maintenant dans le ciel ; et son cœur battait d'une émotion suprême... Aussi, sans

1. Rituel où des sorciers et des sorcières se rassemblaient la nuit pour évoquer Satan, c'est-à-dire le diable.

frissonner, sans trembler, il entendit le pas et la voix de son bourreau.

« Eh bien ! garçon, dit Legree, en le touchant dédaigneusement du pied, comment vous trouvez-vous ?... Ne vous avais-je pas bien dit que je vous apprendrais une chose ou deux ?... Comment trouvez-vous cela... hein ? La leçon vous convient-elle ? Êtes-vous aussi crâne[1] qu'hier soir ? »

Tom ne répondit rien.

« Allons ! levez-vous, animal », dit Simon en lui donnant un second coup de pied.

Se lever, c'était là une opération assez difficile pour un homme moulu et brisé. Tom s'efforça vainement de se lever... Legree fit entendre un rire brutal.

« Tiens ! vous n'êtes pas vif, ce matin, Tom ; vous avez pris froid hier soir, peut-être ? »

Tom cependant s'était levé, et il s'était mis en face de son maître, le front calme et serein.

« Eh ! que diable ! vous voilà debout ! Allons ! je vois bien que vous n'en avez pas eu assez... Voyons, Tom, à genoux maintenant, et demandez-moi pardon pour vos réponses d'hier soir. »

Tom ne fit pas un mouvement.

« Par terre, chien ! fit Legree en lui donnant un coup de fouet.

— Monsieur Legree, dit Tom, je ne puis pas faire cela ! J'ai fait ce que j'ai cru juste ; j'agirai toujours

1. Fier, décidé.

ainsi à l'avenir. Je ne ferai jamais rien de mal... advienne que pourra !

— Ah ! vous ne savez pas ce qui adviendra, maître Tom !... Vous croyez que c'est quelque chose, ce que l'on vous a fait. Ce n'est rien ! rien du tout... Aimeriez-vous à être attaché à un arbre et à voir allumer un petit feu autour de vous ? Ne serait-ce pas agréable, Tom... hein ?

— Maître, je sais que vous pouvez faire de terribles choses ; mais... »

Il se redressa et joignit les mains.

« Mais, quand vous aurez tué le corps, vous ne pourrez plus rien ; et, après cela, il y aura l'ÉTERNITÉ ! »

ÉTERNITÉ ! ce seul mot remplit de force et de lumière l'âme du pauvre esclave... Legree grinça des dents, mais sa rage même le fit taire ; et Tom, comme un homme délivré de toute contrainte, parla d'une voix claire et joyeuse.

« Monsieur Legree, vous m'avez acheté, je vous serai un bon et fidèle esclave ; je vous donnerai tout le travail de mes mains, tout mon temps, toute ma force... Mais mon âme ! je ne veux pas la donner à un homme mortel... je la garde pour Dieu. Vous pouvez en être sûr, monsieur Legree, je n'ai pas le moins du monde peur de la mort... je l'attends... dès qu'on voudra ! Vous pouvez me fouetter... me faire mourir de faim... me brûler... ce sera m'envoyer plus tôt où je dois aller !

— Vous céderez auparavant, dit Legree furieux.

— Vous ne réussirez pas, dit Tom, j'aurai du secours.

— Qui diable viendra vous secourir ?

— Le Seigneur tout-puissant.

— Damnation ! »

Et d'un seul coup de poing Legree renversa Tom. Puis il sortit.

30

Liberté

Laissons, pour quelque temps du moins, le pauvre Tom aux mains de ses persécuteurs, et voyons ce que deviennent George et sa femme, que nous avons abandonnés au milieu de leur fuite.

Quand nous avons quitté Tom Loker, il soupirait et s'agitait sur la couche d'un quaker, entouré des soins maternels de la vieille Dorcas, qui le trouvait aussi patient et aussi traitable qu'un buffle malade.

Imaginez-vous une grande femme, aimable, digne et réservée. Un bonnet de mousseline cache à moitié ses cheveux blancs et bouclés, partagés sur un front large et lumineux ; ses yeux sont gris, pleins de pensées.

« Au diable ! s'écria Tom Loker en donnant un grand coup de poing sur ses couvertures.

— Thomas, je dois te prier de ne pas employer de telles expressions, dit Dorcas en rangeant tranquillement les couvertures.

— Eh bien ! vieille, je ne vais plus recommencer... si je puis m'en empêcher ; mais il fait si chaud que c'est bien capable de me faire jurer !

— Je voudrais bien, Tom, que tu cesses un peu de jurer et de maugréer comme tu fais... veille donc un peu sur ta conduite...

— Ah ! ah ! ma conduite, c'est bien la dernière chose dont je m'occupe... tonnerre ! »

Et Tom Loker fit un soubresaut, bouleversant les couvertures et mettant le lit dans un désordre effroyable.

« Cet homme et cette femme sont ici ? demanda-t-il tout à coup, après un moment de silence.

— Oui, répondit Dorcas.

— Ils feraient mieux de passer le lac, et le plus tôt possible.

— C'est sans doute ce qu'ils vont faire, dit à part la tante Dorcas, en continuant à tricoter paisiblement...

— Eh bien ! dit Loker, nous avons dans le Sandusky des correspondants qui surveillent les bateaux pour nous... Qu'est-ce que ça me fait de le dire à présent ? J'espère bien qu'ils se sauveront... ne fût-ce que pour faire pester Marks, le s... lâche !

— Eh bien, Thomas !

— Eh bien ! la vieille, quand les bouteilles sont

trop bouchées, elles éclatent... Mais, à propos de la femme, dites-lui de changer de toilette... son signalement est donné à Sandusky[1].

— Nous y veillerons », reprit Dorcas avec son flegme habituel.

Tom Loker resta trois semaines malade chez les quakers. Il quitta le lit un peu plus triste, mais un peu plus sage.

Nos fugitifs savaient qu'on allait les épier à Sandusky ; ils se divisèrent. Jim et sa vieille mère se détachèrent en avant-garde. Une ou deux nuits après, George, Elisa et l'enfant furent conduits à leur tour à Sandusky, et trouvèrent asile sous un toit hospitalier, avant de s'embarquer sur le lac.

La nuit achevait son cours ; l'étoile du matin qui devait éclairer leur liberté se levait toute radieuse devant eux. Liberté ! mot magique.

Pour George Harris ? Pour vos pères, la liberté, c'était le droit qu'a toute nation d'être une nation ; pour lui c'est le droit qu'a tout homme d'être un homme, et non une brute ! Le droit d'appeler la femme de son cœur sa femme, de la protéger contre toute violence illégale, le droit de protéger et d'élever ses enfants, le droit d'avoir à lui sa maison, sa religion, ses principes, sans dépendre de la volonté d'un autre.

Telles étaient les pensées qui s'agitaient dans la poitrine de George, et il appuyait sa tête rêveuse dans sa

1. Port sur les rives du lac Erié d'où les fugitifs embarquent pour le Canada.

main, tout en regardant sa femme, qui s'efforçait d'accommoder des habits d'homme à sa taille élégante et fine. On avait cru que sous ce déguisement il lui serait plus facile d'échapper.

« Qui vous rend donc si triste ? dit Elisa en fléchissant un genou et en mettant sa main sur les mains de son mari. On dit que nous ne sommes plus qu'à vingt-quatre heures du Canada. Un jour et une nuit sur le lac... et alors ! et alors !

— Eh bien, c'est cela ! dit George en l'attirant vers lui, c'est cela même ! Voilà que mon sort se décide. Être si près de la liberté, la voir presque, puis tout perdre ! Oh ! je n'y survivrais pas.

— Ne craignez rien, le bon Dieu ne nous aurait pas permis de venir de si loin, s'il n'avait pas voulu nous sauver. Je sens qu'il est avec nous, George !

— Je veux vous croire, Elisa, dit George en se levant d'un bond, oui, je veux vous croire... Partons... Oui, dit-il en la tenant à distance, oui, vous êtes un charmant petit garçon ; cette masse de petites boucles courtes vous va vraiment à ravir. Voyons ! votre casquette... bien... un peu plus sur le côté. Vous ne m'avez jamais paru si charmante. Mais voici l'heure de la voiture... Je me demande si Mme Smyth s'est occupée du costume d'Harry. »

La porte s'ouvrit : une respectable dame, entre deux âges, entra conduisant Harry déguisé en petite fille.

« Quelle délicieuse fille ! dit Elisa en tournant

autour de lui. Nous l'appellerons Harriet. Est-ce que ce nom-là ne fait pas très bien ? »

L'enfant était muet et intimidé. Il regardait sa mère sous son nouveau costume. De temps en temps il poussait un gros soupir ; il la regardait à travers ses longues boucles.

« Harry reconnaît-il maman ? » dit-elle en lui tendant les bras.

L'enfant s'attacha timidement aux vêtements de la femme qui l'avait amené.

« J'ai entendu dire, fit Mme Smyth, qu'il y a là-bas des hommes qui ont signalé à tous les capitaines un homme, une femme et un petit garçon.

— En vérité ! dit George ; eh bien ! je leur en donnerai des nouvelles... si je les rencontre. »

Une voiture s'arrêta à la porte, et l'aimable famille qui avait reçu les fugitifs se groupa autour d'eux, pour leur adresser les souhaits du départ.

Les déguisements avaient été pris d'après le conseil de Loker. Mme Smyth, respectable femme du Canada, y retournait à cette époque ; elle avait consenti à passer pour la tante du petit Harry ; elle seule en avait pris soin, pendant ces deux derniers jours ; un extra de gâteaux, de galettes et de sucre candi avait cimenté une alliance intime entre elle et ce jeune monsieur.

La voiture s'arrêta sur le quai. Les deux jeunes hommes franchirent la planche. Elisa donnait galamment le bras à Mme Smyth. George surveillait les bagages.

Pendant que George était dans la cabine du capitaine, réglant le passage de sa compagnie, il entendit la conversation de deux hommes qui se tenaient tout près de lui.

« J'ai fait attention à tous ceux qui sont montés à bord, disait l'un, je suis sûr qu'ils n'y sont pas. »

Celui qui parlait ainsi était le comptable du bord ; celui auquel il s'adressait était notre ami Marks, qui, avec sa persévérance habituelle, était venu jusqu'à Sandusky pour chercher sa proie.

« C'est à peine, disait-il, si on peut distinguer la femme d'avec une Blanche ; l'homme est légèrement bistré, il a une marque de feu sur la main. »

La main que George avançait pour prendre ses billets et recevoir sa monnaie trembla bien un peu ; mais il se retourna lentement et jeta un regard calme et indifférent sur l'homme qui venait de parler, puis il alla retrouver Elisa, qui l'attendait à l'autre bout du bateau.

Mme Smyth et le petit Harry s'étaient retirés dans le cabinet des dames, où la beauté brune de l'enfant lui attira les caresses et les compliments des voyageuses.

La cloche sonna le départ. George eut la satisfaction de voir Marks quitter le bateau et regagner la terre. Il poussa un soupir de soulagement quand les premiers tours de roue eurent mis entre eux une distance désormais infranchissable.

C'était une magnifique journée. Une fraîche brise

soufflait du rivage, et le noble vaisseau traçait fièrement son sillon à travers les flots.

Qui donc, en voyant George se promener tranquillement avec son timide compagnon sur le pont du vaisseau, qui donc eût deviné les pensées brûlantes qui le dévoraient ? Ce bonheur dont il approchait lui semblait trop beau pour devenir jamais réalité. Il craignait à chaque instant de se voir arracher sa dernière espérance.

Mais le vaisseau marchait toujours, les heures s'écoulaient.

On approchait de la petite ville d'Amberstberg, au Canada. George prit le bras de sa femme... sa respiration devint courte et embarrassée... un brouillard passa devant ses yeux ; il pressa silencieusement la petite main qui tremblait sur son bras ; la cloche sonna, le bateau s'arrêta... George ne savait plus trop ce qu'il faisait... il rassembla ses bagages, il réunit son monde, on le débarqua ; ils attendirent que tout le monde fût parti, et alors le mari et la femme, tenant dans leurs bras leur enfant étonné, s'agenouillèrent sur le rivage et élevèrent leur cœur jusqu'à Dieu.

31

La victoire

Quand Tom se trouva face à face avec son persécuteur, quand il entendit ses menaces, quand il crut que son heure était venue, son cœur battit joyeux dans sa poitrine, il sentit qu'il pouvait supporter les tortures et le feu... tout, en un mot... en reportant ses yeux sur Jésus. Mais quand le bourreau fut parti, quand l'excitation présente se fut calmée, alors revint le sentiment de la douleur, alors il s'aperçut que ses membres étaient brisés et moulus, alors il comprit à quel point il était abandonné, dégradé, avili, et sans espoir.

Ce fut une pénible et longue journée.

Longtemps avant qu'il fût guéri de sa blessure, Legree exigea qu'il reprît le travail des champs. Ce furent des tyrannies, des vexations, des injustices de toutes sortes... tout ce que pouvait inventer l'esprit d'un homme aussi vil que méchant.

La confiance en Dieu qui l'avait soutenu jusque-là, faisait place maintenant à de sombres accès de doute et de désespoir. Il avait sans cesse devant les yeux le ténébreux problème de sa destinée. Il y avait des semaines, des mois, où son âme douloureuse était remplie d'amertume. Il pensait à la lettre que miss Ophelia avait écrite à ses amis du Kentucky. Chaque jour il avait le vague espoir de voir arriver quelqu'un pour le racheter... Personne ne venait.

Un soir, auprès de quelques maigres tisons qui faisaient cuire son souper, il était assis dans un état de prostration[1] et d'accablement complet. Il jeta quelques broussailles sur le feu pour obtenir quelques lueurs, et il tira sa Bible de sa poche. Les mots sacrés avaient-ils perdu leur pouvoir, l'œil obscurci et presque éteint n'en pouvait-il retrouver le sens ? Rien ne répondait-il plus à cette inspiration jadis toute-puissance ?

Tom soupira profondément... et il remit le livre dans sa poche.

Un gros éclat de rire retentit tout près de lui.

Tom releva les yeux ; il aperçut Legree.

« Eh bien ! vieux, vous trouvez à la fin que la religion ne sert pas à grand-chose... Je savais bien que je fourrerais cela dans votre tête de laine ! »

---

1. État de profond découragement.

Ce sarcasme fut plus cruel pour Tom que la faim, que le froid, que la nudité !

Il ne répondit rien.

« Vous êtes une bête ! reprit Legree : quand je vous achetai, j'avais de bonnes intentions pour vous. Vous auriez été ici beaucoup mieux que Sambo et Quimbo, vous auriez eu du bon temps : au lieu d'être fouetté tous les jours ou tous les deux jours, c'est vous qui auriez fouetté les autres ; vous vous seriez promené partout, et de temps en temps, pour vous réchauffer, on vous aurait donné un verre de punch ou de whisky... Allons ! est-ce que cela n'eût pas été bien plus raisonnable ? Voyons, jetez-moi au feu ce paquet de bêtises, et entrez dans mon Église.

— Dieu m'en garde ! s'écria Tom avec ferveur.

— Vous voyez bien que Dieu ne vous protège pas. Votre religion, c'est un tas de mensonges !... je le sais bien, allez ! vous feriez mieux de vous attacher à moi.

— Non, maître, dit Tom, non ! que le Seigneur m'assiste ou qu'il m'abandonne, je croirai en lui jusqu'à la fin.

— Vous n'en êtes que plus stupide, fit Legree en crachant dédaigneusement sur lui et en le repoussant du pied ; n'importe, je vous abattrai, je vous réduirai... vous verrez ! »

Et Legree s'éloigna.

Réduite à un désespoir qui touchait à la folie, irritée par toutes les tortures qui avaient déchiré sa vie,

Cassy avait formé dans son âme le projet de venger, dans une heure terrible, toutes les cruautés dont elle avait été le témoin ou la victime.

Une nuit, tout le monde dormait dans la case de Tom : Tom fut tout à coup réveillé. Il aperçut le visage de Cassy qui se montrait par le trou qui servait de fenêtre. Elle fit un geste silencieux pour l'engager à sortir.

Tom sortit.

Il pouvait être une ou deux heures du matin. Il faisait un magnifique clair de lune. Autour d'eux, tout était silence et calme. Un rayon de lumière tomba sur le visage de Cassy. Tom vit passer comme une flamme ardente dans ses yeux noirs et sauvages : ce n'était plus son morne désespoir.

« Venez ici, père Tom, dit-elle en lui mettant sa petite main sur le bras et en l'attirant à elle avec une telle force, qu'on eût dit que cette petite main était d'acier ; venez ici ; j'ai des nouvelles à vous donner !

— Qu'est-ce donc, miss Cassy ? demanda Tom tout ému.

— Tom, voudriez-vous être libre ?

— Je le serai, madame, quand il plaira à Dieu !

— Vous pouvez l'être cette nuit !... (il y eut encore un éclair sur le visage de Cassy). Venez ! »

Tom hésita.

« Venez ! reprit-elle à voix basse, et en fixant sur lui ses grands yeux, venez ! il dort profondément... J'en ai mis assez dans son eau-de-vie pour qu'il dorme longtemps... si j'en avais eu davantage, je n'aurais pas eu besoin de vous... mais venez... la porte de derrière est ouverte ; il y a une hache auprès, c'est moi qui l'y ai mise. La porte de sa chambre est ouverte, je vais vous montrer le chemin. J'aurais tout fait moi-même, mais je n'ai plus de force ! Allons, venez donc !

— Non, madame, pas pour dix mille mondes ! dit Tom avec fermeté.

— Mais pensez donc à tous ces pauvres malheureux ! Nous allons les mettre tous en liberté. Nous irons quelque part dans les savanes. Nous trouverons une île, nous y vivrons indépendants. Ces choses-là se font, dit-on, quelquefois... Toute vie sera meilleure que celle-ci.

— Non ! dit Tom, non ! Le bien ne peut jamais venir du mal ; j'aimerais mieux me couper la main !

— Eh bien ! je ferai tout moi-même, dit Cassy en s'éloignant.

— Oh miss Cassy ! (Tom se jeta à genoux devant elle.) Ne vendez pas ainsi votre précieuse âme au démon !... il ne sortira de tout cela que du mal ! Le Seigneur ne nous appelle point à la vengeance. Il faut souffrir et attendre l'heure de Dieu !

— Attendre ! dit Cassy ; attendre ! Mais n'ai-je pas tant attendu déjà que mon cœur en est malade et ma raison obscurcie ? Que ne m'a-t-il pas fait souffrir... à moi... et à toutes ces misérables créatures ?... et vous-même, n'épuise-t-il pas goutte à goutte le sang de votre vie ?... oui ! on m'appelle à la vengeance !... Son tour est venu ! Je veux avoir le sang de son cœur !

— Non ! non ! dit Tom en s'emparant de ses mains, il ne faut pas ! Le Seigneur n'a jamais versé d'autre sang que le sien, et il l'a versé pour nous quand nous étions ses ennemis... Seigneur ! aidez-nous à suivre vos traces et à aimer nos ennemis !

— Amen ! dit Cassy avec un superbe regard. Aimer de tels ennemis ! Cela n'est pas dans la chair et le sang !

— Non, madame, ce n'est pas dans la nature... mais c'est dans la grâce... et cela s'appelle la victoire !... Quand nous pouvons aimer et prier, partout et malgré tout, la bataille est finie, et la victoire est venue ! »

Cassy ne répondait rien, mais de grosses larmes tombaient de ses yeux baissés...

Tom la contempla un moment en silence ; puis, d'une voix qui hésitait :

« Si vous pouviez vous en aller d'ici, si la chose était possible, je vous conseillerais de partir, c'est-à-dire si vous le pouviez sans vous rendre coupable du sang versé... Oh ! pas autrement !

— Tenterez-vous la chance avec nous, père Tom ?

— Non. Il y a un temps où je l'aurais fait... mais Dieu m'a confié une tâche à remplir auprès de ces malheureux... Je resterai avec eux ; avec eux je porterai ma croix jusqu'à la fin ! Il n'en est pas de même pour vous... vous êtes trop tentée... vous ne pourriez peut-être pas résister... il vaut mieux que vous vous en alliez... si vous pouvez. Essayez ! et je prierai pour vous de toute ma force ! Que Dieu vous aide ! »

32

Le martyr

Le plus long voyage a son terme, la nuit la plus sombre aboutit à une aurore...

Et maintenant voici l'étoile du matin qui se lève sur la montagne ! Voici que bientôt vont s'ouvrir les portes du jour éternel.

La fuite de Cassy irrita au dernier point le caractère déjà si terrible de Legree. Ainsi qu'on devait bien s'y attendre, sa colère retomba sur la tête de Tom. Quand Legree annonça cette fuite aux esclaves, il y eut chez Tom un éclair des yeux, un geste des mains qui se tendirent vers le ciel. Legree vit tout.

Tom resta donc aux quartiers avec quelques esclaves, à qui il avait enseigné à prier ; ils firent des vœux pour la fugitive.

Quand Legree revint, furieux et désappointé, la colère depuis longtemps amassée contre son esclave prit une expression de rage folle. Cet homme ne l'avait-il pas bravé avec ses résolutions inébranlables ? bravé depuis le premier moment où il l'avait acheté ?

« Je le hais ! dit Legree en s'asseyant sur le bord de son lit... Je le hais et il m'appartient ! Ne puis-je pas en faire ce qu'il me plaira ? »

Et Legree serra le poing comme s'il eût dans les mains quelque chose qu'il voulait briser.

« Quimbo, dit Legree en s'étendant de tout son long dans le salon, allez, et amenez-moi ce Tom ici, vite... Le vieux drôle est au fait de tout ceci... je ferai sortir le secret de sa vieille peau noire, ou je saurai pourquoi ! »

Sambo et Quimbo, qui se détestaient l'un l'autre, n'étaient d'accord que dans leur haine contre Tom... Legree leur avait dit tout d'abord qu'il avait acheté Tom pour en faire un surveillant général pendant son absence. Ce fut l'origine de leur mauvais vouloir. Il s'accrut encore, dès qu'ils surent l'esclave dans la disgrâce du maître. On comprendra l'empressement que Quimbo dut mettre à exécuter les ordres de Simon.

Tom, en recevant le message, eut comme un pressentiment dans l'âme. Il connaissait le terrible caractère de l'homme avec lequel il avait à lutter ; mais il savait aussi que Dieu lui donnerait la force de braver la mort plutôt que de trahir la faiblesse et le malheur.

Il déposa son panier à terre, et levant les yeux au

ciel : « Seigneur, dit-il, je remets mon âme entre tes mains ! »

Et il se livra sans résistance aux mains brutales de Quimbo.

« Ah ! ah ! dit le géant en l'entraînant. Nous allons voir... nous allons voir ! »

Pas une seule de ces paroles n'atteignit l'oreille de Tom ! Il marchait, et les arbres, les buissons, les huttes de l'esclavage, et toute cette nature, témoin de sa dégradation, passaient confusément devant ses yeux. Son cœur battait... il sentait que son heure était proche !

Legree marcha vers lui, et, le saisissant brusquement par le col de sa veste, les dents serrées, dans le paroxysme[1] de la colère :

« Eh bien ! Tom, lui dit-il, savez-vous que j'ai résolu de vous tuer ?

— C'est très possible, maître, répondit Tom avec le plus grand calme.

— Oui... j'ai... résolu... de... vous... tuer..., reprit Legree en appuyant sur chaque mot, si vous ne me dites pas ce que vous savez... »

Tom se tut.

« Entendez-vous ? fit Legree en trépignant, et avec un rugissement de lion en fureur ; parlez !

— Je n'ai rien à vous dire, maître, reprit Tom d'une voix lente, ferme et résolue.

---

1. Degré le plus haut, point culminant.

— Osez-vous bien me parler ainsi, vieux chrétien noir ? Ainsi vous ne savez pas ? »

Tom resta silencieux.

« Parlez ! s'écria Legree, éclatant comme un tonnerre, et le frappant avec violence. Savez-vous quelque chose ?

— Je sais, mais je ne peux pas dire... Je puis mourir ! »

Legree respira avec effort ; il contint sa rage, prit Tom par le bras, et s'approchant, visage contre visage, il lui dit d'une voix terrible :

« Écoutez bien ! Vous croyez que, parce qu'une fois déjà je vous ai laissé là, je ne sais pas ce que je dis... Mais cette fois mon parti est pris. Vous m'avez toujours résisté... Eh bien ! je vais vous dompter ou vous tuer ! L'un ou l'autre ! Je compterai les gouttes de sang qu'il y a dans vos veines... et je les prendrai une à une jusqu'à ce que vous cédiez ! »

Tom releva les yeux sur son maître et répondit :

« Maître, si vous étiez dans la peine, malade, mourant, et que je puisse vous sauver... Oh ! je donnerais tout le sang de mon cœur. Ô maître, ne vous chargez pas de ce grand péché ! Vous vous ferez plus de mal qu'à moi ! Quoi que vous puissiez faire, mes souffrances seront bientôt passées ; mais, si vous ne vous repentez pas, les vôtres n'auront jamais de fin ! »

Les paroles de Tom, au milieu des violences de Legree, étaient comme une bouffée de musique céleste entre deux rafales de tempête ! Legree s'arrêta, immobile, hagard. Le calme devint si profond qu'on entendait le tic-tac de la vieille horloge.

Ce ne fut qu'un moment.

Il y eut de l'hésitation, de l'irrésolution, de l'incertitude ; mais l'esprit du mal revint sept fois plus fort, et Legree écumant de rage terrassa sa victime.

« Il va passer, maître, dit Sambo, touché malgré lui de la patience de sa victime.

— Encore ! toujours ! encore ! jusqu'à ce qu'il cède, hurla Legree. J'aurai les dernières gouttes de son sang, ou il avouera ! »

Tom ouvrit les yeux et regarda son maître.

« Pauvre malheureux ! dit-il, vous n'en pouvez faire davantage ; et il s'évanouit.

— Je crois, sur mon âme, qu'il est fini, dit Legree en s'approchant pour le regarder. Oui ! mort ! Allons ! voilà enfin sa bouche fermée... c'est toujours cela de gagné. »

Tom n'était pas tout à fait mort. Ses pieuses prières, ses étranges paroles firent une profonde impression sur les deux misérables dont on avait fait les instruments de son supplice. Quand Legree fut parti, ils le relevèrent et s'efforcèrent de le rappeler à la vie...

« Certainement nous avons fait là une bien mauvaise chose, dit Sambo ; mais j'espère que c'est sur le compte du maître, et pas sur le nôtre ! »

Ils lavèrent ses blessures et lui firent un lit avec le coton jeté au rebut. L'un d'eux courut au logis, et demanda, comme pour lui, un verre d'eau-de-vie qu'il rapporta. Il en versa quelques gouttes dans la bouche de Tom.

« Tom ! nous avons été bien méchants pour vous ! dit Quimbo.

— Je vous pardonne de tout mon cœur, répondit Tom d'une voix mourante.

— Ô Tom ! dites-nous donc un peu ce que c'est que Jésus ? Jésus qui est resté près de vous toute la nuit, quel est-il ? »

Ces mots ranimèrent l'esprit défaillant. Il dit, en quelques phrases brèves, mais énergiques, quel était ce Jésus ! Il dit sa vie et sa mort, et sa présence partout, et sa puissance qui sauve !

Et ils pleurèrent... ces deux hommes farouches !

« Pourquoi donc n'en avons-nous point entendu parler plus tôt ? dit Sambo ; mais je crois ! Je ne puis m'empêcher de croire !... Seigneur Jésus, ayez pitié de nous !

— Pauvres créatures ! disait Tom, que je voudrais donc souffrir encore pour vous conduire au Christ ! Ô Seigneur ! donne-moi ces deux âmes encore ! »

Dieu entendit cette prière.

33

Le jeune maître

Deux jours plus tard, un jeune homme, conduisant une légère voiture, traversait l'avenue bordée des arbres de Chine. Il jeta vivement les rênes sur le cou des chevaux et demanda où était le maître du logis.

Ce jeune homme était George Shelby.

Il est nécessaire, pour savoir comment il se trouvait là, de remonter un peu le cours de notre histoire.

La lettre de miss Ophelia à Mme Shelby se trouva oubliée un mois ou deux dans un bureau de poste. Pendant ce temps, Tom fut vendu et amené, comme nous l'avons vu, sur les bords de la rivière Rouge.

Cette nouvelle affligea vivement Mme Shelby ; pour le moment il n'y avait rien à faire. Elle veillait au chevet de son mari, dangereusement malade et souvent en proie au délire de la fièvre. George Shelby était devenu un grand jeune homme, il aidait sa mère et surveillait l'administration générale des affaires de la famille. Miss Ophelia avait eu soin d'indiquer l'adresse de l'homme d'affaires de Saint-Clare. On lui écrivit pour avoir des renseignements ; la position de la famille ne permettait pas de faire davantage. La mort de M. Shelby vint apporter d'autres préoccupations.

M. Shelby prouva sa confiance dans l'habileté de sa femme en lui laissant l'administration générale de sa fortune.

Mme Shelby, avec son énergie habituelle, entreprit de démêler l'écheveau embrouillé. Elle et George s'occupèrent tout d'abord d'examiner et de vérifier les comptes, de vendre et de payer. Mme Shelby voulait liquider quoi qu'il advînt. C'est à cette époque que Mme Shelby reçut une réponse de l'homme d'affaires : il ne savait rien. Tom avait été vendu aux enchères, il avait touché le prix pour M. Saint-Clare : il ne fallait pas lui en demander davantage.

Ni George ni Mme Shelby ne pouvaient se contenter d'une telle réponse. Au bout de six mois les affaires de Mme Shelby appelèrent George au bas de l'Ohio ; il résolut de visiter La Nouvelle-Orléans et de prendre des renseignements sur le pauvre Tom.

Après de longues et infructueuses recherches, George rencontra un homme de La Nouvelle-Orléans qui lui donna tous les détails désirables. Il partit, argent en poche, pour la rivière Rouge, bien décidé à racheter son vieil ami.

On l'introduisit. Legree était au salon.

Legree reçut le jeune étranger avec une politesse assez brusque.

« J'ai appris, dit George, que vous avez acheté à La Nouvelle-Orléans un esclave du nom de Tom. Il partait de chez mon père, et je viens voir s'il ne me serait pas possible de le racheter. »

Le front de Legree se rembrunit et sa colère éclata de nouveau.

« Oui, dit-il, en effet, j'ai acheté un individu de ce nom... C'est un marché du diable que j'ai fait là ! Un chien impudent ! un mauvais drôle toujours en révolte ! Il poussait mes nègres à fuir... Je crois qu'il est en train d'essayer de mourir, mais je ne sais s'il y réussira...

— Où est-il ? s'écria George ; où est-il ? je veux le voir !

— Il est dans ce magasin », dit un petit bonhomme qui tenait le cheval de George.

Legree jura après l'enfant et lui envoya un coup de pied. George, sans ajouter une parole, s'élança vers le magasin...

Tom était resté couché deux jours depuis cette fatale nuit. Il ne souffrait plus... tous les nerfs qui font sentir la souffrance étaient brisés ou émoussés... il était dans une sorte de stupeur tranquille. De temps en temps, pendant la nuit, les esclaves prenaient, sur les heures de leur repos, au moins quelques instants pour lui rendre ces consolations de l'affection, dont il avait été si prodigue envers eux... Pauvres gens ! qui avaient bien peu à donner mais qui donnaient avec le cœur.

Quand George entra dans le vieux magasin, il sentait que la tête lui tournait... Il faillit se trouver mal.

« Est-il possible ? est-il possible, père Tom ? Mon pauvre vieil ami ! »

Et il s'agenouilla par terre à côté de Tom.

Il y eut dans cette voix quelque chose qui pénétra jusqu'à l'âme du mourant... Il remua doucement la tête et dit :

« Dieu fait mon lit de mort plus doux que le duvet ! »

George se pencha vers le pauvre esclave, et il laissa tomber des larmes.

« Père Tom ! mon cher ami, réveillez-vous ! parlez encore un peu... regardez-moi ! C'est M. George, votre petit M. George... ne me connaissez-vous pas ?

— Monsieur George ! » fit Tom, ouvrant les yeux et parlant d'une voix presque éteinte... Et il parut comme hors de lui.

Puis lentement et peu à peu les idées revenaient dans son esprit... l'œil errant devenait fixe et brillait ! Tout le visage s'éclaira, ses mains calleuses se joignirent et, le long de ses joues, les larmes coulèrent.

« Dieu soit béni ! c'est tout... oui, c'est tout ce que je souhaitais ! ils ne m'ont pas oublié... Cela me réchauffe l'âme ! cela fait du bien à mon pauvre cœur ! je vais maintenant mourir content !

— Non ! vous n'allez pas mourir... il ne faut pas que vous mouriez... ne pensez pas à cela ! Je viens pour vous racheter et vous emmener chez nous ! s'écria George avec une impétuosité entraînante.

— Ah monsieur George, vous êtes venu trop tard ! Le Seigneur m'a acheté, et il veut aussi m'emmener chez lui, et je veux y aller... Le ciel vaut mieux que le Kentucky !

— Ne mourez pas, Tom ; votre mort me tuerait ! Tenez, seulement de penser à ce que vous avez souffert, cela me brise le cœur !

— Oh ! monsieur George, dit Tom, le ciel est venu ! J'ai emporté la victoire, le Seigneur Jésus me l'a donnée... Gloire à son nom ! »

George était frappé de respect et d'étonnement en voyant avec quelle force ces phrases brisées et suspendues étaient prononcées par Tom... Il admirait et se taisait...

Tom prit la main de son jeune maître, et la serrant dans la sienne :

« Il ne faut pas dire à Chloe dans quel état vous m'avez trouvé... Pauvre chère âme ! ce serait pour elle un coup trop affreux... Dites-lui seulement que vous m'avez vu allant à la gloire, et que je ne pouvais rester pour personne. Dites-lui que Dieu a été à mes côtés, partout et toujours, et que pour moi il a rendu tout facile et léger ! Et mes pauvres enfants, et le tout petit... la petite fille... Oh ! mon pauvre vieux cœur a été bien brisé en pensant à eux ! Dites-leur à tous de me suivre... de me suivre ! Assurez de mes bons sentiments mon maître et ma bonne maîtresse, enfin tout le monde là-bas ! Vous ne savez pas, monsieur George, il me semble que j'aime tout... Aimer, il n'y a que cela au monde ! Ô monsieur George ! quelle chose que d'être chrétien ! »

En ce moment Legree vint rôder à la porte du vieux magasin ; il regarda d'un air maussade et avec une indifférence affectée, puis il s'éloigna.

« Le vieux scélérat ! dit George avec indignation, cela me fait du bien de penser qu'un jour le diable lui rendra tout cela !

— Oh ! non... il ne faut pas, reprit Tom en serrant la main du jeune homme... C'est une pauvre malheureuse créature, et c'est effrayant de penser à cela ! S'il pouvait seulement se repentir, le Seigneur lui pardonnerait... mais j'ai bien peur qu'il ne se repente pas...

— Et moi, je l'espère bien, fit George ; je ne voudrais pas le voir dans le ciel !

— Ah ! monsieur George, vous me faites de la peine ! N'ayez pas de ces idées-là ! »

À ce moment, la force fiévreuse que la joie de revoir son jeune maître avait rendue au mourant s'évanouit pour ne plus revenir... une soudaine faiblesse s'empara de lui... ses yeux se fermèrent.

La respiration devint courte et pénible ; la vaste poitrine se soulevait et s'abaissait péniblement, mais le visage gardait toujours une expression sérieuse et triomphante.

« Qui donc, qui donc nous séparera de l'amour du Christ ? » murmurait-il d'une voix qui luttait contre les dernières faiblesses... et il s'endormit avec un sourire.

George s'assit, immobile et respectueux... Il ferma ces yeux éteints pour toujours... et, quand il se releva, il n'avait plus dans l'âme que cette pensée, exprimée par son vieil ami :

« Être chrétien... quelle chose ! »

Il se retourna. Legree était debout derrière lui, la mine renfrognée...

Cette scène de mort avait calmé la fougue impétueuse du jeune homme. La présence de Legree lui était cependant toujours pénible. Il voulait s'éloigner de lui, en échangeant aussi peu de paroles qu'il serait possible.

Il fixa sur le planteur son œil noir et perçant, et montrant le cadavre :

« Vous avez eu de lui tout ce que vous avez pu en tirer. Combien pour le corps ? Je veux l'emporter et lui donner une honnête sépulture...

— Je ne vends pas les nègres morts, dit Legree d'un ton rogue : libre à vous de l'enterrer où vous voudrez et quand vous voudrez.

— Enfants, dit George, d'un ton d'autorité, à deux ou trois nègres qui se trouvaient là et qui regardaient le corps, aidez-moi à le soulever et à le mettre dans ma voiture : ensuite vous me donnerez une bêche ! »

Un des esclaves courut chercher une bêche. Les deux autres avec George portèrent le corps dans la voiture.

George n'adressa à Legree ni une parole ni un regard. Legree le laissa commander sans mot dire ; il sifflait avec une sorte d'indifférence qui n'était qu'apparente... il suivit la voiture jusqu'à la porte.

George étendit son manteau dans la voiture, et dessus il coucha le mort, reculant le siège pour lui faire place. Puis il se retourna, regarda Legree fixement, et lui dit avec un calme forcé :

« Je ne vous ai pas encore dit ce que je pense de cette atroce affaire : ce n'est ni le lieu ni le moment. Mais, monsieur, ce sang innocent sera vengé. Je proclamerai ce meurtre... J'irai trouver le magistrat et je vous dénoncerai !

— Allez ! dit Legree en faisant claquer ses doigts d'un air de mépris. Allez ! je voudrais bien voir comment vous vous y prendrez ! et les témoins ? et la preuve ? allez ! »

George ne sentit que trop la force de ce défi ! Il n'y avait pas un Blanc dans l'habitation, et dans les cours du Sud le témoignage du sang-mêlé n'est rien[1] !...

---

1. Du temps de l'esclavage, le témoignage d'une personne de couleur n'avait aucune valeur aux yeux de la justice.

« Après tout, fit Legree, voilà bien du tapage pour un nègre mort ! »

Ce mot-là fut une étincelle sur un baril de poudre. La prudence n'était pas une des vertus cardinales[1] de ce jeune enfant du Kentucky. George se tourna sur lui, et d'un coup terrible, frappé en plein visage, il le renversa.

Legree se releva, secoua ses vêtements poudreux et suivit de l'œil la voiture qui s'éloignait lentement... On voyait qu'il respectait George ; il n'ouvrit pas la bouche avant que tout eût disparu.

Au-delà des limites de la plantation, George avait remarqué un petit monticule, sec, sablonneux et ombragé de quelques arbres.

C'est là qu'il creusa le tombeau.

Tom fut descendu dans la fosse ; les esclaves la remplirent en silence ; ils dressèrent la modeste tombe, et la recouvrirent de gazons verts.

« Maintenant, mes enfants, allez-vous-en », dit George en leur glissant quelques pièces dans la main.

Eux, cependant, ne s'en allèrent pas.

« Si le jeune maître voulait nous acheter, dit l'un...

— Nous vous servirions si fidèlement ! reprenait l'autre.

— La vie est dure ici... Achetez-nous, s'il vous plaît !

---

1. Ici, principales.

— Je ne puis, dit George tout ému, je ne puis » ; et il s'efforçait de les éloigner.

Les pauvres esclaves parurent abattus, et ils se retirèrent en silence.

George s'agenouilla sur la tombe de son humble ami.

« Dieu éternel, dit-il, Dieu éternel ! sois témoin qu'à partir de cette heure je m'engage à faire tout ce que je puis faire pour affranchir mon pays de cette malédiction de l'esclavage ! »

Legree but plus d'eau-de-vie que jamais, eut la tête toujours échauffée, et jura un peu plus fort qu'auparavant... pendant le jour. La nuit, il rêvait, et ses visions prenaient un caractère de moins en moins agréable. La nuit qui suivit l'enterrement de Tom, il se rendit à la ville voisine pour faire une orgie. Elle fut complète. Il revint tard, fatigué, ferma sa porte, retira la clef et se mit au lit. Il plaça une veilleuse à la tête de son lit et ses pistolets à côté. Il examina les espagnolettes et la ferrure des fenêtres, puis il jura qu'il ne craignait ni les anges ni les démons.

Il dormit, car il était fatigué ; il dormit profondément. Mais il passa bientôt comme une ombre sur son sommeil, une terreur, la crainte vague de quelque chose d'affreux ; il crut reconnaître le linceul de sa mère ; mais c'était Cassy qui le portait ; elle le tenait, elle le montrait à Legree... Il entendit un bruit confus de cris et de gémissements, et au milieu de tout cela il sentait qu'il dormait, et il faisait mille efforts pour se réveiller. Il se réveilla à moitié... Il était bien sûr que quelque chose venait dans sa chambre. Il s'apercevait que la porte était ouverte... mais il ne pouvait remuer ni les pieds, ni les mains... Enfin il se retourna d'une pièce... La porte était ouverte ; il vit une main qui éteignait la lampe.

La lune était voilée de nuages et de brouillards, et il vit pourtant, il vit quelque chose de blanc qui glissait... Il entendit le petit frôlement des vêtements du fantôme... Le fantôme se tint immobile auprès de son lit. Une forte main toucha sa main trois fois, et une voix qui parlait tout bas, mais avec un accent terrible, répéta par trois fois : « Viens ! viens ! viens... » Il suait de peur. Legree sauta du lit, il courut à la porte ; elle était fermée et verrouillée... Legree perdit connaissance.

À partir de ce moment, Legree fut plus buveur que jamais.

Le bruit se répandit bientôt dans le pays que Legree était malade, puis qu'il se mourait. À son lit de mort, immobile, sombre, inexorable, une grande figure de femme se tenait debout et disait :

« Viens... viens... viens !... »

34

Résultats

Le reste de l'histoire sera bientôt dit.

Depuis cinq ans, George et Elisa sont libres. George, constamment occupé chez un mécanicien, gagne largement de quoi subvenir aux besoins de sa famille, qui s'est accrue d'une fille.

Harry est un charmant petit garçon qu'on a mis dans une école ; il travaille et fait des progrès.

Nous sommes dans une charmante petite maison du faubourg de Montréal. C'est le soir. Le feu pétille dans l'âtre. La table est mise pour le thé. La nappe étincelle dans sa blancheur de neige. Dans un coin de la chambre on voit une autre table, couverte d'un tapis vert et garnie d'un petit pupitre... Voici des plumes et du papier ; au-dessus, des rayons de livres.

Ce petit coin, c'est le cabinet de George.

Ce zèle du progrès, qui lui fit dérober le secret de la lecture et de l'écriture au milieu des fatigues et des découragements de son enfance, ce zèle le pousse encore à travailler toujours et à toujours apprendre.

« Allons ! George, dit Elisa, vous avez été dehors toute la journée. À bas les livres ! Causez avec moi pendant que je prépare le thé... Eh bien ! »

Et la petite Elise, secondant les efforts de sa maman, accourut vers son père, essaya de lui arracher le livre et de grimper sur ses genoux.

« Petite sorcière ! » dit George.

Et il céda... C'est ce qu'un homme peut faire de mieux en pareil cas.

« Voilà qui est bien », dit Elisa en coupant une tartine.

Elisa n'a plus l'air tout à fait aussi jeune. Elle a pris un peu d'embonpoint. Sa coiffure est plus sévère... Mais elle paraît aussi heureuse qu'une femme puisse l'être.

« Harry, mon enfant, comment avez-vous fait cette addition aujourd'hui ? dit George, en posant la main sur la tête de son fils.

— Je l'ai faite moi-même, père, tout entière ; personne ne m'a aidé. »

Harry n'a plus ses longues boucles, mais il a toujours ses grands yeux, ses longs cils et ce noble front, plein de fierté.

« Allons ! c'est bien, dit George. Travaillez toujours, mon fils. Vous êtes plus heureux que votre pauvre père ne l'était à votre âge. »

Quelques semaines plus tard, George, sa sœur, sa mère, sa femme et ses enfants s'embarquaient pour l'Afrique.

Nous n'avons rien à dire de nos autres personnages.

Un mot pourtant sur miss Ophelia et sur Topsy, et un chapitre d'adieu, que nous dédierons à George Shelby !

Miss Ophelia emmena Topsy avec elle dans le Vermont. Topsy se concilia rapidement les bonnes grâces et les faveurs de la famille et de tout le voisinage. Parvenue à l'adolescence, elle demanda à être baptisée, et elle devint membre de l'Église chrétienne de sa ville. Elle montra tant d'intelligence, de zèle, d'activité et un si vif désir de faire le bien, qu'on l'envoya, en qualité de missionnaire, dans une des stations d'Afrique ; et cet esprit ingénieux, qui avait fait d'elle un enfant si vif, elle l'employa, d'une façon plus utile et plus noble, à instruire les enfants de son pays.

35

Le libérateur

George Shelby n'avait écrit qu'une seule ligne à sa mère pour lui apprendre le moment de son retour. Il n'avait pas eu le cœur de raconter la scène de mort à laquelle il avait assisté ; il avait essayé plusieurs fois. Il finissait toujours par déchirer son papier, essuyait ses yeux et sortait pour retrouver un peu de calme.

Toute la maison fut en rumeur joyeuse le jour où l'on attendait l'arrivée du jeune maître.

Mme Shelby était assise dans son salon. Un bon feu chassait l'humidité des derniers soirs d'automne. Sur la table du souper brillaient la riche vaisselle et les cristaux à facettes.

La mère Chloe présidait à tout l'arrangement.

Elle avait une robe neuve de calicot[1] avec un beau tablier blanc et un superbe turban. Sa face noire et polie brillait de plaisir... Elle s'attardait, autour de la table, pour avoir le prétexte de causer encore un peu avec sa maîtresse.

« Oh ! là ! comme il va se trouver bien ! dit-elle. Là ! je mets son couvert à la place qu'il aime, du côté du feu. M. George veut toujours une place chaude. Eh bien ! pourquoi Sally n'a-t-elle point sorti la meilleure théière ? La petite neuve que M. George a achetée pour madame à la Noël... Je vais la prendre. Madame a reçu des nouvelles de M. George ? ajouta-t-elle d'un ton assez inquiet...

— Oui, Chloe. Une seule ligne pour me dire qu'il compte venir aujourd'hui. Pas un mot de plus.

— Et pas un mot de mon pauvre vieil homme ? dit Chloe en retournant les tasses.

— Non, rien, Chloe ; il dit qu'il nous apprendra tout ici.

— C'est bien là M. George... il aime toujours à dire tout lui-même. C'est toujours comme ça avec lui. Je ne sais pas, pour ma part, comment les Blancs s'y prennent pour écrire tant... comme ils font... C'est si long et si difficile d'écrire ! »

Mme Shelby sourit.

« Je crois bien que mon pauvre vieil homme ne reconnaîtra pas les enfants... Et la petite ? Dame ! Est-

---

1. Toile de coton toute simple.

elle forte maintenant ! Elle est bonne aussi, et jolie, jolie ! Elle est maintenant à la maison pour surveiller le gâteau... Je lui ai fait un gâteau juste comme il les aime... et la cuisson à point pour lui. Il est comme celui... le matin... quand il partit. Dieu ! comme j'étais, moi, ce matin-là ! »

Mme Shelby soupira. Elle avait un poids sur le cœur... Elle était tourmentée depuis qu'elle avait reçu la lettre de son fils... Elle pressentait quelque malheur derrière ce voile du silence.

« Madame a les billets ? dit Chloe d'un air inquiet.

— Oui, Chloe.

— C'est que je veux montrer les mêmes billets à mon pauvre homme, les mêmes que le *chabricant* m'a donnés... "Chloe !" me dit-il, "Je voudrais vous garder plus longtemps ! – Merci ! maître, lui dis-je, mais mon pauvre homme revient, et madame ne peut se passer de moi plus longtemps..." Voilà juste ce que je lui dis... Un très joli homme, ce M. Jones ! »

Chloe avait insisté pour que l'on gardât les billets avec lesquels on avait payé ses gages, afin de les montrer à son mari, comme preuve de ses talents. Mme Shelby avait consenti de bonne grâce à lui faire ce petit plaisir.

« Il ne connaît pas Polly, mon vieil homme... non ! il ne la connaît pas !... Oh ! voilà cinq ans qu'ils l'ont pris !... elle n'était qu'un bébé... elle ne pouvait pas se tenir debout. Vous souvenez-vous, madame, comme il avait peur quelle ne tombât quand elle essayait de marcher... pauvre cher homme ! »

On entendit un bruit de roues.

« Monsieur George ! » Et Chloe bondit vers la fenêtre.

Mme Shelby courut à la porte du vestibule ; elle serra son fils dans ses bras. Chloe, immobile, voulait de ses regards percer l'obscurité de la nuit.

« Pauvre mère Chloe ! » dit George tout ému.

Et il prit la main noire entre ses deux mains.

« J'aurais donné toute ma fortune pour le ramener avec moi ; mais il est parti vers un monde meilleur. »

Mme Shelby laissa échapper un cri de douleur.

Chloe ne dit rien.

On entra dans la salle à manger.

L'argent de Chloe était encore sur la table.

« Là ! dit-elle en rassemblant les billets qu'elle tendit à sa maîtresse d'une main tremblante... il n'y a plus besoin de les regarder ni d'en parler maintenant... Je savais bien que cela serait ainsi... vendu et tué sur ces vieilles plantations ! »

Chloe se retourna et sortit fièrement de la chambre... Mme Shelby la suivit, prit une de ses mains, la fit asseoir sur une chaise et s'assit à côté d'elle.

« Ma pauvre bonne Chloe ! »

Chloe appuya sa tête sur l'épaule de sa maîtresse, et sanglota.

« Oh ! madame, excusez-moi ! Mon cœur se brise... voilà tout !

— Je comprends, Chloe, dit Mme Shelby en versant des larmes abondantes. Je ne puis vous consoler... Jésus le peut : il guérit le cœur malade, il ferme les blessures... »

Il y eut quelques instants de silence, et ils pleurèrent tous ensemble.

Enfin George s'assit auprès de l'affligée et avec une éloquence pleine de simplicité, il lui dépeignit cette scène de mort, glorieuse comme un triomphe, et répéta les paroles d'amour et de tendresse de son dernier message.

Un mois après, tous les esclaves de l'habitation Shelby étaient réunis dans le grand salon, pour entendre une communication de leur jeune maître.

Quelle fut leur surprise, quand ils le virent paraître avec une liasse de papiers ! c'étaient leurs billets d'affranchissement, il les lut tous successivement et les leur présenta à chacun : c'étaient des larmes, des sanglots et des acclamations !

Beaucoup cependant le supplièrent de ne pas les renvoyer ; ils se pressaient autour de lui et voulaient le forcer de reprendre ses billets.

« Nous n'avons pas besoin d'être plus libres que nous le sommes ; nous ne voulons pas quitter notre vieille maison, ni monsieur, ni madame, ni le reste...

— Mes bons amis, dit George, dès qu'il put obtenir un instant de silence, vous n'avez pas besoin de me quitter : la ferme veut autant de mains que par le passé ; mais, hommes et femmes, vous êtes tous libres... Je vous payerai pour votre travail des gages dont nous conviendrons. Si je meurs, ou si je me ruine, choses qui, après tout, peuvent arriver, vous aurez du moins l'avantage de ne pas être saisis et vendus. Je resterai sur la ferme, et je vous apprendrai... à user de vos droits d'hommes libres.

« Je serai fidèle à la mission que j'accepte de vous instruire. Et maintenant, mes amis, regardez le ciel, et remerciez Dieu de ce bienfait de la liberté ! »

Un vieux nègre, patriarche blanchi sur la ferme, et maintenant aveugle, se leva, étendit ses mains tremblantes et s'écria : « Remercions le Seigneur ! » Tous s'agenouillèrent. Jamais *Te Deum*[1] plus touchant ne s'élança vers le ciel.

« Encore un mot, dit George en mettant un terme à toutes ces félicitations. Vous vous rappelez, leur dit-il, notre bon père Tom ? »

Il leur fit alors un récit rapide de sa mort, et leur redit les adieux dont il s'était chargé pour tous les habitants de la ferme.

Il ajouta :

« C'est sur son tombeau, mes amis, que j'ai résolu devant Dieu que je ne posséderais jamais un esclave, tant qu'il me serait possible de l'affranchir... et que personne, à cause de moi, ne courrait le risque d'être arraché à son foyer, à sa famille, pour aller mourir, comme il est mort, sur une plantation, solitaire...

1. Hymne d'action de grâces (remerciements à Dieu) de l'Église catholique.

Amis ! chaque fois que vous vous réjouirez d'être libres, songez que votre liberté, vous la devez à cette pauvre bonne âme, et payez votre dette en tendresse à sa femme et à ses enfants... Pensez à votre liberté chaque fois que vous verrez la case de l'oncle Tom ; qu'elle vous rappelle l'exemple qu'il vous a laissé, marchez sur ses traces, et, comme lui, soyez honnêtes, fidèles et chrétiens. »

QUELQUES DATES DANS LA VIE ET DANS L'ŒUVRE D'HARRIET BEECHER STOWE

1811 (14 juin) : Harriet Beecher naît à Litchfield, dans le Connecticut, un État du nord-est des États-Unis, où le mode de vie est proche de celui que l'on mène en Europe à la même époque. Elle est la septième d'une famille de neuf enfants. Ses ancêtres maternels et paternels sont installés aux États-Unis depuis plusieurs générations. Son père, le révérend Lyman Beecher, est un pasteur puritain actif et célèbre. Six de ses frères deviendront pasteurs à leur tour.
Elle est élevée dans une atmosphère de rigueur religieuse et en conservera un goût passionné pour la vie spirituelle, qui l'apparente par certains côtés à sa contemporaine la poétesse Emily Dickinson (1830-1886). Mais elle n'est devenue ni prude ni bigote

comme le montre la largeur d'esprit dont elle fait preuve dans *La case de l'oncle Tom.*

1816 : Elle est envoyée dans la famille maternelle à Nutplains, dans le Connecticut, après la mort de sa mère, Roxanna Foote Beecher.

1832 : Le révérend Beecher s'établit avec sa famille à Cincinnati, à la frontière de l'Ohio, pour y fonder un séminaire théologique et évangéliser l'Ouest alors en pleine expansion. Cincinnati est proche du Kentucky, État esclavagiste. Harriet y verra passer des esclaves en fuite pour lesquels elle prendra parti.
Elle a reçu une éducation de qualité, suffisamment longue – fait rare à l'époque pour une femme – dans l'école de sa sœur aînée Catharine, où elle devient professeur.
Harriet se lance aussi dans l'écriture : elle rédige ses *Scènes et types des descendants des Pèlerins,* publiées seulement en 1843 sous le titre *Le Mayflower* (du nom du bateau sur lequel s'embarquèrent les premiers colons anglais au XVIIe siècle).

1836 : Elle épouse le révérend Calvin Stowe, un collègue de son père. Ils auront six enfants. Son mari est un ardent abolitionniste comme nombre des hommes d'Église de Nouvelle-Angleterre, et Harriet elle-même est de plus en plus attirée par le mouvement anti-esclavagiste.

1849 : Le sixième et dernier enfant des Stowe meurt du choléra à un an et demi. Malgré sa foi, et bien qu'au XIXe siècle perdre un enfant est un événement très fréquent, Harriet est abattu par le chagrin. Seule consolation : cette douloureuse expérience lui aura permis de comprendre ce que ressent une esclave lorsqu'on lui arrache son enfant pour le vendre.

1850 : La loi sur les esclaves fugitifs (voir note 1, p. 79) provoque un choc dans l'esprit de Harriet Beecher Stowe. Comme sous la dictée de Dieu, dit-elle, elle écrit *La case de l'oncle Tom.* Elle s'y inspire de ses propres souvenirs sur la condition misérable des esclaves.

1851 : Publication en feuilleton de *La case de l'oncle Tom ou La vie des humbles* dans le *National Era,* journal de Washington. Le texte passe alors inaperçu.

1852 : Le succès survient, immense, avec la publication en deux volumes. Elle se met à gagner enfin beaucoup d'argent, immédiatement englouti dans les besoins de la famille.
Elle effectue un voyage triomphal en Europe où son

livre est immédiatement traduit en plusieurs langues. Il rencontre un vif succès tout particulièrement en Angleterre, pays le plus en pointe dans la lutte contre l'esclavage, et en France où l'esclavage vient juste d'être aboli (en 1847) dans les colonies.

1853 : Elle compose un ouvrage polémique, *Clef de la case de l'oncle Tom,* en réponse aux critiques formulées par les esclavagistes du Sud.
Ces controverses passionnées eurent une influence décisive sur les débats qui conduisirent à la guerre civile ou guerre de Sécession (1861-1865). Le président Abraham Lincoln put même dire qu'Harriet Beecher Stowe a été « la jeune femme qui a écrit le livre qui a causé la guerre de Sécession ».

1854 : Parution de *Souvenirs heureux,* relation d'un voyage en Europe.

1856 : Elle écrit une suite à *La case de l'oncle Tom,* de qualité bien inférieure, *Dred, histoire du marais maudit.* Second voyage en Europe, où elle se lie d'amitié avec Lady Byron.

1859 : Parution du *Pasteur fait sa cour,* le plus intéressant de ses nombreux romans consacrés à la peinture des mœurs et de la vie spirituelle de la Nouvelle-Angleterre. Troisième voyage en Europe.

1862 : Parution de *La perle de l'île d'Orr* et *Agnès de Sorrente,* un roman historique qui se déroule en Italie. Elle rencontre le président Lincoln.

1869 : Parution de *Vieux citadins.*
Tous ces ouvrages ont été totalement éclipsés par la gloire de *La case de l'oncle Tom* qui demeurera le livre américain le plus vendu au XIXe siècle.

1870 : Parution de *Lady Byron vengée,* un ouvrage polémique sur la sexualité de Byron. Dans celui-ci, elle accuse Lord Byron d'inceste !

1886 : Le révérend Stowe, le mari d'Harriet, meurt, suivi par l'une de leurs filles âgée de quarante-quatre ans. L'un de leur fils était mort à dix-neuf ans, noyé, un autre se battra toute sa vie contre l'alcoolisme. Malgré sa gloire et la satisfaction d'avoir vu de son vivant l'abolition de l'esclavage, la fin de vie ne sera pas très heureuse.

1896 : Harriet Beecher Stowe meurt à Harford, elle a quatre-vingt-cinq ans.

De 1896 à nos jours : *La case de l'oncle Tom* a été traduite en trente-deux langues ; son adaptation théâtrale a été jouée en continu à New York jusqu'en 1930. Mais, même si le succès de librairie ne s'est jamais démenti, cette œuvre généreuse est devenue pour cer-

tains le symbole d'une forme de paternalisme néocolonialiste assez difficile à accepter de nos jours par la communauté noire. Hariett Beecher Stowe présente, en effet, un certain nombre de ses personnages de Noirs américains comme de grands enfants, insouciants, naïfs souvent menteurs...
L'expression « oncle Tom » est restée de nos jours dans le langage courant américain. Elle désigne un Noir trop soumis, trop docile vis-à-vis des Blancs, qui n'a pas suffisamment de fierté pour son héritage culturel et historique.

Table

Le Livre de Poche s'engage pour l'environnement en réduisant l'empreinte carbone de ses livres. Celle de cet exemplaire est de :
400 g éq. CO_2
Rendez-vous sur www.livredepoche-durable.fr

« Pour l'éditeur, le principe est d'utiliser des papiers composés de fibres naturelles, renouvelables, recyclables et fabriquées à partir de bois issus de forêts qui adoptent un système d'aménagement durable. En outre, l'éditeur attend de ses fournisseurs de papier qu'ils s'inscrivent dans une démarche de certification environnementale reconnue. »

Édité par la Librairie Générale Française - LPJ
(58 rue Jean Bleuzen, 92178 Vanves Cedex)

Composition Jouve
Achevé d'imprimer en Espagne par CPI
Dépôt légal 1re publication septembre 2014
71.8891.0/03 - ISBN : 978-2-01-001621-9
Loi n° 49-956 du 16 juillet 1949 sur les publications destinées à la jeunesse
Dépôt légal : août 2016